DIE GUTE SAAT

2014

© by Christliche Schriftenverbreitung, Hückeswagen

Satz: *Christliche Schriftenverbreitung, Hückeswagen*
Layout: *ideegrafik, Jürgen Benner*
Umschlagfoto: *Fotolia*
Gesamtherstellung: *BasseDruck, 58135 Hagen*
Printed in Germany

An unsere Leser

„Gott erweist seine Liebe zu uns darin, dass Christus, als wir noch Sünder waren, für uns gestorben ist." Römer 5,8

Der Gott der Bibel, der Schöpfer der Welt, ist keine unpersönliche Kraft, kein blindes Schicksal und auch kein unnahbares höchstes Wesen. Er ist ein persönlicher Gott, der sich zu erkennen gibt und sich in Jesus Christus völlig offenbart hat. Gott ist Licht; und Gott ist Liebe. Seine Geschöpfe sind Ihm nicht gleichgültig, sondern Ihm liegt an uns – an jedem Einzelnen. Und Er wünscht zu jedem von uns eine persönliche Beziehung. Deshalb redet Er den Menschen in der Bibel auch immer wieder persönlich an.

Dieses Werben Gottes um uns ist das Thema des Kalenders „Die gute Saat". Die täglichen Bibelworte bringen dem Leser den ermutigenden Zuspruch Gottes nahe – seinen Segen für die Glaubenden, seine guten Orientierungshilfen für unser Leben, die ewigen Zusagen für seine Kinder, aber auch seine Warnungen vor dem Verlorengehen. Kurze Erläuterungen, kleine Geschichten und andere hilfreiche Hinweise dienen der Erklärung und Illustration der Bibelworte und ihrer Anwendung auf unsere Zeit.

Der Bibelleseplan ◯‿ führt in drei Jahren durch die ganze Bibel. In der ersten Zeile werden Stellen aus dem Alten Testament angegeben, in der Zeile darunter Abschnitte aus dem Neuen Testament, den Psalmen und den Sprüchen.

Unser Anliegen ist es, die biblische Botschaft unverändert weiterzugeben. Wir halten daran fest, dass die Bibel Gottes Wort ist. Sie ist die Grundlage unserer Verkündigung. Wir werben nicht für eine Gruppe oder Sonderlehre.

Für das neue Jahr wünschen wir Ihnen von Herzen Gottes Segen.

Die Mitarbeiter

Die Bibelstellen werden nach der „Elberfelder Übersetzung" (Edition CSV Hückeswagen) angeführt.

Diese Zeichen aber sind geschrieben, damit ihr glaubt, dass Jesus der Christus ist, der Sohn Gottes, und damit ihr glaubend Leben habt in seinem Namen.

Johannes 20,31

Denn aus seiner Fülle haben wir alle empfangen, und zwar Gnade um Gnade.

Johannes 1,16

Die gute Botschaft von Jesus Christus bringt uns einzigartige Ermutigungen, die wir zu Beginn eines neuen Jahres ganz bewusst in Anspruch nehmen sollten.

Solchen, die unbefriedigt und enttäuscht sind, verheißt der Herr Jesus: „Wer irgend aber von dem Wasser trinkt, das *ich* ihm geben werde, den wird *nicht* dürsten in Ewigkeit" (Kap. 4,14).

Denen, die nach der Wahrheit hungern, stellt Er sich vor als das Brot des Lebens: „Wer zu mir kommt, wird *nicht* hungern" (Kap. 6,35).

Wer nicht weiß, wohin er sich wenden soll, dem sagt Jesus: „*Ich* bin das Licht der Welt; wer mir nachfolgt, wird *nicht* in der Finsternis wandeln, sondern wird das Licht des Lebens haben" (Kap. 8,12).

Denen, die sich nicht verteidigen können, die Unsicherheit oder Furcht empfinden, versichert Er, dass Er der Gute Hirte ist. Solchen, die Er errettet hat und die Ihm angehören, gilt seine Zusage: „Niemand wird sie aus meiner Hand rauben" (Kap. 10,28).

Allen, die auf der Suche sind nach dem Sinn des Lebens und nach Gott, sagt Er: „*Ich* bin der Weg und die Wahrheit und das Leben" (Kap. 14,6).

Wer um einen lieben Angehörigen weint, dem ruft Er zu: „*Ich* bin die Auferstehung und das Leben; wer an mich glaubt, wird leben, auch wenn er stirbt" (Kap. 11,25).

Denen, die sich einsam fühlen, verheißt Er: „*Ich* bin bei euch alle Tage" (Matthäus 28,20).

Jesus Christus ist der Freund, der nie enttäuscht, wenn wir Ihm unser Leben anvertrauen.

---

2. Mose 1,1-22
Lukas 1,1-12

SA 08.27   SU 16.25

MA 07.55   MU 16.59

Donnerstag **2** Januar

Sucht, und ihr werdet finden; klopft an, und es wird euch aufgetan werden.

Matthäus 7,7

Jonas ist ein Teenager in einer deutschen Großstadt. Computerspiele sollen ihm die Langeweile vertreiben. Mit 15 Jahren ist er spielsüchtig. Zusammen mit seinen Freunden fängt er an, Rauschgift zu nehmen. Ab und zu ist er an einer Schlägerei beteiligt. Die Schule bricht er ab. Plötzlich findet er sich wegen Körperverletzung im Jugendarrest wieder.

Das ist nicht das Leben, das Jonas sich gewünscht hat. Er fängt an, depressiv zu werden. Später beginnt er, über Gott nachzudenken. Gibt es Ihn? Er setzt sich an seinen Computer und fängt an, zu googeln. Vieles, was er im Internet findet, befriedigt ihn nicht. Theologische Abhandlungen, menschliche Meinungen und Argumente, unterschiedliche Glaubensbekenntnisse von dieser und jener Kirche und Sekte – nein, das ist es nicht, was er sucht.

Schließlich stößt er auf eine Homepage, die nicht nur religiöse Meinungen von sich gibt. Die Erklärungen dort nehmen immer Bezug auf die Bibel. Das Tun Gottes und der Herr Jesus stehen im Mittelpunkt der Texte. Jonas spürt: Das ist es, was ich gesucht habe. Stundenlang liest er weiter. Einige Fragen klären sich, neue tun sich auf. Da nimmt er das Angebot des Betreibers an und schickt ihm eine E-Mail. Gespannt wartet er auf die Reaktion. Und dann kommt die Antwortmail. Sie enthält nicht nur eine kurze Nachricht, sondern ausführliche Antworten auf seine Fragen. Und auch jetzt gründen sich die Erklärungen ganz auf die Bibel, auf Gottes Wort.

Nun beginnt ein reger Mailwechsel. Jonas findet das, was er gesucht hat. Er geht den Weg, den die Bibel aufzeigt. Er bekennt Gott seine Sünden und nimmt Jesus Christus im Glauben als seinen Erretter an. Und jetzt, wo er Christus freudig nachfolgt, ist sein Leben völlig umgewandelt und hat Sinn.

Denn was wird es einem Menschen nützen, wenn er die ganze Welt gewinnt, aber seine Seele einbüßt?

Matthäus 16,26

Das Wichtigste

Mein Nachbar, der an Asthma leidet, hat mir soeben ein gutes neues Jahr gewünscht, indem er hinzufügte: „... und beste Gesundheit. Das ist das Wichtigste!" Man merkt, dass er weiß, wovon er redet.

Ein anderer würde vielleicht sagen: „Das Wichtigste heute ist eine gute Arbeitsstelle." Und ein Dritter weiß noch etwas anderes: „Nein, das Wichtigste ist, den rechten Lebenspartner zu haben."

Das alles ist ganz sicher wichtig, aber es gibt bestimmt etwas noch Wichtigeres. Und das betrifft nicht nur die Zeit unseres Aufenthalts auf der Erde, sondern es hat Folgen für die Ewigkeit. – Haben Sie an dieses Wichtigste schon gedacht? Heute Morgen hörte ich von dem plötzlichen Tod eines sehr sympathischen Kollegen. Er war in seinem Beruf gewissenhaft und allen gegenüber stets hilfsbereit. Ob er wohl „das Wichtigste" getan hatte? Hatte er bedacht, dass er einmal Gott begegnen muss?

Entschuldigen Sie bitte, wenn wir diese Frage im Lauf des Jahres noch mehr als einmal stellen: Sind Sie bereit, Gott zu begegnen? Sind Sie im Reinen mit Ihm? Haben Sie über die Probleme und dunklen Stellen in Ihrem Leben offen mit Ihm gesprochen? Heute bietet Er Ihnen seine Vergebung an. Er kann vergeben, weil Jesus Christus, sein eigener Sohn, für die Sünden gestorben ist. Deshalb ist das Wichtigste im Leben, *an Christus zu glauben.*

Wer den Sohn Gottes noch nicht als seinen Retter und Herrn kennt, dem fehlt noch das Wichtigste, das alles Entscheidende, sowohl für die kurze Zeit auf der Erde als auch für die Ewigkeit.

---

2. Mose 2,16-3,6
Lukas 1,26-38

 SA 08.26   SU 16.27

 MA 09.22   MU 19.39

Gott hat sich nicht unbezeugt gelassen, indem er Gutes tat und euch vom Himmel Regen und fruchtbare Zeiten gab.

Apostelgeschichte 14,17

Kein Mensch kann Gott sehen. Aber gibt es deswegen keinen Gott? Das wäre eine törichte Schlussfolgerung. Denn wenn wir Ihn auch nicht sehen können, so hat Er uns seine Existenz doch auf vielfache Weise offenbart:

- *Durch die Schöpfung.* An seinem Werk erkennt man den Meister. „Das von Gott Erkennbare unter ihnen ist offenbar … – denn das Unsichtbare von ihm wird geschaut, sowohl seine ewige Kraft als auch seine Göttlichkeit, die von Erschaffung der Welt an in dem Gemachten wahrgenommen werden –, damit sie ohne Entschuldigung seien" (Römer 1,19.20).
- *Durch das Gewissen und persönliche Erfahrungen.* Gott hat das Gewissen in jeden Menschen hineingelegt als einen Anzeiger für Gut und Böse (Römer 2,15). Und in unseren Lebensumständen lässt Er uns oft seine Güte erfahren (Matthäus 5,45; Apostelgesch. 17,25).
- *Durch erfüllte Prophezeiungen.* Gott, der allein die Zukunft kennt, hat in der Bibel viele Prophezeiungen gegeben, die sich erfüllt haben. „Erinnert euch …, dass ich Gott bin und gar keiner wie ich; der ich von Anfang an das Ende verkünde" (Jesaja 46,9.10).
- *Durch Jesus Christus, seinen Sohn.* In Ihm hat Gott sich völlig offenbart. „Niemand hat Gott jemals gesehen; der eingeborene Sohn, der im Schoß des Vaters ist, der hat ihn kundgemacht" (Johannes 1,18).

Gott hat sich offenbart! Und jeder, der will, kann Ihn und seine Nähe und Liebe erfahren.

Sonntag 5 Januar

Paulus, Knecht Christi Jesu, berufener Apostel, abgesondert zum Evangelium Gottes.

Römer 1,1

Gedanken zum Römerbrief

Den Brief des Apostels Paulus an die Christen in Rom finden wir in der Bibel direkt nach der Apostelgeschichte. Zwischen diesen beiden Büchern besteht auch ein deutlicher Zusammenhang. In der Apostelgeschichte können wir den Aposteln direkt *zuhören,* wie sie das Evangelium gepredigt und zum Glauben an den Retter Jesus Christus aufgerufen haben.

Dort treten Petrus und Paulus in den Vordergrund. Petrus war von Gott in erster Linie zum Volk Israel gesandt, während Paulus sich mehr an die heidnischen Völker richtete. Petrus gehörte zu den zwölf Aposteln, die der Herr während seines Dienstes auf der Erde auserwählt hatte. Paulus war erst später vom auferstandenen und im Himmel verherrlichten Christus zum Apostelamt berufen worden (siehe Kap. 2,14-41; 3,12-26; 17,22-34; Galater 2,8).

Paulus, der vorher Saulus hieß, war vor seiner Umkehr zu Christus ein solcher Eiferer für die jüdische Religion, dass er die Christen grausam verfolgte. Seine Bekehrung wird an mehreren Stellen in der Apostelgeschichte berichtet. Die Redewendung „von einem Saulus zu einem Paulus werden" geht auf diese dramatische Kehrtwende zurück (Apostelgesch. 9,1-22; 22,1-21; 26,1-23).

Neben dem mündlichen Predigtdienst auf seinen Missionsreisen hat Paulus auch Briefe an Christen in verschiedenen Gegenden des Römischen Reiches geschrieben, um sie im Glauben zu stärken. Die Gläubigen in Rom hatte er noch nicht besuchen können. Deshalb beschreibt er ihnen die Grundtatsachen und die segensreichen Auswirkungen des Evangeliums in großer Ausführlichkeit. Daher nimmt dieser Brief zu Recht den Platz zwischen der Apostelgeschichte und den weiteren Briefen ein.

---

2. Mose 4,1-17
Lukas 1,57-66

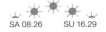 SA 08.26 SU 16.29

 MA 10.23 MU 22.17

> **Der HERR ist gütig, er ist ein Schutz am Tag der Drangsal; und er kennt die, die zu ihm Zuflucht nehmen.**
>
> *Nahum 1,7*

Die Mauer aus Schnee

Anfang Januar 1814 stand der schwedische Kronprinz Carl Johann Bernadotte in seinem Winterfeldzug gegen die Dänen mit seinen Verbündeten in der Nähe von Schleswig. Die Bewohner der Stadt fürchteten das Schlimmste, besonders von den rauen Kosaken.

Am Eingang der Stadt, gerade in der Richtung, aus welcher der Feind kommen würde, lag wie auf dem Präsentierteller ein kleines Häuschen. Darin wohnte ein 20-Jähriger mit seiner Mutter und seiner Großmutter.

Die Großmutter war es gewohnt, in guten wie in schlechten Zeiten zu Gott zu beten und Ihm zu vertrauen. In diesen Tagen bat sie Ihn inständig um Bewahrung. Ihr Enkel hörte sie immer wieder einen Vers aus einem alten Kirchenlied von Johann Heermann beten:

> *Eine Mauer um uns bau,*
> *dass dem Feinde davor grau.*

Der Enkel hielt es für unmöglich, dass Gott ausgerechnet um ihr Haus in Windeseile eine Mauer bauen würde. Die Großmutter erwiderte, dass sie es im übertragenen Sinn meine. Aber wenn es Gott gefiele, dann könne Er auch tatsächlich eine Mauer um sie bauen.

Der Waffenstillstand ging gegen Mitternacht zu Ende. Doch am Abend setzte ein Schneesturm ein, der eine hohe Schneemauer vor dem Häuschen aufwarf. Gott hatte das Gebet buchstäblich erhört. Die Soldaten zogen an dem Häuschen vorbei, und sie blieben vor Plünderungen verschont.

Diese Begebenheit fand schnell ihren Weg in die Zeitungen; und Clemens Brentano hat sie in die Form eines Gedichtes gebracht.

---

2. Mose 4,18-31
Lukas 1,67-80

 SA 08.26 SU 16.30

 MA 10.49 MU 23.33

Dieser ist Jesus, der König der Juden.

Matthäus 27,37

Das Evangelium nach Matthäus

Das Neue Testament beginnt mit den vier Evangelien, die von Jesus Christus reden, dem Sohn Gottes. Von Gott gesandt, wurde Er Mensch und kam zu uns: Gott war unter uns Menschen!

Aber warum gleich vier Berichte über Ihn? Weil seine Person und sein Leben auf der Erde so einzigartig ist, so groß und so vielseitig! Die Evangelien beschreiben seine Person und sein Leben unter vier verschiedenen Gesichtspunkten. Zusammen zeigen sie, wie Er wirklich war, als Er auf der Erde lebte.

Das erste Evangelium schrieb Matthäus. Er war ein Zolleinnehmer und hatte, bevor er dem Herrn nachfolgte, keinen guten Ruf. Danach aber hatte er seinen Landsleuten, den Juden, eine Botschaft über Ihn zu übermitteln: Das ist der König, den die alten Propheten Israels verheißen haben! Und weiter: Das Königreich der Himmel ist nahe gekommen!

Mit seinem Buch will Matthäus vor allem die Juden erreichen und überzeugen, dass Jesus Christus, der gekreuzigte und auferstandene Herr, ihr Messias ist. Nur eine Minderheit seiner Landsleute hatte Christus angenommen, darum war sein Reich noch nicht in öffentlicher Form gekommen. Das alles hatten schon die Propheten über Christus vorhergesagt; und Matthäus zitiert auch immer wieder die Schriften des Alten Testaments, um das zu beweisen.

Er verschweigt auch nicht, dass Christus wiederkommen und seine Herrschaft auf der Erde in Macht und Herrlichkeit antreten wird. Dann wird Er alle seine Feinde richten und ein Reich aufrichten, das von Gerechtigkeit und Frieden geprägt ist.

Ich schäme mich des Evangeliums nicht, denn es ist Gottes Kraft zum Heil jedem Glaubenden.

Römer 1,16

Unter den Ureinwohnern Neu-Guineas lebte isoliert der Volksstamm der Tuaripe. Vor wenigen Jahrzehnten nahmen viele von ihnen das Evangelium von Jesus Christus an. Die Missionare übersetzten das Neue Testament auch in ihre Stammessprache. Nach Jahren mühevoller Arbeit war das Werk fertiggestellt und die ersten gedruckten Exemplare konnten ausgeliefert werden. Zu diesem Anlass stattete der Leiter des Regionalbüros der Bibelgesellschaft den Tuaripe einen Besuch ab.

Als das kleine Missionsflugzeug dort landete und man im Begriff war auszusteigen, tauchten plötzlich kriegerisch aussehende Gestalten aus dem Gebüsch auf, die ihre Speere schwangen und auf die Maschine zustürmten.

Wie der Vertreter der Bibelgesellschaft später erzählte, wurde ihm bei diesem Anblick so angst, dass er zum ersten Mal in seinem Leben das Fotografieren vergaß. Als das Flugzeug umzingelt war, erschien der Häuptling und rief seine Krieger zurück.

„Wenn das Evangelium nicht Licht in unsere Herzen gebracht hätte", erklärte er den Besuchern, „hätten meine Krieger euch getötet, wie wir noch vor zwanzig Jahren alle Fremden getötet haben."

Ja, Gottes Wort ist lebendig und wirksam und kann Menschenherzen völlig umwandeln. Das Evangelium ist „Gottes Kraft, zum Heil jedem Glaubenden". Auch Ihr Leben kann sich völlig verändern, kann sich zum Guten wenden, Sie können ein ganz neuer Mensch werden – wenn Sie zu Gott umkehren und Jesus Christus im Glauben in Ihr Leben aufnehmen.

---

2. Mose 5,15-6,8
Lukas 2,8-20

 SA 08.25 SU 16.33

 MA 11.41 MU 00.45

9

Und Gott der HERR pflanzte einen Garten in Eden gegen Osten ... und ließ aus dem Erdboden allerlei Bäume wachsen, lieblich anzusehen und gut zur Speise.

1. Mose 2,8.9

Schon am Anfang der Bibel zeigt Gott sein liebendes Herz dem Menschen gegenüber. Er gibt reichlich. Er gibt gern und mit Freude. Gott pflanzt einen Garten in Eden. Menschen haben im Lauf der Zeit wunderschöne Gärten angelegt, wo sie Ruhe und Erquickung fanden. Doch welche Schönheit und Freude muss der Garten Eden ausgestrahlt haben, den Gott selbst gepflanzt hat!

Der Garten Gottes war mit „allerlei Bäumen" ausgestattet. Es fehlte also nicht an Abwechslung, und die Bäume sahen nicht nur prächtig aus, sondern trugen auch wohlschmeckende, nahrhafte Früchte. Der Mensch konnte zudem nach Belieben davon essen. Ihm wurde keine Beschränkung auferlegt. Nur eine Ausnahme gab es: „Vom Baum der Erkenntnis des Guten und Bösen, davon sollst du nicht essen." Auf diese Weise erhielten Adam und Eva die Möglichkeit, ihrem Schöpfer-Gott ihre Dankbarkeit und Wertschätzung durch Gehorsam zum Ausdruck zu bringen.

Gott hatte den Menschen reich beschenkt und ihm die höchste Stellung auf der Erde zugewiesen. Doch dann kam der Versucher in Gestalt einer Schlange, und der Mensch ließ sich zum Ungehorsam gegenüber Gott verleiten. Die Geschichte nahm einen schlimmen Verlauf. Die Sünde konnte im Menschengeschlecht Wurzeln schlagen mit verheerenden Folgen für die ganze Schöpfung.

Einer jedoch hat sich nicht verändert: der Schöpfer. Gott ist auch heute noch der große Geber. Er liebt uns und will uns in Jesus Christus viel mehr schenken, als Adam und Eva im Paradies verloren haben. Über die Frage, wie das möglich ist, wollen wir morgen nachdenken.

Er wird dir den Kopf zermalmen, und du wirst ihm die Ferse zermalmen.

1. Mose 3,15

Durch den Sündenfall hat sich vieles im Leben der Menschen verändert. Die traurigste Änderung betrifft ihre vorher ungetrübte Beziehung zu Gott. Jetzt verstecken Adam und Eva sich vor Ihm. Sie wissen, dass sie sterben müssen. Das hat Gott ihnen vorhergesagt, wenn sie ungehorsam sein würden. Müssten sie jetzt nicht sofort ihre Schuld vor Gott eingestehen: „Wir sind des Todes schuldig; wir haben Dein Gebot übertreten; es tut uns leid!"?

Doch was geschieht? Gott kommt ihnen zuvor. Er lässt sie nicht allein. Er sucht den gefallenen Menschen auf und erwähnt zuerst die Folge seines Ungehorsams, den Tod. Aber dann zeigt Er die Lösung dieses großen Problems auf.

Satan gegenüber spricht Gott von dem „Nachkommen der Frau", der ihm den Kopf zermalmen würde. Das weist auf den Erlöser hin, auf Gottes Sohn, unseren Herrn und Heiland Jesus Christus. Sein Sühnungstod am Kreuz ist die Antwort der Liebe Gottes auf den so tragischen Fall des ersten Menschen. So ist Gott. Er hat die Ausweglosigkeit unserer Lage im Voraus gesehen und hat die Lösung bereit.

Gottes Ziel ist es, den Menschen glücklich zu machen – ganz im Gegensatz zu den Absichten des Teufels, der den Menschen ins Unglück stürzt und der Gemeinschaft mit Gott beraubt. Deshalb muss sich jeder zurückführen lassen zu Gott. Und dafür gibt es nur einen Weg: den Weg über Golgatha, wo Christus für jeden, der an Ihn glaubt, das Strafgericht erduldet hat.

Durch den Glauben an Christus empfangen wir nicht nur die Rettung vor dem ewigen Verderben, sondern auch Anteil an den ewigen Reichtümern Gottes in der Herrlichkeit des Himmels. Das ist viel mehr, als unsere Voreltern im irdischen Paradies verloren haben.

Jeder Bittende empfängt, und der Suchende findet, und dem Anklopfenden wird aufgetan werden.

Matthäus 7,8

Eine Lehrerin erzählt:

Während meiner Ausbildung war ich mit einer anderen Studentin freundschaftlich verbunden. Sie war sehr fromm und stammte wie ich aus Nordafrika. Sie erzählte viel von Gott; das war oft ein Anlass für heiße Debatten. Immer wieder erklärte sie mir, warum sie Christin geworden war. Das verstörte mich.

Christin zu werden bedeutet ja für eine Muslimin, alles aufzugeben. Geschichte, Kultur und Glaube sind bei uns eng miteinander verbunden. – Meine Freundin hatte ihre eigene Identität und ihren Gott verraten!

Lange hielt ich sie für verloren. Doch auf den Rat meines Mannes hin lud ich sie zu mir ein, um ihr zu helfen. Da flammten unsere Diskussionen erneut auf. Aber wie sollte ich eine Religion kritisieren, die ich gar nicht kannte? So beschloss ich, die Bibel zu lesen. Ich vertiefte mich in die Evangelien. Bis dahin war Jesus für mich nur ein Prophet unter anderen gewesen. Aber wie sehr faszinierte Er mich auf einmal! Beim Lesen des Neuen Testaments stieß ich zwar auf einige Klippen, insgesamt aber konnte ich den Zusammenhang erstaunlich leicht verstehen.

So geriet ich in einen schlimmen Zwiespalt. Außerhalb meiner angestammten Religion nach Glaubenswahrheiten zu suchen, war streng verboten. Die Krise wurde so groß, dass ich nicht mehr schlafen konnte und keinen Appetit mehr hatte … bis zu der Nacht, als ich Gott betend fragte: „Wo bist Du zu finden? Im Koran oder in der Bibel? Sag es mir doch!"

Da fiel es mir wie Schuppen von den Augen. Weil ich bereit war, auf den lebendigen Gott zu hören, schenkte Er mir Gewissheit. In dieser Nacht fand ich inneren Frieden und wurde glücklich. – Jesus war der Weg!

---

2. Mose 7,14-29
Lukas 2,41-52

SA 08.23   SU 16.37   MA 13.16   MU 04.04

Paulus, ... abgesondert zum Evangelium Gottes ... über seinen Sohn ... Jesus Christus, unseren Herrn.

Römer 1,1-4

Gedanken zum Römerbrief

Wenn wir von den Ergänzungen in diesen ersten Versen des Römerbriefes zunächst einmal absehen, finden wir darin den Ursprung der guten Botschaft, die Paulus verkündigte, und ihren Inhalt kurz umrissen.

Das Evangelium ist die gute Botschaft Gottes. Woher könnte die Rettung für den in Sünde gefallenen Menschen denn sonst kommen? Paulus predigte nicht irgendeine der von Menschen erdachten Religionen. Nein, seine Botschaft beruhte auf göttlicher Offenbarung.

Der Inhalt des Evangeliums ist Jesus Christus, der Sohn Gottes, der Herr. Und so grundlegend, wie sich das Evangelium in seinem Ursprung von jeder menschlichen Religion unterscheidet, so gegensätzlich sind auch die Inhalte.

Die Religionen versuchen aufzuzeigen, wie der Mensch sich selbst erlösen kann. Aber dieses Bemühen ist zum Scheitern verurteilt. Es gleicht Leitern, die man auf der Erde aufstellt, um den Himmel zu erreichen. Da mag die eine Leiter eine Sprosse mehr aufweisen als die andere – und doch sind alle viel zu kurz.

Nein, die Rettung kommt nicht von unten! Sie muss von oben kommen: Gott hat seinen Sohn auf die Erde gesandt. Jesus Christus ist Mensch geworden und für die Schuld verlorener Sünder in den Tod gegangen. Nur durch das Kreuz Jesu Christi kann die große Kluft überbrückt werden, die durch die Sünde entstanden ist.

Und nur in Jesus Christus können wir erkennen, wer der eine, wahre Gott ist. Er hat sich in seinem Sohn völlig zu erkennen gegeben. Das Kreuz Jesu beweist: Gott ist heilig und gerecht; Er kann Sünde nicht ungestraft hingehen lassen. Und es zeigt zugleich: Gott ist Liebe. Er hat seinen geliebten Sohn für uns hingegeben.

Montag 13 Januar

Was hat der Mensch von all seiner Mühe und vom Trachten seines Herzens, womit er sich abmüht unter der Sonne? Denn alle seine Tage sind Kummer, und seine Geschäftigkeit ist Verdruss; sogar bei Nacht ruht sein Herz nicht. Auch das ist Eitelkeit.

Prediger 2,22.23

Oft denkt man, die Großen dieser Welt, die Milliardäre und der Hochadel, die berühmten Filmstars oder die begabten Künstler und Schriftsteller hätten mehr vom Leben als andere.

Aber der Schein trügt. König Salomo, der „Prediger", der sich nichts versagt, sondern alles ausprobiert hat, was es „unter der Sonne" gibt, hat darin keine bleibende Befriedigung gefunden. Ob Paläste oder Frauen, ob Parkanlagen oder Schätze an Gold und Silber – unter dem Strich blieb nichts übrig, was sein Herz als „Gewinn" verzeichnen konnte (V. 10.11).

Auch Goethe warnt hier vor Illusionen: „Man hat mich immer als einen vom Glück besonders Begünstigten gepriesen; auch will ich mich nicht beklagen und den Gang meines Lebens nicht schelten. Allein im Grunde ist es nichts als Mühe und Arbeit gewesen, und ich kann wohl sagen, dass ich in meinen fünfundsiebzig Jahren keine vier Wochen eigentliches Behagen gehabt. Es war das ewige Wälzen eines Steins, der immer von neuem gehoben sein wollte."

Die Jagd nach Glück, nach Frieden und nach Ruhe bleibt vergeblich, wenn unser Blick im Diesseits haften bleibt. In unserem tiefsten Inneren ist eine Sehnsucht nach ewigen Werten angelegt, die nur der ewige Gott stillen kann. Schon Salomo spricht davon (Kap. 3,11).

Jesus Christus lädt uns ein: „Jeden, der von diesem Wasser trinkt, wird wieder dürsten; wer irgend aber von dem Wasser trinkt, das ich ihm geben werde, den wird nicht dürsten in Ewigkeit; sondern das Wasser, das ich ihm geben werde, wird in ihm eine Quelle Wassers werden, das ins ewige Leben quillt (Johannes 4,13.14).

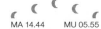

Dienstag **14** Januar

Zum Heil wurde mir bitteres Leid.

Jesaja 38,17

Im Gefängnis

Meine Eltern kamen zum Glauben an Christus, als ich noch ein kleines Kind war. Sie erzogen uns Kinder mit der Bibel und lehrten uns, Jesus nachzufolgen. Ich ging mit in die christlichen Zusammenkünfte und hatte gute Kontakte zu anderen jungen Christen. Und ich war nicht nur äußerlich dabei. Schon früh wurde mir klar, dass ich ein Sünder war und Jesus Christus als Retter brauchte. Deshalb bekannte ich Gott meine Schuld und glaubte dankbar daran, dass Christus auch für mich gestorben ist.

Mit der Zeit aber wurde mein Leben oberflächlicher. Als Jugendlicher hatte ich ein Gespür dafür, wo und wie es etwas zu gewinnen gab. Das brachte mich mit Menschen in Kontakt, deren Hintergrund ich nicht kannte. Eines Tages wurde ich von einem dieser Bekannten gebeten, mit ihm zu seiner Bank zu fahren und dann mit ihm in die Stadt zu gehen.

Seltsamerweise verging Viertelstunde um Viertelstunde, ohne dass er aus der Bank zurückkam. Schließlich verließ ich das Auto, um ihn zu suchen. Als ich ihn sah und zu ihm gehen wollte, stellten sich mir Polizisten in den Weg. Offenbar hatte dieser „Freund" etwas ausgefressen, und man nahm an, dass ich mit ihm unter einer Decke steckte. So musste ich mit zur nächsten Polizeistelle und wurde über Nacht in eine Zelle gesteckt, weil ich nicht geständig war. Ich hatte ja auch tatsächlich nichts Böses getan.

Diese Nacht wurde zu einem Wendepunkt in meinem Leben. Ich dachte über meine Jugendzeit nach, und mir wurde bewusst: Ich bin zwar wirklich ein Kind Gottes und lebe auch nicht in groben Sünden, aber ich folge Christus nicht mit ungeteiltem Herzen nach. Das war eine bittere Einsicht. Von nun an wollte ich mit Entschiedenheit für meinen Meister leben. Es lohnt sich, und Er ist es wert!

---

2. Mose 9,1-16
Lukas 3,23-38

 SA 08.21   SU 16.41

 MA 15.36   MU 06.41

So spricht der HERR ...: Schreibe dir alle Worte, die ich zu dir geredet habe, in ein Buch.

Jeremia 30,2

Denn es ist nicht ein leeres Wort für euch, sondern es ist euer Leben.

5. Mose 32,47

Die Bibel

Die Bibel ist das meistgekaufte und meistgelesene Buch der Welt. Sie ist inzwischen, ganz oder teilweise, in mehr als 2800 Sprachen übersetzt worden.

Warum ist dieses alte Buch heute noch so aktuell? – Weil Gott selbst darin zu uns redet und sich persönlich offenbart. Durch die Bibel teilt Er uns alles mit, was wir wissen müssen, um Ihn kennenzulernen und ein glückliches Leben in Gemeinschaft mit Ihm zu führen.

- *Jesus Christus* ist das zentrale Thema dieses Buches; und Gott ist der Urheber.
- Die Bibel ist die Wahrheit; ihre Berichte sind verbürgt.
- Sie handelt vom ewigen Leben und stellt den Menschen vor Entscheidungen.
- Sie öffnet eine Tür, durch welche die Zukunft des Menschen, der Völker und der Erde sichtbar wird.
- Die Bibel tröstet und stärkt; sie ist eine Hilfe in den Fragen und Problemen des Lebens. Sie ist die geistliche Nahrung, die jeder nötig hat.
- Sie ist das Licht, das unseren Lebensweg beleuchtet.
- Wenn wir sie betend lesen und Gottes Wort glaubend annehmen, gelangen wir von einem verlorenen Leben zum ewigen Glück.

Alles in allem ist die Bibel geschrieben, „damit ihr glaubt, dass Jesus der Christus ist, der Sohn Gottes, und damit ihr glaubend Leben habt in seinem Namen" (Johannes 20,31).

Donnerstag 16 Januar

Kommt her zu mir, alle ihr Mühseligen und Beladenen, und ich werde euch Ruhe geben.

Matthäus 11,28

Darf ich so zu Jesus kommen, *wie ich bin?* – Wer so fragt, weil er über seine Sünden beunruhigt ist, darf das heutige Bibelwort voll Vertrauen für sich in Anspruch nehmen.

Aber der Mensch *darf* nicht nur so kommen, wie er ist, er *muss* so kommen, wenn er nicht verloren gehen will! Viele glauben zwar, ihre Sünden mit Tränen „abwaschen" oder mit eigenen, oft selbst auferlegten Werken „abarbeiten" zu können. Gott aber sagt in seinem Wort, dass aus „Gesetzeswerken" kein Mensch vor ihm gerechtfertigt werden wird (Römer 3,20).

Das bedeutet, dass keiner von uns Leistungen aufweist oder über Qualitäten verfügt, die uns helfen könnten, vom Herrn Jesus angenommen zu werden. Doch wenn wir im Glauben zu Ihm kommen, gibt Gott uns alles, was zu unserem Heil nötig ist, völlig umsonst.

In Lukas 15 lesen wir von der Rückkehr des verlorenen Sohnes zu seinem Vater. Der verlorene Sohn *kam so, wie er war.* Und weil er umkehrte und seine Schuld eingestand, nahm ihn sein Vater mit offenen Armen auf, gab ihm ein neues Gewand, schmückte seine Hand mit einem goldenen Ring, gab ihm Sandalen für seine Füße und führte ihn an eine reich gedeckte Tafel.

Auch die „Sünderin", von der in Lukas 7 die Rede ist, kam heilsverlangend zu Jesus und weinte über ihre Schuld. *Sie kam so, wie sie war,* und hörte aus dem Mund des Herrn die Worte: „Deine Sünden sind vergeben. ... Dein Glaube hat dich gerettet; geh hin in Frieden" (V. 48-50).

Und als der Apostel Petrus von Christus spricht, versichert er: „Diesem geben alle Propheten Zeugnis, dass jeder, der an ihn glaubt, Vergebung der Sünden empfängt durch seinen Namen" (Apostelgesch. 10,43).

---

2. Mose 10,1-11
Lukas 4,14-30

 SA 08.19   SU 16.45

 MA 17.32   MU 07.54

Freitag 17 Januar

Wenn Gott für uns ist, wer gegen uns? Er, der doch seinen eigenen Sohn nicht verschont, sondern ihn für uns alle hingegeben hat: Wie wird er uns mit ihm nicht auch alles schenken?

Römer 8,31.32

Das größte Wunder

Das Gebet hat Auswirkungen, die oft nicht allein durch die Naturgesetze und den gesunden Menschenverstand zu erklären sind. Das ist deshalb so, weil Gott selbst, dem die ganze Schöpfung ihr Wesen und ihre Gesetzmäßigkeiten verdankt, natürlich nicht durch die von Ihm gesetzten Schranken begrenzt ist.

„Ausnahmen bestätigen die Regel", sagt man. So hat auch Gott sich Eingriffe in die Schöpfung vorbehalten. Der Mensch mit seiner begrenzten Einsicht kann das nicht verstehen, solange er sich weigert, Gott auch wirklich eingreifen zu lassen.

Das größte aller Wunder ist die neue Geburt. Für jemand, der dieses Wunder in seinem eigenen Leben erfahren hat, werden auch alle anderen möglich. Aber wer nicht von neuem geboren ist, sieht überall nur Unmöglichkeiten.

In kalten Ländern wie zum Beispiel Kanada ist es etwas ganz Natürliches, wenn man sieht, wie Wasser zu Eis gefriert oder wie ein Fluss unter einer Eisschicht weiterfließt, die so dick ist, dass man gefahrlos hinübergehen kann. Aber versuchen Sie einmal, Bewohnern tropischer Länder, die noch nie Eis gesehen haben, etwas von dieser Brücke zu erzählen, die der Fluss selbst gemacht hat, dann werden die Ihnen sagen, dass das dem gesunden Menschenverstand widerspricht. Etwa so müssen wir uns auch den Unterschied vorstellen zwischen denen, die von neuem geboren sind und das großartige Wirken des Herrn wahrnehmen, und solchen, die nur für die Welt leben und nichts vom geistlichen Leben des Christen wissen.

 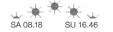

Und die zwei Jünger hörten ihn reden und folgten Jesus nach. Jesus aber wandte sich um und sah sie nachfolgen und spricht zu ihnen: Was sucht ihr? Sie aber sagten zu ihm: Rabbi ..., wo hältst du dich auf? Er spricht zu ihnen: Kommt und seht!

Johannes 1,37-39

Eine Begegnung mit Jesus Christus, dem Sohn Gottes, kann unser ganzes Leben umgestalten. Ein solches bedeutungsvolles Zusammentreffen ist heute noch genauso möglich wie damals, als Christus unter den Menschen lebte.

Zwei Männer hatten von Ihm gehört. Ihr Interesse an Ihm war geweckt. Jedenfalls waren sie konsequent genug, zu prüfen, ob die Nachricht über Ihn zutreffend war. Die beiden gingen dem Herrn nach, was von Ihm nicht unbemerkt bleiben konnte. Mit seiner Frage kam ihnen der Herr zuvor: „Was sucht ihr?" Dazu hätte sich wohl vieles sagen lassen. Vielleicht traf ihre Antwort: „Wo hältst du dich auf?", auch gar nicht den Kern ihres Verlangens.

Aber wenn man einmal sieht, was diese ungewöhnliche Person den ganzen Tag über tut, wie sie sich gibt und wie sie redet, dann lernt man diesen Herrn zunehmend kennen. Dazu hatten sie nun einen ganzen Tag lang Gelegenheit. Und ihr Eindruck war überwältigend: Dieser bescheidene Zimmermann aus Nazareth redete ganz anders als die maßgeblichen Leute, die sie bis dahin kennengelernt hatten. Alles war echt und wahr an Ihm. Von persönlicher Eitelkeit keine Spur, stattdessen aber Selbstlosigkeit und Güte. Es ging etwas äußerst Anziehendes von Ihm aus, obwohl man sich von Ihm durchschaut fühlte. Er las in ihren Herzen wie in einem Buch. – Sie waren überzeugt: Vor ihnen stand tatsächlich ihr Messias!

Jeder kann Ihn, den Herrn Jesus, heute noch als Sohn Gottes und als seinen persönlichen Herrn und Erlöser kennenlernen.

---

2. Mose 10,24-11,10
Lukas 5,1-11

 SA 08.17 SU 16.48

 MA 19.37 MU 08.50

*... das **Evangelium Gottes, das er durch seine Propheten in heiligen Schriften zuvor verheißen hat, über seinen Sohn ...***

Römer 1,1-3

Gedanken zum Römerbrief

Die gute Botschaft, die Paulus predigte, konnte naturgemäß erst nach dem Tod, der Auferstehung und der Himmelfahrt Jesu verkündet werden. In den Schriften des Alten Testaments hatte Gott sie aber bereits *verheißen*.

Gott hatte in seinem Plan ja schon vor Erschaffung der Welt beschlossen, seinen Sohn als Retter zu senden (1. Petrus 1,19.20). Und die lange Zeit zwischen dem Sündenfall der ersten Menschen und dem Kommen Jesu auf die Erde hatte einen besonderen Zweck. Die Menschen sollten erkennen, dass sie die *Rettung von ihren Sünden* und *von der Macht der Sünde* nötig hatten. Wer damals vor Gott eingestand, dass er wegen seiner Schuld nicht vor Ihm bestehen konnte, der durfte sich auf Hinweise Gottes stützen, dass Er selbst den Retter senden würde.

Schon im Garten Eden hatte Gott zum Teufel (der Schlange) gesagt, dass der Nachkomme der Frau ihm „den Kopf zermalmen" würde. Und schon der alte Dulder Hiob wusste, dass „sein Erlöser lebt" (1. Mose 3,15; Hiob 19,25).

Auch all die anderen alttestamentlichen Glaubenszeugen konnten noch nicht auf die von Jesus Christus vollbrachte Erlösungstat zurückschauen. Sie kannten noch nicht den *vollen* Segen, den dieses Werk mit sich bringen würde. Aber sie schauten im Glauben nach dem verheißenen Erlöser aus. Daher sind auch sie gerettet durch Christus und sein Blut (Hebräer 11,13-16.39-40; Römer 3,25).

Nun aber war der Sohn Gottes gekommen; sein Erlösungswerk war vollbracht. Daher konnte Paulus die schon im Alten Testament verheißene gute Botschaft jetzt *in ihrer ganzen Tragweite* verkündigen.

---

2. Mose 12,1-16
Lukas 5,12-16

 SA 08.17   SU 16.49

 MA 20.41   MU 09.13

Der Lohn der Sünde ist der Tod, die Gnadengabe Gottes aber ewiges Leben in Christus Jesus, unserem Herrn.

Römer 6,23

Was ist Sünde?

Der eine antwortet: „Sünde? – Davon redet man doch heute nicht mehr! Dieser veraltete Begriff steht nicht mehr in meinem Wörterbuch. Heute geht es um Verstöße gegen Gesetz und Menschenrechte."

Ein anderer sagt: „Sünde? – Darunter verstehe ich Mord, Menschenraub, Kindesmissbrauch und ähnliche Taten. Zum Glück ist mein Gewissen nicht mit solchen Dingen belastet."

Wieder ein anderer behauptet: „Sünde? – Über so etwas urteilt man doch heute nicht mehr so streng! Die Zeiten der heuchlerischen Prüderie sind vorbei. Etwas mehr Freiheit – das kann doch so schlimm nicht sein!"

Aber es kommt nicht darauf an, was *ich* unter Sünde verstehe. Was Sünde ist, kann nur Einer entscheiden: Gott, „der Richter aller". Und Er hat es in seinem Wort, der Bibel, durch konkrete Gebote in unmissverständlicher Weise getan. Wer sich darüber hinwegsetzt, wird einst von Ihm gerichtet und verurteilt werden.

Doch Gott bezeugt durch sein Wort auch, dass Er barmherzig und gnädig ist und bereit, die Sünden zu vergeben. Und wem vergibt Er? Den Besten, die am wenigsten schuldig sind? Nein, das eben nicht! Vergebung findet jeder von uns ohne Ausnahme – unter einer Bedingung: „Wer seine Übertretungen … bekennt und lässt, wird Barmherzigkeit erlangen" (Sprüche 28,13).

Die Gnadengabe, von der unser heutiges Bibelwort redet, wird jedem geschenkt, der an den Herrn Jesus Christus glaubt.

> *„Wenn wir unsere Sünden bekennen, so ist er treu und gerecht, dass er uns die Sünden vergibt."* 1. Johannes 1,9

---

2. Mose 12,17-28
Lukas 5,17-26

 SA 08.15 SU 16.51

 MA 21.46 MU 09.36

Geht ein durch die enge Pforte ... Denn eng ist die Pforte und schmal der Weg, der zum Leben führt.

Matthäus 7,13.14

Dies habe ich euch geschrieben, damit ihr wisst, dass ihr ewiges Leben habt, die ihr glaubt an den Namen des Sohnes Gottes.

1. Johannes 5,13

Der Weg zum Leben

Auf einer Todesanzeige las ich einmal folgenden Satz: „Du hast uns verlassen und deine Freuden, deine Kümmernisse und deine Geheimnisse mitgenommen."

Was für Einzelheiten mögen sich hinter diesem Nachruf verbergen? Unwillkürlich fragt man sich: Was hat diese Person wohl in die Ewigkeit mitgenommen? Und sofort schließt sich eine weitere, sehr dringende Frage an: Was werde *ich* in die Ewigkeit mitnehmen?

Werde ich die Menge der Sünden mitnehmen, die sich im Lauf meines Lebens angesammelt haben? – Wenn ich sie bisher nicht eingesehen und vor Gott bekannt habe, dann ist meine Schuld auch noch nicht durch die Gnade Gottes ausgetilgt. Dann stehen die Sünden noch in den „Schuldbüchern" Gottes. Wer stirbt, ohne die Vergebung seiner Sünden empfangen zu haben, ist auf ewig von der Gegenwart Gottes ausgeschlossen. Es ist unmöglich, mit unseren Sünden in den Himmel zu kommen. In die himmlische Stadt „wird nicht eingehen irgendetwas Gemeines und was Gräuel und Lüge tut, sondern nur die, die geschrieben sind in dem Buch des Lebens des Lammes" (Offenbarung 21,27).

Deshalb fordert die Bibel uns so eindringlich auf, unsere Zuflucht zu Jesus zu nehmen. Wenn wir Ihm unsere Lebensschuld offen bekennen und auf Ihn vertrauen, werden wir ohne Furcht vor dem Tod leben können. Wir haben dann die Gewissheit, dass Christus auch für unsere Sünden gestorben ist und dass Er uns einst in seine Herrlichkeit aufnehmen wird (Johannes 14,3).

... damit sie sich bekehren von der Finsternis zum Licht und von der Gewalt des Satans zu Gott, damit sie Vergebung der Sünden empfangen.

Apostelgeschichte 26,18

Das Wort „Bekehrung" ist fast aus unserem Sprachgebrauch verschwunden. Man benutzt es vielleicht noch, wenn man von christlicher Mission in fernen Ländern spricht, oder auch in einem spöttischen Zusammenhang. Und doch bezeichnet dieses Wort den wichtigsten Vorgang im Leben eines Menschen.

Wer mit dem lebendigen Gott in Verbindung treten und die ewige Herrlichkeit erreichen will, muss in seinem Leben einmal eine Bekehrung vollzogen haben – eine radikale Umkehr. Das ist nicht die Lehre irgendeiner Sekte, nein, die Bibel selbst lehrt das unmissverständlich.

Bekehrung bedeutet eine Wende im Leben, eine echte Umkehr. Dem geht die Einsicht voraus, dass wir unserem Schöpfer verantwortlich, aber Ihm gegenüber schuldig geworden sind. Bekehrung bedeutet, sein Leben von Grund auf erneuern zu lassen. Wer sich zu Gott bekehrt, hält inne und gesteht vor sich selbst und vor Gott seine verkehrte Lebensausrichtung offen ein; Er bekennt Ihm seine Lebensschuld ohne Beschönigung. Er wendet sich weg von allen bösen und falschen Wegen, um von nun an nach dem Willen Gottes zu leben.

Wenn ein Mensch zu Gott umkehrt und Ihm seine Schuld bekennt, weist Gott ihn auf Jesus Christus und sein Sühnopfer hin – auf die Grundlage, auf der Er die Sünden vergibt. Aufrichtige Umkehr zu Gott und der Glaube an Christus und sein Sühnungswerk gehören zusammen.

> *„Da wir nun gerechtfertigt worden sind aus Glauben, so haben wir Frieden mit Gott durch unseren Herrn Jesus Christus, ... und rühmen uns in der Hoffnung der Herrlichkeit Gottes."*
>
> *Römer 5,1.2*

---

2. Mose 12,43-13,10
Lukas 6,1-11

 SA 08.13   SU 16.54

 MA 23.59   MU 10.21

> *So spricht der H*ERR*, ... der dich gebildet hat, Israel: Fürchte dich nicht, denn ich habe dich erlöst; ich habe dich bei deinem Namen gerufen, du bist mein.*
>
> *Jesaja 43,1*

Bernd wohnte in der Nähe eines Gewässers. Einmal kam ihm der Gedanke: „Ich baue mir ein kleines Segelboot-Modell, das richtig im Wasser schwimmt." Gedacht, getan. Nach einigen Tagen war das Modell fertig. Wie stolz war er, als sein selbst gebautes Segelboot im Wasser dahinsegelte. Doch plötzlich riss die dünne Schnur, mit der er das Boot gezogen hatte, und die Strömung des Flusses führte es außer Reichweite. Das Boot war verloren!

Aber wie groß war sein Erstaunen, als er sein Boot ein paar Tage später wiedersah – nicht auf dem Fluss, sondern im Schaufenster eines Gebrauchtwaren-Ladens. Bernd ging sofort hinein und erklärte dem Verkäufer atemlos: „Das Boot da im Schaufenster, das gehört mir!" Der Mann aber antwortete: „Ich habe das Boot gekauft und dafür zahlen müssen. Wenn du es haben willst, dann musst du es kaufen und bezahlen wie jeder andere auch." Traurig ging der Junge nach Hause.

Da kam ihm plötzlich die Idee: „Natürlich, ich kaufe es zurück!" Er suchte seine Ersparnisse zusammen. Es reichte gerade für den Kaufpreis. Er ging in das Geschäft und kaufte sein Boot zurück. Als er es wieder in Händen hatte, drückte er es an sich und flüsterte: „Nun gehörst du mir zum zweiten Mal!"

So ist es auch allen ergangen, die an Christus glauben. Als Schöpfer hat Gott Anrechte an jeden Menschen. Doch die Verbindung zerriss bald durch die Sünde. Wir waren hoffnungslos verloren. Aber da kam der Sohn Gottes in die Welt und hat sein Leben als Lösegeld für uns gegeben, um uns „zum zweiten Mal" für sich und für die ewige Herrlichkeit bei Ihm zu besitzen.

Die Gnade Gottes ist erschienen, heilbringend für alle Menschen, und unterweist uns, damit wir, die Gottlosigkeit und die weltlichen Begierden verleugnend, besonnen und gerecht und gottselig leben in dem jetzigen Zeitlauf, indem wir erwarten die glückselige Hoffnung und Erscheinung der Herrlichkeit unseres großen Gottes und Heilandes Jesus Christus.

Titus 2,11-13

Es ist Gottes *Gnade,* die jedem Menschen das Heil anbietet. Aber es ist keine „billige" Gnade – denn zum einen musste Jesus Christus, der Sohn Gottes, dafür an das Kreuz und in den Tod gehen, zum anderen lässt die Gnade Gottes den Menschen, der sie im Glauben für sich in Anspruch nimmt, nicht einfach in Sünde und Eigenwillen weiterleben. Nein, die Gnade Gottes unterweist den Christen, wie er sein Leben glücklich und zur Ehre Gottes führen kann, und das in dreierlei Hinsicht:

1. Auch der gläubige Christ hat noch die sündige Natur in sich. Aber die Gnade hilft ihm, „die Gottlosigkeit und die weltlichen Begierden" zu verleugnen. Das alles soll der Vergangenheit angehören. – Sonst wäre es ja der Versuch, die Gnade Gottes zu missbrauchen (vgl. Judas, V. 4).

2. Positiv bewirkt die Gnade im Christen, dass er jetzt sein Leben „besonnen und gerecht und gottselig" führt: Im Blick auf sich selbst soll er besonnen sein und Selbstkontrolle üben; im Blick auf andere lernt der Christ, gerecht zu handeln; und im Blick auf Gott zeigt die Gnade, wie er Gott entsprechend leben kann.

3. Die Gnade richtet den Blick des Gläubigen auch in die Zukunft. Vieles ist dem Christen schon geschenkt. Doch in seiner ganzen Fülle wird er alles empfangen, wenn Jesus Christus wiederkommt. – Christus kommt wieder: Diese Hoffnung des Gläubigen ist das Kennzeichen eines christlichen Lebens.

2. Mose 14,1-14
Lukas 6,20-30

 SA 08.11   SU 16.58

 MA 01.08   MU 11.15

Wie Mose in der Wüste die Schlange erhöhte, so muss der Sohn des Menschen erhöht werden, damit jeder, der an ihn glaubt, nicht verloren gehe, sondern ewiges Leben habe.

Johannes 3,14.15

Der später sehr bekannt gewordene Evangelist Moody wirkte im amerikanischen Bürgerkrieg als Feldgeistlicher. Einmal sagte er zu einem schwer verwundeten Soldaten, der ihn rufen ließ: „Ich würde Sie gern auf meinen Schultern in den Himmel tragen. Doch ich kann das nicht." – „Wer kann es denn?", fragte der Soldat. – „Der Herr Jesus Christus allein kann es. Dazu ist Er ja gekommen."

Der Sterbende schüttelte den Kopf: „Nein, mich kann Er nicht erretten; ich habe mein Leben lang gesündigt." – „Aber der Herr Jesus ist gekommen, um Sünder zu erretten", entgegnete Moody. Dann las er ihm verschiedene Bibelstellen vor, darunter auch die Worte: „Wie Mose in der Wüste die Schlange erhöhte, so muss der Sohn des Menschen erhöht werden, damit jeder, der an ihn glaubt, nicht verloren gehe, sondern ewiges Leben habe."

Da unterbrach ihn der Soldat: „Steht das so in der Bibel?" – „Ja, gerade so." – „Bitte lesen Sie es mir noch einmal vor."

Moody tat es. Da richtete der Verwundete sich ein wenig auf und sagte: „Das ist gut!" Er bat den Prediger, die Verse noch ein weiteres Mal vorzulesen. Dieser tat das und las bis zum Ende des Kapitels weiter. Als er dann in das Gesicht des Soldaten blickte, sah er den Glanz eines tiefen Friedens. „Damit jeder, der an ihn glaubt, nicht verloren gehe, sondern ewiges Leben habe", hörte Moody ihn flüstern. Dann öffnete der Sterbende seine Augen und sagte: „Das ist genug!" Er lebte noch einige Stunden, in denen er sich im Glauben auf die Zusage des Herrn Jesus in diesen Versen stützte. Dann ging er in Frieden zu Christus ins Paradies.

---

2. Mose 14,15-31
Lukas 6,31-38

SA 08.10   SU 16.59

MA 02.18   MU 11.50

*...das **Evangelium Gottes über seinen Sohn, der aus dem Geschlecht Davids gekommen ist dem Fleisch nach.***

Römer 1,3

Gedanken zum Römerbrief

Jesus Christus, der ewige Sohn Gottes, ist der Inhalt des Evangeliums. Er hat sich „erniedrigt" und ist Mensch geworden. Nur so konnte Er stellvertretend für verlorene Sünder die verdiente Strafe erdulden und in den Tod gehen. Deshalb wurde Er Mensch, Mensch wie du und ich, doch ohne Sünde (Philipper 2,5-8).

Maria, die Mutter Jesu, gehörte zu den Nachkommen des Königs David. Daher ist also der Herr Jesus als Mensch „aus dem Geschlecht Davids gekommen". Das knüpft an die alten Verheißungen Gottes an, denn der angekündigte Erlöser sollte ein Nachkomme Davids sein (Jesaja 11,1-10; Jeremia 23,5-8).

Andere Stellen des Neuen Testaments zeigen ebenfalls, dass der Sohn Gottes wahrer Mensch geworden ist. Sie stellen auch die einzigartige Weise seiner Menschwerdung heraus. Jesus Christus ist tatsächlich der Sohn Marias, aber Er ist gezeugt vom Heiligen Geist. Daher ist Er auch als Mensch *heilig* und ohne jede Einschränkung *Sohn Gottes* (Matthäus 1,20; Lukas 1,35; Johannes 1,14).

Das Leben jedes anderen Menschen trägt von der Wiege an den Stempel der Sünde. Hiob sagt: „Wie könnte ein Reiner aus einem Unreinen kommen? Nicht ein Einziger!" (Hiob 14,4; vgl. auch Psalm 51,7). Doch Jesus Christus ist durch den Heiligen Geist gezeugt, deshalb ist sein Menschsein ohne jeden Makel. Und daher konnte auch nur Er, der Heilige und Sündlose, als Stellvertreter für verlorene Menschen das Gericht Gottes tragen.

„Aus dem Samen Davids gekommen" – so war Jesus Christus wahrer Mensch. Äußerlich war Er nicht zu unterscheiden von anderen Menschen. Aber der moralische Charakter seines Menschseins war völlig anders: *heilig und rein*.

---

2. Mose 15,1-16
Lukas 6,39-49

 SA 08.08   SU 17.01

 MA 03.28   MU 12.33

Sie hörten die Stimme Gottes des HERRN, der im Garten wandelte bei der Kühle des Tages. Und der Mensch und seine Frau versteckten sich vor dem Angesicht Gottes des HERRN mitten unter die Bäume des Gartens. Und Gott der HERR rief den Menschen und sprach zu ihm: Wo bist du?

1. Mose 3,8.9

Wenn wir als Kinder etwas Verkehrtes angestellt hatten, versuchten wir öfter, uns den Blicken unserer Mutter zu entziehen und uns vor ihr zu verstecken. Dann wartete sie ruhig darauf, dass wir wieder aus unserem Versteck herauskamen. So blieb uns am Ende nichts anderes übrig als unser Unrecht zu bekennen und zu bereuen. Und schließlich nahm sie uns in die Arme und vergab uns.

Viele Menschen handeln ebenso töricht; sie verbergen sich vor dem allwissenden Gott. Die einen verstecken sich hinter ihrer Religion, andere hinter ihren Ausreden, andere hinter ihren vermeintlich guten Werken, und viele leugnen Gott einfach ganz.

Aber der lebendige Gott ist da und wartet darauf, dass der Mensch hervorkommt aus seinem Versteck. Und Gott wartet nicht nur, Er ruft uns! Wie damals im Garten Eden ruft Er auch heute jeden Menschen durch das Evangelium, die gute Botschaft von Jesus und von der Vergebung der Sünden. Wenn wir Ihm unsere Sünden bekennen, nimmt Gott uns an. Wie der Vater in dem bekannten Gleichnis den verlorenen Sohn in die Arme schließt, nimmt Gott dann auch uns in die Arme und vergibt uns, weil Jesus für unsere Sünden gestorben ist.

Durch den Glauben an Christus wird der Sünder von aller Schuld freigesprochen und empfängt Frieden mit Gott. Große Freude und der Frieden Gottes erfüllen dann das Herz. Und alles Versteckspiel hat ein Ende.

Hüte dich, dass du den HERRN, deinen Gott, nicht vergisst, so dass du seine Gebote und seine Rechte und seine Satzungen nicht hältst.

5. Mose 8,11

Haben wir Gott vergessen?

Warum scheint das Leben oft so schwierig zu sein, wie ein fortwährender Kampf, ohne Ausweg oder Ende? Warum trifft man so selten echten Herzensfrieden, tiefe Freude und wirkliche Liebe an? Warum gibt es so viel Enttäuschung, so viel Einsamkeit? Warum herrscht solch eine Leere in unserem Innersten?

Rührt all das nicht von einem Vergessen her? Dieses Vergessen ist so umfassend, dass erklärlich wird, warum unser Leben statt schön und froh oft so bedrückt und traurig verläuft! – Wir haben Gott vergessen! Er hat Anspruch auf den ersten Platz in unserem Leben. Da ist es wichtig, ja lebenswichtig, dass wir an Ihn denken, zu Ihm reden und auf Ihn hören.

Aber wer ist Gott? Wie können wir Ihn kennen? – Er ist der Schöpfer. Wir sind von Ihm geschaffen und können seine Größe und Weisheit in der Schöpfung wahrnehmen. Und Er ist der Heiland-Gott. Er hat sich uns völlig offenbart, als Er seinen Sohn auf die Erde sandte.

Wie hat die Menschheit auf diese Offenbarung Gottes reagiert? Jesus Christus wurde durch sündige Menschen ans Kreuz gebracht. Das ist noch schlimmer als Vergessen: Es ist die direkte Ablehnung des Sohnes Gottes, die Ablehnung der Liebe Gottes zu allen Menschen.

Vielleicht haben Sie im hektischen Ablauf Ihres Lebens Gott aus den Augen verloren. Aber wenn Sie durch Jesus Christus zu Ihm kommen und Ihm sagen, dass Sie Ihn kennenlernen möchten, wird Er Ihnen antworten. Er wird Frieden in Ihr Herz geben; und Sie werden Ihn nie mehr vergessen.

---

2. Mose 16,1-12
Lukas 7,11-17

 SA 08.06   SU 17.05

 MA 05.36   MU 14.31

Die Gottseligkeit ist zu allen Dingen nützlich, da sie die Verheißung des Lebens hat, des jetzigen und des zukünftigen.

1. Timotheus 4,8

„Ein Christ verliert doch durch seinen Glauben alles, was dieses kurze Leben dem Menschen zu bieten hat." – So meinen viele.

Und tatsächlich, durch den Glauben an Jesus Christus haben wir einiges „verloren":

- die Anklagen eines belasteten Gewissens
- das Getrenntsein von Gott
- die Erwartung der ewigen Verdammnis
- das Verlangen nach sündigen Vergnügungen
- das Fragen nach dem Sinn des Lebens
- Verschwendung an Zeit und Mitteln
- das Alleingelassensein in Schwierigkeiten
- Freunde, die uns zum Schaden sind.

Wir haben gerade das und nur das „verloren", was uns bedrückte und was uns zum Schaden war! – Ist das aber ein Verlust?

Auf der anderen Seite ist uns durch die „Gottseligkeit", durch ein Leben als Erlöste in Übereinstimmung mit Gott, einiges geschenkt worden, was echten Gewinn für uns bedeutet:

- die völlige Vergebung unserer Sünden
- Frieden mit Gott
- die Verheißung des ewigen Lebens
- die Freude daran, das Gute zu tun
- ein Lebensziel, das nicht zu verfehlen ist
- die tägliche Hilfe und Bewahrung Gottes
- neue Freunde mit demselben herrlichen Ziel.

Verloren haben wir nur das, was uns belastete; aber was wir gewonnen haben, macht uns reich, schon jetzt und dann für die Ewigkeit. – Ist das nicht eine gute Bilanz?

Deshalb laden wir jeden ein, Jesus Christus als Retter und Herrn in Herz und Leben aufzunehmen – zum Gewinn für das Jetzt und für die Ewigkeit.

Als aber Simon Petrus es sah, fiel er zu den Knien Jesu nieder und sprach: Geh von mir hinaus, denn ich bin ein sündiger Mensch, Herr.

Lukas 5,8

In Lukas, Kapitel 5, wird berichtet, wie Simon Petrus eine besondere, persönliche Begegnung mit Jesus Christus hatte. Petrus hatte dem Herrn sein Fischerboot zur Verfügung gestellt, damit dieser von dort aus zu den Volksmengen reden konnte. So hatte er wie kein anderer aus nächster Nähe den Worten Jesu zugehört.

Dann aber geschah das Gewaltige: Auf den Befehl des Herrn fing Petrus eine große Menge Fische, und zwar bei hellem Tag und entgegen allen Regeln der Fischerei. „Meister, wir haben uns die ganze Nacht hindurch bemüht und nichts gefangen", hatte er zunächst eingewendet, doch dann hinzugefügt: „aber auf dein Wort hin will ich die Netze hinablassen" (V. 5). Alle, die das miterlebten, waren tief erschrocken. Petrus aber fiel vor dem Herrn nieder mit den Worten: „Geh von mir hinaus, denn ich bin ein sündiger Mensch, Herr!"

Warum drückte Petrus sich so aus? Der Herr hatte ihm doch keine Vorhaltungen gemacht, sondern ein Wunder gewirkt, über das er sich nur freuen konnte. Doch was Petrus zu diesem Ausruf veranlasste, war die Einsicht, dass hier der Sohn Gottes vor ihm stand, der soeben etwas von seiner göttlichen Größe und Herrlichkeit offenbart hatte.

Das Bewusstsein von der Heiligkeit Gottes muss auch jeden von uns dahin führen, die eigene Untauglichkeit, ja Sündhaftigkeit einzusehen. Vor Gott kann niemand bestehen, weil wir unserem Wesen nach als Sünder verloren sind. Doch der Herr Jesus Christus ist gekommen, um zu suchen und zu erretten, was verloren ist. Und wer an Ihn glaubt, empfängt die rettende Zusicherung: „Fürchte dich nicht!" (V. 10).

Elia sprach: Wie lange hinkt ihr auf beiden Seiten? Wenn der HERR der wahre Gott ist, so wandelt ihm nach; wenn aber der Baal, so wandelt ihm nach!

1. Könige 18,21

Als König Ahab und seine heidnische Frau Isebel über Israel herrschten, schwankte das Volk unentschieden zwischen dem Götzen Baal und dem wahren Gott hin und her. In dieser Zeit trat der Prophet Elia mutig für Gott und seine Ehre ein und rief das Volk zur Umkehr auf.

Ein „Hinken auf beiden Seiten" können wir auch in unserer Zeit antreffen. Eine ältere Dame zum Beispiel sagte recht bestimmt: „Ich will nicht in den Himmel. Dort müsste ich ja arbeiten, um die Milchstraße zu säubern. Und ich habe doch in meinem Leben genug gearbeitet. Da will ich lieber mit meinen Kollegen in der Hölle zusammen sein."

Andererseits aber ging die Frau gern in die Kirche, um dort Stille und Ruhe zu finden … und zu Gott zu beten. – Wie kommt es zu diesem „Hinken auf beiden Seiten"? Offenbar spielten hier in der etwas spöttischen Aussage auch verkehrte Vorstellungen von Himmel und Hölle eine Rolle. – Wir können sicher sein, dass der Teufel großes Interesse daran hat, diese zu fördern, zum Beispiel durch Fantasieliteratur.

Die Wahrheit über das Jenseits teilt uns Gott selbst mit: in der Bibel, seinem ewig gültigen Wort. Da lesen wir, dass die Hölle kein Platz fröhlicher Geselligkeit, sondern der Ort der ewigen Pein ist. Der Himmel hingegen ist die Stätte der Ruhe, der frohen Gemeinschaft und der ewigen Freude *(Matthäus 25,46; Hebräer 4,3; Offenbarung 21,3.4).*

Hören wir deshalb auf die eindringliche Mahnung des Herrn Jesus Christus:

> *„Niemand kann zwei Herren dienen; denn entweder wird er den einen hassen und den anderen lieben, oder er wird einem anhangen und den anderen verachten."* *Matthäus 6,24*

Samstag 1 Februar

Ich habe die Erde gemacht und den Menschen auf ihr geschaffen; meine Hände haben die Himmel ausgespannt, und all ihr Heer habe ich bestellt.

Jesaja 45,12

Er trägt alle Dinge durch das Wort seiner Macht.

Hebräer 1,3

Ein Mädchen im Grundschulalter hat gerade ein kugelförmiges, dreidimensionales Puzzle vollendet. Es handelt sich um eine kleine Erdkugel, auf der neben den Kontinenten auch die jeweils typischen Tiere abgebildet sind. Nun hält die Erbauerin den blauen Mini-Planeten sicher in beiden Händen, und das Ereignis wird fotografisch festgehalten.

Lässt dieses Motiv nicht an die Tatsache denken, dass Gott, der Schöpfer und Erhalter aller Dinge, die Erde in seinen Händen hält?

Erinnern wir uns einmal an einige Aussagen der Bibel zu diesem Thema:

- Gott ist ein ewiger Gott. Er existierte, bevor Er die Erde erschuf (Psalm 90,2).

- Gott hat Himmel und Erde durch seine Kraft erschaffen (1. Mose 1,1; Jeremia 10,12).

- Gottes Macht hat die Naturgesetze eingerichtet und hält sie aufrecht und mit ihnen auch die Erde (Psalm 93,1; 96,10).

- In der ganzen Schöpfung ist die Herrlichkeit Gottes erkennbar (Psalm 19,1-7; Römer 1,20).

- Die Erde und ihre Bewohner gehören Ihm (Psalm 24,1; 89,12).

- Die ganze Erde soll Gott als Schöpfer anerkennen und ehren (Psalm 33,8; Römer 1,21).

- Gott wird einmal die Erde in vollkommener Gerechtigkeit richten (Psalm 9,9; 96,13; 98,9; Jesaja 13,11).

*... das **Evangelium Gottes über seinen Sohn (der aus dem Geschlecht Davids gekommen ist dem Fleisch nach und erwiesen ist als Sohn Gottes in Kraft dem Geist der Heiligkeit nach durch Toten-Auferstehung), Jesus Christus, unseren Herrn.***

Römer 1,3.4

Gedanken zum Römerbrief

Das Evangelium, die gute Botschaft Gottes für sündige Menschen, hat Jesus Christus, den Sohn Gottes, zum Mittelpunkt. Als Marias Sohn ist Er „aus dem Geschlecht Davids" gekommen. Er ist Mensch geworden, um stellvertretend für andere Menschen, für verlorene Sünder, das Gericht Gottes auf sich zu nehmen und zu sterben.

Jesus ist „in Schwachheit gekreuzigt worden" (2. Korinther 13,4). Und doch ist Er der „Sohn Gottes in Kraft". Das ist eine unumstößliche Tatsache, die „durch Totenauferstehung" öffentlich zutage getreten ist. Und so berichtet die Bibel sowohl davon, dass Christus Tote auferweckte als auch von seiner eigenen Auferstehung aus den Toten. Die Auferweckung des Lazarus bewies seine Kraft als Sohn Gottes, denn „wie der Vater die Toten auferweckt und lebendig macht, so macht auch der Sohn lebendig, welche er will" (Johannes 5,21; 11,38-44).

Vor allem bestätigt aber seine eigene Auferstehung, dass Er der „Sohn Gottes in Kraft" ist. In dieser Kraft hatte Jesus sein Leben in unbedingter Heiligkeit geführt, und in dieser Kraft ist Er auferstanden.

Die Auferstehung Jesu Christi beweist: Er ist der Sieger über Tod und Teufel. Er hat „durch den Tod den zunichtegemacht, der die Macht des Todes hat, das ist den Teufel". Und alle, die Ihn als Retter und Herrn annehmen, erhalten Teil an seinem Sieg. Von ihnen sagt Gottes Wort, dass Er „alle die befreite, die durch Todesfurcht das ganze Leben hindurch der Knechtschaft unterworfen waren" (Hebräer 2,14.15).

---

2. Mose 18,13-27
Lukas 8,9-18

 SA 07.58 SU 17.14

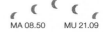 MA 08.50 MU 21.09

Jesus ... kommt in seine Vaterstadt ... Und er fing an, in der Synagoge zu lehren; und viele, die zuhörten, erstaunten und sprachen: Woher hat dieser das alles, und was ist das für eine Weisheit, die diesem gegeben ist ...? Ist dieser nicht der Zimmermann?

Markus 6,1-3

Jesus Christus! Die meisten kennen seinen Namen. Aber wer kennt Ihn wirklich? Er wuchs in der damals unbedeutenden Stadt Nazareth auf. Markus setzt mit seiner Berichterstattung erst beim 30. Lebensjahr Jesu ein, als Er seine öffentliche Tätigkeit begann.

Dann stellte sich Jesus seinen Zeitgenossen als der lange erwartete Messias (Christus) vor, der ihnen zur Rettung gesandt war. Gott hatte dafür gesorgt, dass schon vor seinem Auftreten Menschen da waren, die auf seine überragende Person hinwiesen: die Propheten des Alten Testaments, später Simeon und Anna in Jerusalem, Johannes der Täufer und andere. Man konnte also schon damals etwas über Ihn wissen.

Und was den Anspruch Jesu betrifft, Gottes Sohn zu sein? Auch dafür gab es eindeutige Hinweise: neben den bekannten Zeugnissen des Alten Testaments die außerordentlichen Zeichen und Wunder, die der Herr tat, und schließlich bei mehreren Anlässen die Stimme Gottes vom Himmel. – Verstehen Sie die ärgerliche Reaktion der Leute von Nazareth? Sie waren fest davon überzeugt, Ihn zu kennen. Jesus Christus hatte doch viele Jahre unauffällig und unscheinbar unter ihnen gewohnt und gearbeitet.

Das Ärgernis ist geblieben. Bevor aber jemand in den Chor seiner Gegner einstimmt, sollte er auch an seinen aufsehenerregenden Kreuzestod, an seine vielfältig bezeugte Auferstehung und an die vielen Menschen denken, die durch Ihn zum Guten verändert wurden. – Zimmermann oder Gottessohn? Die Antwort des Glaubenden: „Mein Herr und mein Gott!" (Johannes 20,28).

---

2. Mose 19,1-25
Lukas 8,19-25

 SA 07.57 SU 17.15

 MA 09.17 MU 22.25

Dienstag — 4 — Februar

Das Leben und den Tod habe ich euch vorgelegt, den Segen und den Fluch! So wähle das Leben, damit du lebest.

5. Mose 30,19

Stellen wir uns einmal Folgendes vor: Erst im letzten Moment erreicht ein viel beschäftigter Manager den Flughafen. Er hetzt durch die Abfertigungshalle, durch die Kontrolle und hinein ins Flugzeug. Gerade noch geschafft! Schon rollt die Maschine zur Startbahn und hebt ab.

„Und wohin möchten Sie?", erkundigt sich sein Sitznachbar freundlich. „Ich habe einen wichtigen Geschäftstermin in Moskau. An diesem Vertrag hängt die Zukunft unseres Unternehmens", antwortet er bereitwillig. „Nach Moskau? Dann sitzen Sie aber im falschen Flugzeug", entgegnet sein Nachbar. „Diese Maschine fliegt nach Washington." – „Wie bitte? Sind Sie sicher?", fragt der Manager erschrocken. Rasch wird die Stewardess herbeigerufen. „Aber ich muss doch unbedingt pünktlich in Moskau sein", jammert der Mann entsetzt, als sie Washington als Ziel bestätigt. Er zittert am ganzen Körper.

„Entschuldigen Sie bitte", versucht die Stewardess ihn zu beruhigen, „aber wohin Ihre Reise geht, entscheiden Sie auf der Erde und nicht in der Luft!"

Dass man in der Luftfahrt verkehrt eincheckt, kommt durch die Aufmerksamkeit des Personals nur äußerst selten vor. Wenn es jedoch um das ewige Ziel des Menschen geht, herrscht größere Nachlässigkeit.

Wie viele hasten von Termin zu Termin; eine Aktivität jagt die andere. Nur über das Ziel ihrer Lebensreise sind sie sich nicht im Klaren. Im Moment geht es ihnen gut. Warum sollten sie über ihr ewiges Ziel nachdenken? Doch ob wir einmal bei Gott in der Herrlichkeit ankommen werden oder in der ewigen Gottesferne – auch das entscheiden wir „auf der Erde". *Danach* ist keine Zieländerung mehr möglich.

---

2. Mose 20,1-7
Lukas 8,26-39

 SA 07.55   SU 17.17

 MA 09.44   MU 23.39

Wahrlich, wahrlich, ich sage dir: Wenn jemand nicht von neuem geboren wird, so kann er das Reich Gottes nicht sehen.

Johannes 3,3

Der Pharisäer Nikodemus, der einmal bei Nacht zu Jesus kam, stellte Ihm die wichtige Frage: Wie ist es überhaupt möglich, dass jemand „von neuem geboren" wird? – Ja, was ist diese neue Geburt?

Die neue Geburt, oft Wiedergeburt genannt, wird durch den Heiligen Geist im Herzen eines Menschen bewirkt, der sich dem Wort Gottes öffnet (V. 5). Jeder, der den Herrn Jesus Christus im Glauben als seinen Erlöser annimmt, empfängt neues Leben aus Gott, das ewige Leben (V. 16). Er gehört dann einer „neuen Schöpfung" an und ist „aus Gott geboren" (Kap. 1,12.13).

Die *Umkehr zu Gott* ist gewissermaßen die menschliche Seite, die *Wiedergeburt* hingegen die göttliche Seite desselben grundlegenden Ereignisses.

Auf einem alten Friedhof steht ein Grabstein mit der Inschrift: „N. N., zum ersten Mal geboren ..., zum zweiten Mal geboren ..." Der Verstorbene war von neuem geboren, er hatte die Wiedergeburt erlebt.

Wer nur einmal geboren ist, stirbt zweimal; und wer zweimal geboren ist, stirbt nur einmal. Das will sagen: Wer in seinen Sünden stirbt, ist nicht nur dem körperlichen Tod, sondern auch dem „zweiten Tod", dem Feuersee, verfallen – so lehrt es die Bibel (Offenbarung 20,14).

Über den Wiedergeborenen hingegen hat dieser „zweite Tod" keinerlei Verfügungsgewalt, denn wer an Christus glaubt, kommt nicht ins Gericht (Johannes 5,24). Wenn sein Körper stirbt, dann sind der Himmel und die Herrlichkeit sein ewiges Los.

Der Tor spricht in seinem Herzen: Es ist kein Gott!

Psalm 14,1

Viele Menschen heute behaupten, es gäbe keinen Gott; und das zu behaupten, kann ihnen niemand verwehren. Einzig die Frage bleibt: Stimmt es auch? Die Freiheit der persönlichen Überzeugung und der Meinungsäußerung kann ja nicht vor Irrtümern bewahren.

Schon vor fast zweitausend Jahren war es ähnlich. Damals schrieb der Apostel Paulus, einer der ersten und der wohl größte Verkündiger der Botschaft von Jesus Christus: „Wir *bitten* an Christi statt: Lasst euch versöhnen mit Gott!" (2. Korinther 5,20). Mehr als bitten konnte auch er nicht. Niemand kann einen anderen zwingen, das Heil in Jesus Christus anzunehmen. Und Gott selbst, der es könnte, tut es nicht!

Sehr treffend hat einmal jemand gesagt: „Im Himmel gibt es nur Freiwillige – und in der Hölle auch!" Das ist von viel größerer Bedeutung und Tragweite, als es sich anhören mag! Gott will Menschen für sich gewinnen, die den Schritt zu Ihm in freiwilliger Glaubensentscheidung tun. Er will solche, die wissen, warum sie Ihn lieben, und die seinen eigenen Sohn, den Herrn Jesus Christus, kennen.

Doch zurück zu unserer Frage. Was sagen Sie in Ihrem Herzen? Entschuldigen Sie bitte, dass Sie so direkt gefragt werden; aber Sie sollen die Antwort nur sich selbst geben – besser noch allerdings: Gott! Es kann ja sein, dass jemand mit Worten wenig aus sich herausgeht oder Rücksicht nimmt auf seine Umgebung. Aber Gott fragt danach, was in unserem „Herzen", sozusagen unserer inneren „Schaltzentrale", vor sich geht. Wenn Sie Gott noch nicht kennen, lesen Sie die Bibel! Forschen Sie darin nach Jesus Christus, dem Erlöser.

---

2. Mose 21,7-37
Lukas 8,49-56

 SA 07.52 SU 17.21

 MA 10.43 MU 00.49

Dies aber wisse, dass in den letzten Tagen schwere Zeiten eintreten werden; denn die Menschen werden selbstsüchtig sein, geldliebend, prahlerisch, hochmütig, Lästerer, den Eltern ungehorsam, undankbar, unheilig, ohne natürliche Liebe, unversöhnlich, Verleumder, unenthaltsam, grausam, das Gute nicht liebend.

2. Timotheus 3,1-3

In einer Tageszeitung erschien einmal folgendes Inserat:

> *Meine liebe Familie! Es tut mir leid, was passiert ist. Ich bereue, was ich getan habe, und möchte mich entschuldigen. Verzeiht mir bitte, und habt keine Angst mehr vor mir. Bitte meldet Euch, da ich Euch sehr brauche. Ich liebe Euch!* Udo

Was für eine Familientragödie hat sich hier wohl abgespielt? – Egoismus, Zorn, Streit, Gewaltanwendung? – Ist diese Zeitungsnotiz nicht eine treffende, erschreckende Illustration zu unserem Bibelvers?

Ein Einzelfall? Leider nicht! Immer wieder berichten die Medien von schlimmen Vorkommnissen: Gewalt wird angewandt in der Schule, auf der Straße, überall, wo Menschen zusammenleben. Und selbst im engsten Kreis der Familie, wo Liebe und Geborgenheit regieren sollten, herrschen oft Hass und Gewalt.

Wie könnte das auch anders sein in einer Welt, die nicht nach Gott fragt! Weder Gesetze noch humanitäre Bestrebungen können da Abhilfe schaffen. Nur eine radikale Veränderung im Herzen, das neue Leben aus Gott, schafft die Voraussetzung für ein Zusammenleben ohne Feindschaft und ohne Angst. – Daher wünschen wir, dass der Mann, der das Inserat aufgegeben hat, nicht nur die Vergebung seiner Familie empfangen hat, sondern auch bei Gott Gnade gesucht und gefunden hat.

---

2. Mose 22,1-30
Lukas 9,1-9

 SA 07.50 SU 17.23

 MA 11.18 MU 01.54

Es ist sonst kein Gott außer mir; ein gerechter und rettender Gott ist keiner außer mir!

Jesaja 45,21

Von der Abschlussklasse der Fachhochschule hatte der Direktor sich wieder einmal erweichen lassen, statt des Mathematik-Unterrichts zu allgemeinen Lebensfragen Stellung zu nehmen. Ein Schüler fragte: „Erklären Sie uns bitte: Wann hat sich ein Menschenleben gelohnt? Sie haben doch auch Karriere gemacht!" Der Direktor lächelte und sagte dann ernst: „Meine Damen und Herren, wenn Sie sich am lebendigen Gott verrechnet haben, dann hat sich Ihr Leben nicht gelohnt."

Es ist aber zu befürchten, dass viele Menschen genau diesen „Rechenfehler" gemacht haben und am Ende ihres Lebens mit leeren Händen vor dem lebendigen Gott stehen werden. Die einen haben sich ein Weltbild gebastelt, in dem sie keinen Gott nötig haben. Andere sind religiös und reden gern vom „lieben Gott". Dabei stellen sich viele einen gütigen Vater aller Menschen vor, der großzügig „durch die Finger sieht" und im Blick auf unsere unbestreitbaren Verfehlungen „beide Augen zudrückt". Auch solche Menschen sind auf einem Irrweg.

Wer sich am lebendigen Gott nicht verrechnen will, der muss auf das „Wort der Wahrheit" hören, auf die Bibel. Darin finden wir das, was wir über Gott und auch über uns Menschen wissen müssen:

Gott, der Allmächtige, ist Herr über die ganze Schöpfung und zugleich auch der Erretter. Er ist heilig und gerecht, deshalb muss Er den Sünder verurteilen. Aber Er ist auch Liebe, deshalb hat Er selbst den Weg gebahnt, auf dem sündige Menschen zu Ihm kommen können. Er hat seinen eigenen Sohn gesandt: Christus hat für die Sünden gelitten. Wer das im Glauben für sich in Anspruch nimmt, wird errettet.

---

2. Mose 23,1-19
Lukas 9,10-17

 SA 07.49   SU 17.25

 MA 11.57   MU 02.55

... Jesus Christus, unseren Herrn (durch den wir Gnade und Apostelamt empfangen haben zum Glaubensgehorsam unter allen Nationen für seinen Namen, unter denen auch ihr seid, Berufene Jesu Christi).

Römer 1,5.6

Gedanken zum Römerbrief

Paulus hatte sich nicht selbst zum Apostel und Boten des Evangeliums ernannt, und auch kein anderer Mensch hätte ihn dazu berufen können. Die Sendung als Apostel konnte nur von Christus im Himmel kommen. Von Jesus Christus selbst hatte Paulus daher „Gnade und Apostelamt" verliehen bekommen.

Paulus sah es als eine „Gnade" an, als eine persönliche Gunsterweisung des Herrn, dass er Ihm dienen durfte. Mose hatte dem Volk Israel am Berg Sinai die einzelnen Bestimmungen des Gesetzes im Geist des Gesetzes mitgeteilt. Paulus verkündigt nun die Botschaft von der Gnade im Geist der Gnade, und zwar allen Menschen, zu welchem Volk sie auch gehören.

Das Evangelium, die Botschaft von der Gnade Gottes, wird „zum Glaubensgehorsam" gepredigt. Es genügt also nicht, die gute Botschaft als wahr anzuerkennen, ohne innerlich beteiligt zu sein und ohne dass sie Auswirkungen auf unser Leben hätte.

Der Inhalt des Evangeliums muss anerkannt und persönlich angenommen werden. Das ist Glaubensgehorsam. Da antwortet der Mensch auf die Botschaft der Gnade: „Ja, ich bin ein Sünder! Ich habe die ewige Strafe verdient und kann mich selbst nicht retten! – Ja, ich kehre zu Dir um und bekenne Dir meine Schuld! Ich nehme Deine Gnade an und glaube an Deinen Sohn Jesus Christus und sein Erlösungswerk!"

Die Christen in Rom gehörten zu denen, die auf die gute Botschaft Gottes im Glaubensgehorsam geantwortet hatten.

---

2. Mose 23,20-33
Lukas 9,18-27

 SA 07.47   SU 17.26

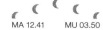 MA 12.41   MU 03.50

Der HERR hat mich heraufgeführt aus der Grube des Verderbens, aus kotigem Schlamm; und er hat meine Füße auf einen Felsen gestellt, meine Schritte befestigt.

Psalm 40,3

Aus Finsternis zum Licht (1)

Zugegeben – eine bildreiche Sprache: „aus der Grube", „aus kotigem Schlamm" heraufgeführt.

Bedeutet das noch etwas für den Menschen im 21. Jahrhundert? – Aber sicher, und zwar hundertprozentig.

Natürlich befand ich mich nicht gleich zu Beginn meines Lebens in der Grube oder im kotigen Schlamm. Das kam später. Zunächst war alles in Ordnung.

Aufgewachsen in einer normalen Familie mit all den großen und kleinen Freuden und Problemen. Eine Familie, in der neben der Arbeit auch das Feiern seine Bedeutung hatte.

Aber auch das Religiöse kam bei mir nicht zu kurz. Wegen meiner Oma. Die erzählte oft Geschichten von Jesus, der vom Himmel kam, um Menschen zu retten und gesund zu machen. Geschichten von Jesus habe ich gern gehört – als kleiner Junge. Besonders die Geschichte von Petrus, der auf dem Wasser gehen konnte, aber doch sank und dann von den starken Retterhänden Jesu heraufgezogen wurde. Nein, das Religiöse kam nicht zu kurz: Kirchgang, Kirchenchor, Posaunenchor. Das ging so bis zum Alter von ungefähr 14 Jahren.

Dann kam eine Zeit, wo ich andere Interessen hatte. Zwar beeindruckte mich die Predigt manches Mal tief, aber das Vergnügen der Welt lockte gewaltig. So streifte ich allmählich den guten Einfluss wie abgetragene Kleidung von mir ab und flog immer mehr auf all die Dinge, für die Gott ein treffendes Wort hat: Sünde.

Stichwörter: Alkohol, durchfeierte Nächte, Mädchen und Widerstand gegen alles, was zu einem bürgerlichen Gesellschaftssystem gehörte, Verstrickung in einen Pseudo-Marxismus.

---

2. Mose 24,1-18
Lukas 9,28-36

 SA 07.45 SU 17.28

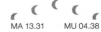 MA 13.31 MU 04.38

Dienstag **11** Februar

Gebt acht, dass euch niemand verführe!

Matthäus 24,4

Aus Finsternis zum Licht (2)

Ein weiterer Schritt in den Schlamm:

Aussteigen aus der verrückten Gesellschaft mit ihren Zwängen. – Selbstmord? Nein, Drogen!

Sie erlauben einen Ausstieg auf Zeit. Aber sie führen zur Abhängigkeit, zur Versklavung der Seele. Und spätestens nach dem ersten Horrortrip mit panischen Verfolgungsängsten weißt du, dass da Mächte am Werk sind, die es auf dich abgesehen haben. Längst waren mir die reale Welt und die Beziehungen zu meinen Angehörigen nicht mehr so wichtig. Sich antörnen und abfahren, das war nun mein Lebensmotto! Und so ging es ... Schritt für Schritt tiefer in den Schlamm.

Danach kam der „Edelschlamm". Als wir aus Erfahrung gelernt hatten: „Drogen machen dich kaputt", suchten wir nämlich andere Methoden, um abzufahren, um „high" zu werden. Ein indischer Guru versprach: Beginne mit der Meditation, und du bekommst inneren Frieden und erfährst ein tiefes Glück. Als es dann noch hieß: „Durch Meditation kannst du mit Gott in Übereinstimmung kommen, eins werden mit dem Universum", da war auch die „religiöse Schiene" wieder da. – Doch den lebendigen Gott konnte ich auf dieser Schiene *nicht* kennenlernen.

Heute weiß ich: Gott hat mich auf meiner Fahrt in den Abgrund nie aus den Augen gelassen. Aber ich wollte damals nichts mit Ihm zu tun haben.

Oder meinst du, der Gott der Liebe hätte sich für mich nicht interessiert? Oft hat Er mich gewarnt: Pass auf, wo deine Reise hinführt! Musst du erst wie Petrus versinken? – Gott hatte wirklich tiefes Interesse an mir. Im Nachhinein könnte ich viele Situationen schildern, wie Er mich persönlich angesprochen hat.

---

2. Mose 25,1-22
Lukas 9,37-50

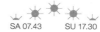 SA 07.43 SU 17.30

 MA 14.26 MU 05.19

Der Gott dieser Welt [Satan] hat den Sinn der Ungläubigen verblendet, damit ihnen nicht ausstrahle der Lichtglanz des Evangeliums der Herrlichkeit des Christus.

2. Korinther 4,4

Aus Finsternis zum Licht (3)

Eine Gelegenheit, bei der mir klar wurde, dass Gott mich nicht im Schlamm versinken lassen wollte: Ich hatte vor, mein Leben der Meditation zu weihen, nach Indien zu fliegen, um zu den Füßen eines Gurus zu lernen.

Vor der Abreise wollte ich noch in einer berühmt-berüchtigten Drogendiskothek in Frankfurt dem Leben in der Szene „Ade!" sagen. Da fiel mir mitten in den mit Drogen vollgepumpten Menschen eine ältere Frau auf. Ich beobachtete, wie sie die Tanzfläche überquerte, hinfiel und liegen blieb. Als sich keiner um die Frau kümmerte, lief ich zu ihr hin und wollte ihr helfen.

Was dann geschah, hatte ich nicht erwartet: Ich blickte in ein strahlendes Gesicht und hörte zwei Sätze, die es in sich hatten: „Schau mal, was ich in dieser Hand habe." Es war ein kleines Holzkruzifix, eine Abbildung des gekreuzigten Jesus. Dann sagte die Frau zu mir: „Du! – Gott sucht dich!" – Wie vom Blitz getroffen lief ich aus der Disco.

Ich wusste genau: Gott sucht dich. Und im tiefsten Innern merkte ich: Er möchte dich vor weiteren „Schlammgängen" bewahren. Aber immer noch wollte ich nicht.

Das war eines von den vielen sonderbaren, ja „ver-rückten" Ereignissen in meinem Leben, die ich als ultimativen Hinweis Gottes an mich verstand. – Jedes Mal, wenn ich Nein zu Gott sagte, ging es danach eine Stufe tiefer in den kotigen Schlamm. Dann zog der Gegenspieler Gottes seine unsichtbaren Fäden wieder fester um mich.

Siehe, ich stehe an der Tür und klopfe an; wenn jemand meine Stimme hört und die Tür öffnet, zu dem werde ich hineingehen und das Abendbrot mit ihm essen, und er mit mir.

Offenbarung 3,20

Aus Finsternis zum Licht (4)

Was dann kam: Indien, Rückkehr und Aufbau einer religiösen Gemeinschaft in einer Stadt Ostwestfalens.

Und dann war ich drin, gefangen in einer östlichen Religion. Nun meditierten wir. Zudem versuchten wir, auch andere Menschen für die hinduistische Denkweise und den indischen „Führer" zu gewinnen. Wir arbeiteten und spendeten unser Geld – bis auf ein kleines Taschengeld – für dieses „Werk". Irregeführt und verblendet, begrüßten wir es sogar, dass unser Lehrer in Prachtbauten lebte und im Rolls-Royce fuhr.

Ich war gefangen im goldenen Käfig meiner Religion und gleichzeitig geknechtet durch die Ideologie der „religiösen Gemeinschaft".

Wie wäre mein Leben wohl weitergegangen, wenn Gott nicht ein weiteres Mal „angeklopft" hätte? – Weißt du, was es heißt, wie Petrus vor dem Ertrinken gerettet zu werden? Der starke Arm von Jesus Christus, dem Sohn Gottes, hat mich zu einer Zeit errettet, als ich dem Ertrinken so nahe war, dass ich nicht einmal mehr rufen konnte: „Herr, rette mich!"

Das kam so: Ich wollte einen Freund, der mit dem Meditieren aufgehört hatte, wieder dazu motivieren. Doch stattdessen erzählte er mir, wie er zu Jesus Christus gefunden hatte und dass es einen lebendigen Gott gibt, der auch an mir Interesse habe. – „Der kann viel erzählen, wenn der Tag lang ist!", dachte ich zuerst. Meine innere Ablehnung änderte sich aber, als er mir seine Erlebnisse ausführlich erzählte und mir dann diese Worte sagte: „Du, Rolf, Jesus liebt dich!"

Da war es also wieder: Gott bemühte sich um mich!

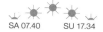

Wenn ihr den HERRN sucht, wird er sich von euch finden lassen.

2. Chronika 15,2

Aus Finsternis zum Licht (5)

„Rolf, Jesus liebt dich!", hatte mein Freund zu mir gesagt. 99 von 100 Leuten würden diese Worte wie jeden anderen gesprochenen Satz gehört haben, aber nicht ich. Irgendwie wusste ich: Dieses Mal ist es ganz ernst. Ich spürte, dass dieser Satz direkt von Jesus für mich war. Der Eindruck „Gott spricht jetzt zu mir!" war überwältigend. Bislang immer „cool" gewesen, konnte ich mich jetzt meiner Tränen nicht erwehren. Ich erkannte, wie groß die Liebe Gottes war, der mich in meinem Leben bis hinab in die Grube, bis in den kotigen Schlamm, begleitet hatte, um mich mit seiner erbarmenden Liebe zu erreichen und zu erretten.

Wie ich darauf reagiert habe? Vielleicht nicht sehr vertrauensvoll, sondern eher zweifelnd: Mein Freund und ich gingen zu seiner „Bude", und dort betete ich: „Gott, wenn es Dich gibt, dann zeige Dich mir!"

Mein Freund sagte: „Du, Gott hat dein Gebet gehört. Er wird darauf antworten." Und das geschah auch. Allerdings nicht so, wie ich es mir vorgestellt hatte. Gottes Wege sind immer „höher" als unsere Wege. Das galt auch für mein Leben. – Was geschah?

Zunächst empfand ich: Eine Rückkehr in den Einflussbereich meiner „Freunde" war unmöglich. Das hieß für mich im Klartext: Du kannst jetzt nicht zurück in diesen Gurutempel, sonst bist du sofort wieder im Einflussbereich derer, die dich auf den falschen Weg geführt haben. Diese Konsequenz war nicht leicht für mich.

Ich spürte deutlich: Hinter dieser falschen Religion und den damit verbundenen Praktiken standen böse geistige, unsichtbare Mächte.

Aber Gott hat auf mein kurzes Gebet geantwortet!

---

2. Mose 26,15-30
Lukas 10,17-29

 SA 07.38 SU 17.35

 MA 17.29 MU 06.54

Samstag **15** Februar

Da wir nun gerechtfertigt worden sind aus Glauben, so haben wir Frieden mit Gott durch unseren Herrn Jesus Christus.

Römer 5,1

Aus Finsternis zum Licht (6)

Ich war zu Gott gekommen. Aber es dauerte noch zwei Jahre, bis ich ganz erfassen konnte: Jetzt hast du die volle Glaubensgewissheit! Du bist angenommen! In Jesus Christus bist du errettet! Du weißt, dass du in den Himmel kommst und nie mehr verloren gehen kannst!

Was in diesen zwei Jahren an inneren Kämpfen bis zum Durchdringen zur Heilsgewissheit geschah, war wie ein tastendes Wandern durch einen dunklen Tunnel. Doch in Jesus Christus hatte ich mich dem Starken anvertraut, der mich aus den körperlichen und psychischen Abhängigkeiten herausführte. Auch standen mir in dieser Zeit viele hilfsbereite Christen zur Seite, die mich immer wieder durch Gebet und Seelsorge unterstützten und denen ich heute noch dankbar bin.

Gleichzeitig erkannte ich, dass Gott nicht nur mein Herz, sondern auch mein Gewissen berührt hatte. Das war nicht angenehm, aber im tiefsten Sinn des Wortes heilsam: Da gab es Dinge in meinem Leben, die nicht in Ordnung waren. Ich habe sie Jesus Christus im Gebet genannt und um Vergebung gebeten. Gut und Böse bekamen einen anderen Stellenwert für mich. Ich beurteilte nun alles nach den Maßstäben Gottes. Ich erkannte, dass ich ein Sünder war und dass zur Vergebung meiner bösen Taten Jesus Christus stellvertretend am Kreuz für mich gestorben ist. Ich dankte Ihm dafür und bekam Frieden mit Gott.

Heute darf ich als erlöster Christ mit meinem Herrn und Gott leben. Ich weiß mich in Ihm geborgen. Und das trotz mancher Lebensstürme, die auch einen Christen noch erreichen können. Dabei ist mir die Bibel, das Wort Gottes, immer wieder Orientierung und Hilfe.

---

2. Mose 26,31-27,8
Lukas 10,30-42

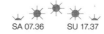 SA 07.36   SU 17.37

 MA 18.33   MU 07.19

Allen Geliebten Gottes, den berufenen Heiligen, die in Rom sind: Gnade euch und Friede von Gott, unserem Vater, und dem Herrn Jesus Christus!

Römer 1,7

Gedanken zum Römerbrief

In Vers 6 nennt der Apostel Paulus die Christen in Rom „Berufene Jesu Christi". Und in Vers 7 tragen sie die Ehrentitel „Geliebte Gottes" und „berufene Heilige".

Nicht jeder Mensch ist in diesem Sinn ein „Geliebter Gottes". Wohl hat Gott „die Welt" so sehr geliebt, dass Er seinen eingeborenen Sohn gegeben hat – aber wenn jemand nicht an den Sohn glaubt, dann bleibt der „Zorn Gottes" auf ihm (Johannes 3,16.36). Doch wer wie die Christen in Rom das Evangelium im Glauben angenommen hat, der ist ein Kind Gottes, ja ein „Geliebter Gottes".

Darüber hinaus waren die Christen in Rom – wie alle Kinder Gottes heute – auch „berufene Heilige". Wenn jemand wissen will, wie man ein „Heiliger" wird, dann findet er hier die Antwort: durch Berufung, und zwar durch die Berufung durch Jesus Christus.

Nicht ein Leben in großer Frömmigkeit oder das Vollbringen von Wundern ist also die Voraussetzung dafür, ein „Heiliger" zu sein, sondern der Ruf Jesu Christi im Evangelium und das Befolgen seines Rufes.

Durch diesen Ruf nimmt Gott aus den Völkern der Welt ein Volk heraus „für seinen Namen" (Apostelgesch. 15,14). Und gerade das erklärt uns die Bedeutung des Wortes „heilig": aus dem weltlichen oder alltäglichen Bereich herausgenommen und Gott geweiht. Das trifft *grundsätzlich* auf jedes Kind Gottes zu. Aber jeder wahre Christ wird sich dann auch bemühen, sein tägliches Leben wirklich für Gott zu führen.

Dazu haben wir Tag für Tag göttliche Gnade und Frieden nötig, so wie Paulus sie den Gläubigen in Rom wünscht.

Und Zachäus suchte Jesus zu sehen, wer er wäre; und er vermochte es nicht wegen der Volksmenge, denn er war klein von Gestalt. Und er lief voraus und stieg auf einen Maulbeerfeigenbaum, um ihn zu sehen; denn dort sollte er durchkommen.

Lukas 19,3.4

„Er suchte Jesus zu sehen." Das war gut! Wie mancher Terminkalender ist voll mit Eintragungen wie

- Verabredung mit Herrn X.
- Treffen mit Frau Y. von Firma Z.

Wo bleibt da eine Zeile frei für die Vormerkung „Jesus sehen"?

Natürlich! Kaum ist der gute Vorsatz gefasst, kommen schon die Hindernisse: Zachäus war klein – dafür konnte er nichts. Und er war reich – durch seine Zusammenarbeit mit der römischen Besatzungsmacht. Die Menschenmenge behinderte seine Sicht und war auch nicht bereit, dem verachteten Zolleinnehmer Platz zu machen.

Aber das sollte ihn nicht abhalten! Er tat das einzig Richtige: „Er lief voraus." Diese eine Person zog Zachäus an: Jesus Christus. Ihn musste er sehen! Da sollte alles andere zurückstehen: Er ließ die Menschenmenge hinter sich, die ihm den Blick auf Jesus verstellte.

„… und stieg auf einen Maulbeerfeigenbaum." Das war weder bequem noch ehrenvoll für ihn. Aber egal – nur so konnte er den Einzigen zu Gesicht bekommen, der imstande war, seine Vergangenheit zu ordnen und ihn von der Last seiner Sünden zu befreien. Darum ging es!

Diesen Entschluss hatte Jesus längst erkannt. Er sah den Willen zur Umkehr bei Zachäus und den Glauben in seinem Herzen. – Ob Zolleinnehmer, Hausfrau, Rentner oder Schüler – wer den Heiland der Sünder entschlossen sucht, wird Ihn finden, denn „der Sohn des Menschen ist gekommen, zu suchen und zu erretten, was verloren ist" (Lukas 19,10).

---

2. Mose 28,1-14
Lukas 11,14-28

 SA 07.32   SU 17.41

 MA 20.43   MU 08.04

Der Name des HERRN ist ein starker Turm; der Gerechte läuft dahin und ist in Sicherheit.

Sprüche 18,10

Ein Wirtschaftsmagazin brachte die Erfolgsstorys von Einwanderern, die in den USA zu großem Vermögen gekommen sind. Einer von ihnen hatte durch den Krieg in Europa alles verloren und fing in den USA bei null an. Gerade darin sieht er aber einen Vorteil gegenüber anderen Jungunternehmern damals, die in die väterlichen Betriebe einsteigen konnten. Sie brauchtes sich nicht erst eine eigene Existenz aufzubauen, sondern fanden diese schon als „Sicherheit" vor. Und weil sie sich damit zufriedengaben, brachten sie es vielfach auch nicht weiter als ihre Väter. Sein Kommentar dazu:

„Ein wenig Sicherheit ist manchmal schlechter als überhaupt keine Sicherheit."

In materieller Hinsicht könnten wir schon mit dem zufrieden sein, was hier „ein wenig Sicherheit" genannt wird. Wendet man aber diese Aussage auf unser Verhältnis zu Gott und zur Ewigkeit an, dann wird sie brandaktuell.

Ein wenig Sicherheit (oder was wir dafür halten!) ist nämlich in Ewigkeitsfragen sehr gefährlich. Wenn z. B. unsere Eltern eine Lebensbeziehung zu Gott hatten – können wir uns darauf ausruhen, als ginge sie automatisch auch auf uns über? Wenn sie uns taufen ließen, oder wenn wir hin und wieder zur Kirche gehen, wenn wir gelegentlich seelsorgerlichen Rat in Anspruch nehmen – meinen wir dann für die Ewigkeit schon „ein wenig Sicherheit" zu haben?

Nein, „ein wenig Sicherheit" ist hier eine trügerische Sicherheit. Wirkliche Sicherheit gibt es nur im Namen des Herrn Jesus Christus und unter dem Schutz seines sühnenden Blutes. Mit weniger sollte sich keiner zufriedengeben! Christus, der Retter, will jedem, der zu Ihm kommt, die Vergebung der Sünden und ewiges Leben schenken – eine ewig gültige Sicherheit.

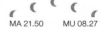

Diesem (Jesus) geben alle Propheten Zeugnis, dass jeder, der an ihn glaubt, Vergebung der Sünden empfängt durch seinen Namen.

Apostelgeschichte 10,43

Und in seinem Namen sollen Buße und Vergebung der Sünden gepredigt werden allen Nationen.

Lukas 24,47

Vergebung der Sünden

Herrliche Segnung: Vergebung der Sünden,
voller Erlass jeder Strafe und Pein!
Gott lässt die Botschaft noch weltweit verkünden.
Er lädt zur Rettung durch Christus dich ein.

Unzähl'ge Menschen im Glauben schon kamen,
nahmen das göttliche Angebot an,
fanden in Jesu gesegnetem Namen
Frieden der Seele und Freude daran.

Jesus bezahlte für dich mit dem Tode,
alles hat Er dir zum Heile getan.
Folge dem göttlichen Ruf und Gebote,
so rechnet Gott Christi Opfer dir an.

Herrliche Segnung: Vergebung der Sünden,
voller Erlass jeder Strafe und Pein!
Sich auf das Zeugnis der Bibel zu gründen,
führt dich in diese Glückseligkeit ein!

P. W.

---

2. Mose 28,31-43
Lukas 11,43-54

 SA 07.28   SU 17.44

 MA 22.58   MU 08.52

Arglistig ist das Herz, mehr als alles, und verdorben ist es; wer mag es kennen?

Jeremia 17,9

Einige junge Leute unterhielten sich einmal über diese Bibelstelle. Sie stellten sich die Frage, was das eigentlich genau ist: *arglistig*. Nach einigem Überlegen kamen sie zu dem Schluss: Arglistig bedeutet: Das Herz hat für alles eine Ausrede. – Ich finde diese Erklärung sehr treffend.

Schon bei der ersten Sünde, die auf der Erde geschah, wusste Adam eine Ausrede zu finden. Er sprach zu Gott: „Die Frau, die du mir beigegeben hast, *sie* gab mir von dem Baum, und ich aß" (1. Mose 3,12). Damit versuchte er Gott mitschuldig zu machen; und seitdem hat es selten an Ausreden gefehlt, wenn ein Mensch sich wegen eines Vergehens zur Rede gestellt sah.

Wie denken Sie darüber? Sollten wir weiter Gott beschuldigen für all das Elend in der Welt, für die Kriege, die Unterdrückung und die Gewalttat, die wir Menschen verüben? Fragen wir uns einmal, warum Menschen so etwas tun! Gott sagt es uns: „Das Sinnen des menschlichen Herzens ist böse von seiner Jugend an" (1. Mose 8,21). Da hilft auch alle Erziehung nichts. Sein „Sinnen", das heißt sein Überlegen und Planen, bleibt vom Bösen geprägt.

„Was aus dem Fleisch geboren ist, ist Fleisch", sagt der Herr Jesus Christus dazu. Zugleich zeigt Er uns aber auch den Ausweg: „Was aus dem Geist geboren ist, ist Geist. Verwundere dich nicht, dass ich dir sagte: Ihr müsst von neuem geboren werden" (Johannes 3,6.7). Diese neue Geburt zu ewigem Leben empfängt man durch den Glauben an Ihn, den Erlöser. Wer diesen Schritt nicht tut, wird Ihm einst als dem Weltenrichter begegnen und dann endgültig keine Ausrede mehr haben!

Als Jesus an einem gewissen Ort war und betete, da sprach, als er aufhörte, einer seiner Jünger zu ihm: Herr, lehre uns beten.

Lukas 11,1

Beten heißt zu Gott reden. Dazu ist keine besondere Begabung nötig. Jeder Mensch kann beten, wenn er will; sogar ein kleines Kind schon. Wenn einem Menschen seine Sünden bewusst werden, soll er sie in ernstem Gebet Gott bekennen, um Vergebung zu erlangen. Und wer der Vergebung seiner Sünden gewiss ist, wird Gott von Herzen dafür danken.

Aber warum dann noch die Bitte: „Herr, lehre uns beten!"? Weil Beten nicht nur ein Aussprechen von Wünschen, nicht nur ein Notschrei, nicht nur ein Loben und Danken ist, sondern auch eine Haltung des Achtgebens, des Erwartens und Lauschens nach oben. – Beten bedeutet aktive Gemeinschaft mit Gott, die unser Inneres formt: Wer täglich betet und Gott durch sein Wort zu sich reden lässt, lernt Gottes gnädige Führung immer besser kennen.

Das sehen wir bei Jesus Christus, als Er auf der Erde war. Sein Gebetsleben blieb den Jüngern nicht verborgen, daher ihre Bitte. Wie oft hatten sie den Herrn beten hören: Dankgebete bei der Speisung hungriger Menschen, bei ihren Mahlzeiten, vor und nach der Arbeit! Aber am meisten beeindruckte es sie wohl, wenn Er sich zurückzog, um mit Gott allein zu sein. Was für eine tiefe Gemeinschaft mit Gott drückt sich da aus! Sein ganzes Leben war Gebet.

Freiwillig nahm Er den Platz des treuen, abhängigen Knechtes Gottes ein, der sich „jeden Morgen das Ohr wecken" ließ (Jesaja 50,4). Jeden Morgen vertraute Er sich der Führung Gottes an und wartete auf seine Weisung. – Ja, beten müssen wir lernen! Die Stille vor Gott ist so wichtig in der Hektik und Unruhe unserer Zeit. Der Herr Jesus Christus kann und will es uns lehren durch sein Beispiel. Die Bibel zeigt es uns.

---

2. Mose 29,19-30
Lukas 12,13-21

SA 07.24   SU 17.48

MA 00.07   MU 09.52

Du bist teuer, wertvoll in meinen Augen.

Jesaja 43,4

Was ist der Mensch wert? – Denken wir einmal an Spitzen-Fußball-spieler. Für sie werden während ihrer Laufbahn oft enorme Transfersummen gezahlt, damit sie von einem Verein zum anderen wechseln. Zweistellige Millionenbeträge für einen Weltstar sind die Regel. Entsprechend hoch sind dann die Erwartungen des neuen Klubs und des Publikums.

Wenn ein Star die hohen Erwartungen erfüllt, wird er bejubelt. Bleibt er unter diesem Maßstab, wird er immer öfter ausgewechselt oder bleibt gleich zu Beginn auf der Ersatzbank. Für den Spott braucht er dann nicht zu sorgen. – Sein „Wert" wird vor allem durch seine sportliche Leistung bestimmt.

Was ist der Mensch wert? – Jeder Mensch ist ein wertvolles Geschöpf Gottes mit besonderen Gaben und Fähigkeiten. Aber durch die Sünde ist die „Laufbahn" des Menschen im Dienst für Gott jäh unterbrochen. Er will Gott nicht mehr dienen – und er kann es auch nicht mehr. Denn so, wie wir durch die Sünde geworden sind, kann Gott uns nicht mehr „einsetzen", nicht einmal auf der „Ersatzbank". Jeder Wert, den der Mensch aufgrund seiner eigenen Leistungen geltend machen könnte, ist zerstört.

Gott ist heilig. Er kann Sünde nicht dulden und wird einmal jede Sünde richten. Und doch gibt Er den Menschen nicht auf, schiebt ihn nicht als „wertlos" beiseite. Er liebt sein Geschöpf immer noch. Er wünscht, dass wir Ihm in diesem Leben wieder dienen und einmal für ewig bei Ihm in der Herrlichkeit sind. Deshalb hat Er seinen eigenen Sohn für uns gegeben. – Damit wir wieder zu Gott kommen und Ihm dienen können, hat Jesus Christus einen unendlich hohen Preis bezahlt: *sein eigenes Leben.* An *diesem* Preis ist der Wert des Menschen für Gott abzulesen.

---

2. Mose 29,31-46
Lukas 12,22-34

SA 07.22   SU 17.50   MA 01.15   MU 10.31

Zuerst einmal danke ich meinem Gott durch Jesus Christus für euch alle, weil euer Glaube verkündigt wird in der ganzen Welt.

Römer 1,8

Gedanken zum Römerbrief

Paulus führte ein Leben des Gebets. Das wird zu Beginn seiner Briefe immer wieder deutlich. Und es waren nicht in erster Linie seine persönlichen Bedürfnisse, die den Inhalt seiner Gebete ausmachten. Was ihm besonders am Herzen lag, war die Errettung aller Menschen und das geistliche Wachstum der gläubigen Christen.

Auch in Rom, in der Hauptstadt des großen Weltreichs, gab es Christen. Von ihnen und ihrem Glauben wurde überall gesprochen, besonders natürlich unter den Christen. Paulus hatte davon gehört, und es gab ihm Anlass, Gott zu danken.

Paulus richtet seinen Dank nicht etwa an die Menschen, an die Gläubigen in Rom. Er bedankt sich nicht bei ihnen, dass sie Christen geworden sind und treu an den Versammlungen der Gläubigen teilnehmen. – Nein, Paulus dankt *Gott* für die Menschen. Er dankt für das, was sie durch göttliche Berufung geworden sind, und für das, was sie nun kennzeichnet: der Glaube an das Evangelium, der Glaube an Jesus Christus.

Rom, die Hauptstadt, die Hochburg des gesellschaftlichen Lebens, war damals weithin der Unsittlichkeit verfallen. In dieser Stadt mit ihren vielen Götzentempeln gab es Christen, die durch Jesus Christus „berufene Heilige" geworden waren und ihr Leben auch tatsächlich als Christen führten. Sonst hätte man wohl kaum im ganzen Reich von ihnen und ihrem Glauben gesprochen.

Diese christliche Versammlung in der Hauptstadt war entstanden, ohne dass bis dahin ein Apostel dort gewesen wäre. Da konnte Paulus nicht anders, als Gott von Herzen für das zu danken, was Er selbst in Rom gewirkt hatte.

---

2. Mose 30,1-16
Lukas 12,35-48

SA 07.20   SU 17.52   MA 02.21   MU 11.18

Der Fels: Vollkommen ist sein Tun ... Ein Gott der Treue und ohne Trug, gerecht und gerade ist er!

5. Mose 32,4

Ohne Konstanten, ohne unveränderliche und zuverlässige Größen, geht es nun einmal nicht in der Welt. Das gilt sowohl für die Naturgesetze als auch für menschliche Lebensentwürfe. Wie sollten wir sonst noch für die Zukunft planen oder worauf unser Leben gründen?

Man leistet Rentenbeiträge, um für das Alter vorzusorgen. Man ist auf die Zuverlässigkeit der Politiker angewiesen, die unsere Belange wahrnehmen. Auch im geschäftlichen Leben kommt man ohne verbindliche Zusagen nicht aus. – Was aber, wenn diese Menschen versagen oder wenn sie Unkorrektheiten begehen und in die eigene Tasche wirtschaften? So etwas hört man ja immer wieder. Und bis heute gibt es keine sichere Lösung für diese Problematik.

Dürfen wir Sie mit dem Gott bekannt machen, der noch immer das ganze Weltall durch seine Macht trägt? Mose beschrieb nach vierzigjähriger Erfahrung an der Spitze des Volkes Israel Gott mit diesen Merkmalen: Fels, Treue, ohne Trug! Auf dieser festen Grundlage führte er das Volk mit Gottes Hilfe durch allergrößte Schwierigkeiten sicher hindurch. – Solche Erfahrungen zählen!

Wir sind vielleicht nicht mit Menschenführung betraut. Aber Sorgen, Probleme, Ängste haben wir alle. Und wenn dann alle Grundlagen um uns herum zerbrechen, dann lasst uns doch einmal mit diesem Gott beginnen. Prüfen wir seine Standfestigkeit, ob Er zu seinen Zusagen steht! Beginnen doch auch Sie, vertrauensvoll mit Ihm zu reden. Dieser Gott, *der Fels,* überdauert alle Wechsel der Zeiten und alle denkbaren Unglücksfälle. Wegen seiner absoluten Treue nannte der Prophet Samuel Gott einmal „*die Beständigkeit Israels*" (1. Samuel 15, 29).

Mit einem Opfer hat Jesus Christus auf immerdar die vollkommen gemacht, die geheiligt werden.

Hebräer 10,14

Es gibt Menschen, die Christus ihre Sünden bekannt haben und an Ihn glauben. Aber sie schauen zu viel auf sich selbst anstatt auf sein vollendetes Werk. Daher sind sie unsicher und kommen nicht zur vollen Heilsgewissheit.

Nun finden wir in Hebräer 10 dem Sinn nach wiederholt den Ausdruck „nicht mehr". In Vers 2 heißt es: „Kein Gewissen von Sünden mehr"; dann in Vers 17: „Ihrer Sünden und ihrer Gesetzlosigkeiten werde ich nie mehr gedenken", und in Vers 18: „Da ist nicht mehr ein Opfer für die Sünde."

Das vollkommene Opfer hat der Herr Jesus auf Golgatha dargebracht. Ein neues Opfer für die Sünde ist nicht nötig und wäre auch gar nicht möglich. Gott hat das Sühnopfer Christi angenommen und seine vollkommene und ewige Gültigkeit bestätigt.

Aufgrund dieses Opfers rechtfertigt Gott jeden, der in Buße und Glauben zu Ihm kommt. Ihnen ruft Er zu, dass Er der Sünden derer, die an Christus, seinen Sohn, glauben, „nie mehr gedenken" will. Und zuletzt bezeugt Gottes Wort ihnen, dass es für den Glaubenden „kein Gewissen mehr von Sünden" gibt.

Angenommen, im Himmel gäbe es eine große Liste von allen meinen Sünden, wie Gott sie kennt, das wäre das Gedächtnis Gottes. Die im Vergleich dazu wenigen Sünden, an die ich mich erinnern kann, das ist mein „Gewissen von Sünden". Gott vergibt alle Sünden, die *Er* im Gedächtnis hat; dann aber sind auch die wenigen vergeben, die *wir* im Gedächtnis haben und die auf unserem Gewissen lagen.

„Auf immerdar vollkommen gemacht" – das ist eine unermessliche Segnung!

---

2. Mose 31,1-11
Lukas 13,1-9

 SA 07.16   SU 17.55

 MA 04.16   MU 13.22

Dies will ich tun: Ich will meine Scheunen niederreißen und größere bauen und will dahin all meinen Weizen und meine Güter einsammeln; und ich will zu meiner Seele sagen: Seele, du hast viele Güter daliegen auf viele Jahre; ruhe aus, iss, trink, sei fröhlich.

Lukas 12,18.19

Reich und doch „ein Tor" (1)

Hier geht es um ein Gleichnis, durch das der Herr Jesus Christus sehr treffend klarmacht, wie töricht es ist, wenn man auf irdischen Besitz vertraut und dabei die Ewigkeit aus dem Auge verliert. Da war ein Bauer, der nicht mehr wusste, wohin mit seinen reichen Erträgen. Den errungenen Erfolg sichern und dann möglichst lange von der Frucht der Arbeit leben – wer will das nicht? Das war in wirtschaftlicher Hinsicht sehr vernünftig. Solange alles gut geht, ein durchaus lohnendes Ziel.

Dabei bleiben zwar ein paar Fragen offen, aber die übergeht man meist gern: War der Erfolg eigentlich nur das Ergebnis der eigenen Arbeit, oder haben ihn die Verhältnisse überhaupt erst ermöglicht? Was wäre geworden, wenn Krieg und wirtschaftliche Not, Missernte oder Krankheit dazwischengekommen wären? Steht über allem nicht doch noch irgendein Geschick, das wir nicht beeinflussen können – etwa der große, allmächtige Gott, dem wir nichts abtrotzen können? Doch solche Fragen klammern wir Menschen gern aus und tun so, als ob wir niemand Dank schuldig wären.

Und dann kommt die entscheidende Frage: Wie weit kann unsere Vorsorge eigentlich reichen? Kann alles Wirken und aller Erfolg der Vergangenheit wirklich die Zukunft zuverlässig sichern? Lesen Sie morgen weiter, was – nach den Worten des Herrn Jesus Christus – Gott selbst dazu sagt.

---

2. Mose 31,12-18
Lukas 13,10-17

SA 07.14   SU 17.57   MA 05.03   MU 14.36

Donnerstag **27** Februar

Gott aber sprach zu ihm: Du Tor! In dieser Nacht fordert man deine Seele von dir; was du aber bereitet hast, für wen wird es sein?

Lukas 12,20

Reich und doch „ein Tor" (2)

„Du Tor!" – So lautet das Urteil Gottes über jeden, der glaubt, Besitztümer und Erfolge könnten eine Garantie für seine Zukunft sein. Gott, der das Leben gab und es aufrechterhält, bestimmt auch, wann es wieder von uns genommen wird. Man kann sich zwar ein Leben lang nicht um Ihn kümmern und so tun, als ob es Ihn gar nicht gäbe. Aber das ist Torheit, denn ohne Ihn geht am Ende die Rechnung nicht auf.

Gott kann alles segnen, auch die materiellen Güter, die wir ja letztlich nur Ihm verdanken. Aber dazu muss man sein Leben in Übereinstimmung bringen mit Ihm, und zwar durch den Glauben an Jesus Christus, seinen Sohn. Wer durch Ihn ein Kind Gottes geworden ist, dessen Leben geht nicht mehr der bösen Überraschung entgegen, vor der unser Gleichnis warnt. Er weiß sein Leben in Gottes Hand und plant alles nach dem Grundsatz: „Wenn der Herr will und wir leben, so werden wir auch dieses oder jenes tun" (Jakobus 4,15). Und das letzte Wort über sein Leben und Wirken, wenn er diese Erde verlässt, lautet nicht: „Für wen wird es sein?", sondern: „Geh ein in die Freude deines Herrn".

So wie dem reichen Bauern in diesem Gleichnis geht es jedem, „der für sich selbst Schätze sammelt und nicht reich ist in Bezug auf Gott". So stellt der Herr es in seinem abschließenden Kommentar fest. Alle Anstrengung kann nichts nützen, wenn die Richtung nicht stimmt. Und die stimmt nur dann, wenn das Leben ein Ziel hat, das außerhalb alles Sichtbaren und Vergänglichen liegt: die Herrlichkeit Gottes, die niemand ohne den Glauben an Jesus Christus erreichen kann.

---

2. Mose 32,1-10
Lukas 13,18-21

 SA 07.12 SU 17.52

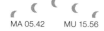 MA 05.42 MU 15.56

Glaube an den Herrn Jesus.

Apostelgeschichte 16,31

Er war ein erfolgreicher Gewichtheber und einige Jahre im Spitzensport aktiv. Dann aber warfen Erkrankungen und Verletzungen ihn zurück, so dass er den Sport aufgab und in einem Bergwerk zu arbeiten anfing. Dort war auch ein gläubiger Christ beschäftigt, der allerdings auf Abwege geraten war.

Eines Tages sagte dieser zu unserem Gewichtheber: „Du bist zwar katholisch, aber die Bibel kennst du nicht wirklich! Sollen wir wetten?" Dieses Wort traf den ehemaligen Sportler. Als er nach der Schicht nach Hause fuhr, packte ihn ein innerer Drang, und er holte eine Bibel hervor, die im Regal schlummerte. Innerhalb von einer Woche las er sie vollständig durch.

Einmal hatte er fast die ganze Nacht über der Bibel zugebracht. Morgens kam er dann viel zu spät von zu Hause weg, um den Bus noch zu erreichen, mit dem er normalerweise zur Arbeit fuhr. Da kam ihm unvermittelt der Gedanke in den Sinn: Geh trotzdem; du kommst noch pünktlich an.

In dieser Situation betete er zu Gott: „Wenn es Dich wirklich gibt, dann zeige Dich mir heute!" Da kam auf einmal ein leerer Bus vorbei, der unerwartet anhielt, die Tür für unseren Sportler öffnete und ihn, ohne dass er irgendetwas sagen musste, zum Grubeneingang brachte.

Gott hatte sich ihm gezeigt! Nun dauerte es nicht mehr lange, und die Botschaft vom Kreuz überwältigte diesen Mann. Er wusste, dass er ein Sünder war, und er nahm Jesus Christus und sein Sühnungswerk im Glauben an. – Durch den einen Satz des Christen kam es in dieser Grube zu einer regelrechten Erweckung. Auch der lau gewordene Christ selbst wurde davon erfasst und auf den Glaubensweg zurückgeführt.

---

2. Mose 32,11-20
Lukas 13,22-30

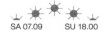 SA 07.09   SU 18.00

 MA 06.17   MU 17.17

Auch beim Lachen hat das Herz Kummer, und das Ende der Freude ist Traurigkeit.

Sprüche 14,13

Ein Offizier wurde wegen seines Humors und seiner Unterhaltungsgabe sehr geschätzt. Er konnte eine ganze Gesellschaft mit lustigen Späßen unterhalten und zum Lachen bringen. Sein Ideenreichtum war unerschöpflich; in seiner Gegenwart verging die Zeit wie im Flug.

Eines Abends war er in einer Gesellschaft wieder einmal der Heiterste und Ausgelassenste von allen Gästen. Manche hatten den Eindruck, sie hätten ihn noch nie so lustig und fröhlich gesehen. Als man auseinanderging, sprach man noch ganz begeistert von seiner geradezu ansteckenden Heiterkeit.

Am nächsten Morgen aber fand man ihn tot im Bett! Er hatte sich erschossen. – Die sprudelnde Fröhlichkeit, die er vor den Menschen zur Schau getragen hatte, war nur Schein gewesen. In seinem Herzen hatte es offenbar ganz anders ausgesehen.

Oberflächliche Fröhlichkeit verwandelt sich schnell in Traurigkeit. Und mit lustigen Scherzen lässt sich die tiefe Sehnsucht des Menschen nach Frieden und echter Freude nur eine Zeit lang notdürftig überdecken. – Wirklich zur Ruhe kommen kann das Herz des Menschen nur bei Christus, dem Retter und Herrn. Er schenkt denen, die an Ihn glauben, eine Freude und einen Frieden, die uns nichts und niemand nehmen kann.

Sie suchen, was sie nicht finden
in Liebe und Ehre und Glück,
und sie kommen belastet mit Sünden
und unbefriedigt zurück.

Es ist eine Ruh' vorhanden
für das arme, müde Herz.
Sagt es laut in allen Landen:
Hier ist gestillet der Schmerz.

Denn Gott ist mein Zeuge, dem ich diene in meinem Geist in dem Evangelium seines Sohnes, wie unablässig ich euch erwähne, allezeit flehend in meinen Gebeten, ob ich vielleicht endlich einmal durch den Willen Gottes so glücklich sein möchte, zu euch zu kommen.

Römer 1,9.10

Gedanken zum Römerbrief

In Vers 1 wurde die gute Botschaft „das Evangelium *Gottes*" genannt, hier steht nun: „das Evangelium *seines Sohnes*". Das eine weist auf den Ursprung hin; die gute, befreiende Botschaft für verlorene Sünder konnte nur von Gott ausgehen. Wenn es aber mehr um die Art und Weise geht, wie die Errettung verlorener Menschen tatsächlich bewirkt wurde, dann tritt der Sohn Gottes und das von Ihm vollbrachte Erlösungswerk in den Vordergrund.

Paulus war vom Herrn berufen, dies Evangelium zu verkündigen. Diesen Dienst übte er nun aus, nicht als eine lästige Pflicht, sondern von Herzen und mit Hingabe. Nie würde er vergessen, was für eine befreiende und beglückende Wirkung die Botschaft der Gnade auf ihn selbst gehabt hatte. Und so trieb ihn sein Herz an, auch anderen diese große Errettung in ihrem ganzen Umfang zu verkündigen.

In diesem Dienst hatte Paulus schon weite Reisen unternommen. Dabei galt seine Aufmerksamkeit in erster Linie den noch unerreichten Gebieten. Doch auch die Christen in Rom lagen ihm am Herzen, und er hatte schon lange über einen Besuch dort nachgedacht (Römer 15,19-24).

Doch bis dahin hatte eine Reise nach Rom noch nicht dem Willen und der Führung Gottes entsprochen. Aber Paulus betete anhaltend und innig für das Wohlergehen der Gläubigen in Rom und auch darum, dass Gott ihm schließlich eine Gelegenheit gibt, die Gemeinde in Rom zu besuchen.

2. Mose 33,1-11
Lukas 14,1-11

SA 07.05   SU 18.04

MA 07.15   MU 19.57

Alles, was mir der Vater gibt, wird zu mir kommen, und wer zu mir kommt, den werde ich nicht hinausstoßen.

Denn dies ist der Wille meines Vaters, dass jeder, der den Sohn sieht und an ihn glaubt, ewiges Leben habe.

Johannes 6,37.40

Wer als gläubiger Christ mit offenen Augen durchs Leben geht, wird feststellen, dass die Entfremdung von Gott und die Unwissenheit über Ihn in den vergangenen Jahrzehnten stark zugenommen haben. Umso erstaunlicher ist es, wie Menschen oft reagieren, wenn sie persönlich auf Ewigkeitsfragen und auf das Heil ihrer Seele angesprochen werden.

In einem voll besetzten städtischen Bus reiche ich den in meiner Nähe sitzenden Fahrgästen christliche Schriften. Ich erkläre kurz, worum es geht. Fünf Personen beginnen sofort, zu lesen. Eine junge Frau ist so vertieft in die Lektüre, dass sie sogar beim Aussteigen weiterliest und beinahe aus dem Bus stolpert.

Auf dem Bahnsteig, beim Warten auf den Zug, gebe ich einer Frau ein Johannes-Evangelium. Sie steckt es nicht achtlos in die Tasche, sondern beginnt sofort zu lesen. Sie ist in die Lektüre vertieft, bis der Zug einfährt. Ich sehe ihr staunend zu und schweige, um das Wort Gottes zu ihrem Herzen reden zu lassen.

Der Herr Jesus Christus kam, um zu suchen und zu erretten, was verloren ist. Gott will ja in seiner Liebe, dass alle Menschen errettet werden. Er redet durch sein Wort zu den Herzen und Gewissen der Menschen. Wenn wir auf seine Stimme hören und sein gerechtes Urteil über uns und unsere Sünden ohne Wenn und Aber annehmen, dann empfangen wir Vergebung. Durch den Glauben an Jesus Christus und sein Sühnopfer wird sie jedem zuteil, der sie in Wahrheit und mit aufrichtigem Herzen sucht.

---

2. Mose 33,12-23
Lukas 14,12-24

 SA 07.03　SU 18.06

 MA 07.43　MU 21.14

Denn auch der Sohn des Menschen ist nicht gekommen, um bedient zu werden, sondern um zu dienen und sein Leben zu geben als Lösegeld für viele.

Markus 10,45

Das Evangelium nach Markus

Markus gehörte zu den Mitarbeitern des Apostels Paulus. Dieser nahm ihn mit auf seine erste Missionsreise. Aus der Apostelgeschichte erfahren wir jedoch, dass Markus ihn und die anderen Mitarbeiter wieder verließ und in seine Heimat zurückkehrte (Kap. 13,13 und 15,37.38).

Erst einige Jahre später lesen wir erneut von Markus und seinem Dienst für Christus. Und in seinem letzten Brief nennt Paulus ihn einen „nützlichen" Mitarbeiter (2. Timotheus 4,11).

Bei dieser Vorgeschichte wundern wir uns vielleicht, dass Gott gerade Markus dazu benutzte, Jesus als den *vollkommenen Diener* zu beschreiben; denn das ist der große Gesichtspunkt des Markus-Evangeliums. Offenbar war es gerade sein eigenes Versagen, was Markus die Augen geöffnet hatte für seinen Herrn als den absolut treuen Diener Gottes.

Das Schlüsselwort dieses Evangeliums heißt „sogleich". Ununterbrochen tätig zu sein für seinen Gott, das kennzeichnete Jesus Christus als Menschen auf der Erde. – Anders als Matthäus und Lukas gibt Markus die Abstammungslinie Jesu in seinem Evangelium nicht an. Wozu auch? Bei einem Diener kommt es nicht auf die Herkunft an, sondern auf die Treue im Dienst. Und da war bei Jesus alles vollkommen; es gab keinen Stillstand. Alles lief auf die Erfüllung des Auftrags hinaus, den Gott Ihm gegeben hatte: sein Sühnungstod am Kreuz, seine Auferstehung und seine Himmelfahrt.

Am Ende des Markus-Evangeliums sehen wir den auferstandenen Herrn im Himmel. Seine Jünger führen die Arbeit fort, die ihr Meister in der Welt angefangen hat.

---

2. Mose 34,1-10
Lukas 14,25-35

 SA 07.01 SU 18.07

 MA 08.12 MU 22.28

So spricht der HERR: Kehre um zu mir, denn ich habe dich erlöst!

Jesaja 44,6.22

Geiselnahme und Lösegeld

Mit dem Schiff das Mittelmeer zu befahren, war jahrhundertelang ein riskantes Unternehmen. Nicht selten enterten Piraten die französischen oder spanischen Schiffe, nahmen die Passagiere gefangen und entführten sie an die afrikanische Küste. Für die Freilassung forderten sie dann ein hohes Lösegeld.

Einmal beschloss Spanien, alle seine Gefangenen loszukaufen, und brachte die nötige Summe an Lösegeld auf. Ein schwer bewaffnetes Schiff lief aus, um die Gefangenen zurückzuholen. Aber dann stellte sich heraus, dass eine Reihe von ihnen sich an die Umgebung dort gewöhnt hatte: Einige hatten geheiratet, andere hatten einen Handel begonnen. – Das Undenkbare geschah: Viele lehnten ihre Befreiung ab. Sie zogen es vor, in einem Land zu bleiben, wo sie nicht frei waren. Als das Schiff nach Spanien zurückkehrte, hatte es nur eine kleine Anzahl von befreiten Gefangenen an Bord – abgesehen von dem noch übrigen Geld im Laderaum.

Diese Geschichte hilft uns, unsere Lage vor Gott zu verstehen. Auch wenn wir uns dessen vielleicht gar nicht bewusst sind: Wir sind wie Gefangene in den Händen Satans, dem eigenmächtigen Herrscher dieser Welt, die ohne Gott leben will. Und wir sind völlig unfähig, uns aus eigener Kraft zu befreien.

Deshalb hat Jesus Christus den nötigen Preis zu unserem Loskauf bezahlt, als Er sein Leben am Kreuz hingab. Dieses Lösegeld reicht für alle Menschen aus. Aber jeder muss es persönlich für sich in Anspruch nehmen, muss anerkennen, dass er ein Sklave der Sünde ist, fern von Gott. Und er muss Jesus, den Retter, im Glauben annehmen. – Sollten wir eine solche Befreiung leichtfertig zurückweisen?

---

2. Mose 34,11-26
Lukas 15,1-10

 SA 06.59 SU 18.09

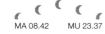 MA 08.42 MU 23.37

Jesus durchzog nacheinander Stadt und Dorf, indem er predigte und das Reich Gottes verkündigte. Und die Zwölf waren bei ihm und einige Frauen, die von bösen Geistern und Krankheiten geheilt worden waren: Maria, genannt Magdalene, von der sieben Dämonen ausgefahren waren, und Johanna, die Frau Chusas, eines Verwalters des Herodes, und Susanna und viele andere Frauen, die ihm mit ihrer Habe dienten.

Lukas 8,1-3

Zum Auftrag Jesu gehörte es, überall die gute Botschaft vom Reich Gottes zu verkündigen. Er rief die Menschen dazu auf, die Rechte Gottes über ihr Leben anzuerkennen und sich seiner Herrschaft zu unterwerfen. – Einmal wird Christus auf die Erde wiederkommen und die Ansprüche Gottes mit *Macht* durchsetzen; doch hier, bei seinem ersten Kommen auf die Erde, hören wir den Ruf der *Gnade,* und wir sehen ihre *befreiende Kraft.*

Die Begleiter des Herrn haben diese Kraft erfahren. Zu ihnen zählen nicht nur die zwölf Apostel, sondern auch Frauen, die „von bösen Geistern und Krankheiten geheilt worden waren" und andere. Sie alle folgen Jesus und dienen Ihm mit ihrem Leben und ihrem Besitz.

Hier wird zum ersten Mal in den Evangelien Maria Magdalene erwähnt. Im Gegensatz zu modernen Märchen über diese Frau berichtet die Bibel nicht von sittlichen Verfehlungen in ihrem Leben, sondern von dämonischer Besessenheit. Die Befreiung, die sie erlebt haben, lässt Maria und die anderen Frauen dem Herrn in einer tiefen, reinen Liebe dienen.

Maria Magdalene wird später nur noch bei der Kreuzigung, bei der Grablegung und bei der Auferstehung Jesu erwähnt. Vom auferstandenen Herrn erhält sie den bedeutsamen Auftrag, den Jüngern die Himmelfahrt Jesu anzukündigen (Johannes 20,1-18).

---

2. Mose 34,27-35
Lukas 15,11-19

 SA 06.57   SU 18.11

 MA 09.16   MU -.-

7

Wer den Sohn hat, hat das Leben; wer den Sohn Gottes nicht hat, hat das Leben nicht.

1. Johannes 5,12

Am 7. März 2004 wurde das 100 m hohe Sparkassen-Hochhaus in Hagen in Westfalen gesprengt, weil es einem Neubau weichen sollte. Zuvor wurde mehr als zwei Jahre lang geplant. Viele Untersuchungen wurden durchgeführt. Mehrere Monate dauerte die Entkernung des Gebäudes. Mit Akribie wurde gerechnet, damit die geplante Sprengung das Gebäude genauso fallen ließ, wie es zum Schutz der Umgebung unbedingt nötig war.

Mit Spannung sahen die Verantwortlichen dem „Tag X" entgegen. Schließlich gelang diese spektakuläre Sprengung ganz nach Plan, wenn auch mit 53 Minuten Verspätung.

Warum wir Ihnen das erzählen? Weil es auch für uns Menschen einen „Tag X" gibt, nämlich den Tag, an dem wir die Erde verlassen werden. Und wenn man für eine Sprengung, bei der ein reparabler Sachschaden auf dem Spiel steht, so peinlich genaue Vorbereitungen trifft, wie viel sorgfältiger sollten wir uns dann auf unseren „Tag X" vorbereiten! Diesen Tag kennt keiner von uns. Doch was auf dem Spiel steht, ist unser Los für die Ewigkeit.

Wenn unser Leben zu Ende geht, dann gibt es keine Möglichkeit mehr, noch etwas zu „reparieren". Der Bibelvers oben weist auf ein Entweder-oder hin. Darum müssen wir im Blick auf diesen Tag planen. Gott will Menschen Leben schenken, ewiges Leben, und „dieses Leben ist in seinem Sohn" (1. Johannes 5,11). Hier und jetzt muss die Entscheidung fallen, muss jeder den Herrn Jesus Christus als seinen Heiland annehmen. Wer mit seinen Sünden zu Ihm kommt, empfängt Vergebung und ewiges Leben und kann den „Tag X" getrost erwarten. Das ewige Heil ist dem Glaubenden sicher.

---

2. Mose 35,1-19
Lukas 15,20-32

 SA 06.54   SU 18.13

 MA 09.55   MU 00.42

> *Und Naaman, der Heeroberste des Königs von Syrien, war ein großer Mann vor seinem Herrn und angesehen ..., aber aussätzig.*
>
> *2. Könige 5,1*

Ein großer Mann, dieser Naaman. Seine Erfolge hatten ihm großes Ansehen eingebracht. Eigentlich stimmte bei ihm alles. Seine Stellung war herausragend, seine Persönlichkeit anerkannt – wenn die Bibel nicht diesen kleinen Zusatz mitteilte: „aber aussätzig". Offenbar war diese schreckliche Krankheit noch in einem Stadium, wo er sie verstecken konnte. – In der Bibel spricht der Aussatz bildhaft von Sünde. Solide Menschen können ihre Sünde ganz gut vertuschen, so wie Naaman seinen Aussatz, der nun einmal vorhanden war.

Viele fragen heute: „Was ist denn schon Sünde? Erlaubt ist, was Spaß macht, solange es anderen nicht schadet." Und was vielleicht mal darüber hinausgeht, das wird versteckt. Damit hat keiner etwas zu tun. Darüber hat niemand etwas zu sagen. Das ist Privatsache.

Doch bei Naaman wagte jemand in seiner nächsten Nähe, das Problem anzusprechen. Es war ein junges Mädchen, das als Gefangene in seinem Haus Dienst tat. Sie wies nicht nur auf die entdeckte Krankheit hin, sondern wusste auch Rat. Sie erzählte von dem Propheten Gottes, der Naaman heilen könnte. Wie es dann mit ihm weiterging, kann jeder erfahren, der den heutigen Bibelvers aufschlägt. Die Rettung trat ein, als der große Mann von seinem hohen Ross herabstieg, nichts mehr beschönigte und dem Rat des Propheten folgte.

Auch heute gibt es noch den Einen, der vom „Aussatz" der Sünde heilen kann. Es ist Jesus Christus, der Heiland der Welt. Er starb am Kreuz von Golgatha für die Sünden aller, die an Ihn glauben. Wer mit seiner Sündenschuld zu Ihm kommt und sie Ihm bekennt, findet Vergebung und wird vom „Aussatz" der Sünde geheilt.

---

2. Mose 35,20-35
Lukas 16,1-13

 SA 06.52   SU 18.14

 MA 10.38   MU 01.40

Denn mich verlangt danach, euch zu sehen, damit ich euch etwas geistliche Gnadengabe mitteile, um euch zu befestigen, das ist aber, um mit euch getröstet zu werden in eurer Mitte, ein jeder durch den Glauben, der in dem anderen ist, sowohl euren als meinen.

Römer 1,11.12

Gedanken zum Römerbrief

Dem Apostel Paulus war ein geistlicher Schatz anvertraut, an dem er die Christen in Rom teilhaben lassen wollte. Das waren nicht seine natürlichen Fähigkeiten oder Kenntnisse. Was er ihnen mitteilen wollte, hatte er selbst als „geistliche Gnadengabe" vom Herrn empfangen.

1. Petrus 4,10 sagt: „Je nachdem jeder eine Gnadengabe empfangen hat, dient einander damit als gute Verwalter der mannigfaltigen Gnade Gottes." Diese Grundregel für den christlichen Dienst befolgte Paulus mit großer Hingabe. Aber das bedeutete auch, dass er sich selbst nicht immer nur als den Gebenden ansehen konnte, obwohl er Apostel war! Nein, auch die anderen Christen, und zwar jeder von ihnen, hatten geistliche Gnadengaben vom Herrn empfangen.

Das geistliche Wachstum und Wohlergehen der Gläubigen hängt zu einem guten Teil davon ab, dass diese geistlichen Gaben, die einander ergänzen, auch wirklich für alle Nutzen bewirken können. Sie sollen jeweils an ihrem Platz zur gegenseitigen Befestigung und Stärkung dienen, ob in den öffentlichen Versammlungen der Christen oder im privaten Bereich.

Es ist daher keineswegs Höflichkeit oder Diplomatie, sondern ehrliche Erwartung, wenn Paulus sagt, dass auch er bei den gläubigen Römern ermuntert werden will „ein jeder durch den Glauben, der in dem anderen ist, sowohl euren als meinen". So erkennen christliche Liebe und Demut alles bereitwillig an, was Gott anderen anvertraut oder in ihnen bewirkt hat.

---

2. Mose 36,1-13
Lukas 16,14-18

 SA 06.50   SU 18.16

 MA 11.26   MU 02.32

Er aber wurde traurig über das Wort und ging betrübt weg, denn er hatte viele Besitztümer.
Er zog seinen Weg mit Freuden.

Markus 10,22; Apostelgeschichte 8,39

Zwei Menschen waren mit dem Herrn Jesus Christus in Kontakt gekommen – der eine ging betrübt davon, der andere zog seinen Weg mit Freuden. Woher dieser Gegensatz?

Der Erste war ein religiöser Mensch. Er war bereit, etwas Besonderes zu tun, um das ewige Leben zu erlangen. Deshalb seine Frage an den Herrn: „Guter Lehrer, was soll ich tun, um ewiges Leben zu erben?" Jesus verwies ihn zunächst auf die Gebote Gottes und zählte einige davon auf. Der junge Mann hatte sich aufrichtig bemüht, sie zu halten.

Aber der Herr antwortete ihm dann: „Eins fehlt dir: Geh hin, verkaufe, was du hast, und gib es den Armen, und du wirst einen Schatz im Himmel haben; und komm, folge mir nach!" (Markus 10,21). An diesem Wort des Herrn scheiterte der reiche junge Mann, und er zog sich traurig zurück. Er war bereit gewesen, sich das ewige Leben durch das Halten der Gebote zu „verdienen". Die Worte Jesu sollten ihn zu der Erkenntnis führen, dass er das nie erreichen würde. Aber schlicht an den Sohn Gottes zu glauben, Ihm den Vorzug zu geben vor seinem ganzen Besitz und Ihm nachzufolgen – dieser Preis erschien dem Mann zu hoch.

Der andere Mann – ein Äthiopier, also ein Heide – war auf der Suche nach Gott in Jerusalem gewesen. Aber er reiste unbefriedigt wieder zurück. Allerdings hatte er eine Buchrolle des Propheten Jesaja erworben und las gerade darin, als Gott den Evangelisten Philippus auf seinen Weg führte. Der fragte den Fremden: „Verstehst du auch, was du liest?" Und dann verkündigte er ihm das Evangelium von Jesus Christus. Der Mann hörte zu, glaubte der Botschaft und wurde ein froher Nachfolger Jesu.

---

2. Mose 36,14-34
Lukas 16,19-31

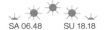 SA 06.48   SU 18.18

 MA 12.19   MU 03.16

Dienstag **11** März

Er führte sie heraus aus der Finsternis und dem Todesschatten und zerriss ihre Fesseln.

Psalm 107,14

Die moderne Fessel: Alkohol! Wie viele sind heute dadurch gebunden! Manche seufzen darunter und möchten gern frei werden. Aber wie?

Der Mann in guten Jahren war durch seine Alkoholsucht tief heruntergekommen. Seine Frau hatte ihn verlassen, weil sie es nicht mehr bei ihm aushalten konnte. Die Arbeit hatte er längst verloren, wie das immer so geht. Und alle Freunde hatten sich von ihm zurückgezogen. Es war kein Auskommen mit ihm.

Der Alkohol ist wie ein böser Dämon, der alle zwischenmenschlichen Beziehungen zerstört. Nichts ist ihm heilig. Was ihm geblieben war: die Flasche, an der er hing, und eine Matratze in einer sonst leeren Stube. Das Psalmwort war buchstäblich wahr geworden: Der Bedauernswerte saß „in Finsternis und Todesschatten"!

Doch der große Gott sah das Elend. Er schickte Männer, die Mitleid mit ihm hatten, den Gebundenen aus seiner Stube herausholten und ihn in ein von Christen geführtes Entziehungsheim brachten. Dort erst wurde ihm bewusst, wie tief er gesunken war und wie viel Elend und Not er über sich und andere gebracht hatte. Und dort wurde ihm auch klar, dass Alkoholismus nicht einfach eine Krankheit ist, ein unverschuldetes Unglück, das jeden von uns treffen kann, sondern eine Sucht, bei der eigene Schuld im Spiel ist – Schuld, die er vor Jesus Christus, dem Sohn Gottes, bekennen musste.

Das Wunder geschah. Der Mann bekannte Gott alles, was er getan hatte, nicht nur das mit dem Alkohol. Der gute Herr errettete ihn und sprach ihn durch das biblische Wort frei von aller Sünde. Und mithilfe der christlichen Freunde wurde er auch frei von den zerstörerischen Zwängen.

---

2. Mose 36,35-37,16
Lukas 17,1-10

 SA 06.45   SU 18.20

 MA 13.16   MU 03.54

Jerusalem, Jerusalem, die da tötet die Propheten und steinigt, die zu ihr gesandt sind! Wie oft habe ich deine Kinder versammeln wollen wie eine Henne ihre Brut unter ihre Flügel, und ihr habt nicht gewollt!

Lukas 13,34

Jerusalem ist die Stadt, die Gott für sich erwählt hatte, dort stand sein Tempel. Zugleich aber ist es die Stadt, die Ihm gegenüber am meisten schuldig geworden ist. Dort sind Propheten Gottes getötet worden (2. Chronika 24,20.21; Jeremia 26,20-24). Und dort würde auch der Sohn Gottes gekreuzigt werden.

Es ist bewegend, zu lesen, mit welcher Liebe Jesus sich um Jerusalem bemüht hatte. Er hatte ihre Kinder, d. h. ihre Bewohner, retten und beschirmen *wollen,* aber sie hatten *nicht gewollt.* In 1. Timotheus 2,4 lesen wir dasselbe auch von dem Willen Gottes: „Gott *will,* dass alle Menschen errettet werden."

Dieser Heilswille Gottes ist im Leben und Dienst und im Tod des Sohnes Gottes völlig ans Licht getreten. Doch das Erschütternde ist: Obwohl Gott will, obwohl Christus will, wollen so viele Menschen *nicht.* Und Gott zwingt uns nicht. Er wirbt um unsere Herzen; Er erweist uns seine Liebe und Güte; Er gibt seinen geliebten Sohn für uns in den Tod; aber Er zwingt uns den Himmel nicht auf, Er nimmt uns die Entscheidung nicht ab.

So werden im Himmel nur *Freiwillige* sein, die Ja gesagt haben zu Christus. Und auch in der Hölle wird es nur *Freiwillige* geben! Denn „Gott *will"!* An Ihm liegt es nicht, wenn Menschen die ewige Herrlichkeit verfehlen.

> *„Wen dürstet, der komme; wer will, nehme das Wasser des Lebens umsonst."*
>
> *Offenbarung 22,17*

---

2. Mose 37,17-29
Lukas 17,11-19

 SA 06.43 SU 18.21

 MA 14.16 MU 04.27

Donnerstag 13 März

Jesus Christus ist die Sühnung für unsere Sünden, nicht allein aber für die unseren, sondern auch für die ganze Welt.

1. Johannes 2,2

Das Blut ist es, das Sühnung tut durch die Seele.

3. Mose 17,11

Sühnung

Die Wörter „Sühnung" oder „sühnen" kommen in der Sprache der Bibel häufig vor. Wenn wir die Botschaft richtig verstehen wollen, müssen wir uns über den Begriff im Klaren sein, den solche Wörter bezeichnen. Dabei ist nicht entscheidend, was man in der Allgemeinsprache darunter versteht, sondern was sie im biblischen Zusammenhang wirklich bedeuten. Dieses Verständnis der biblischen Begriffe gewinnt man nur durch gründliches Studieren der Bibel.

Sühnung heißt, dass die heiligen und gerechten Ansprüche Gottes erfüllt werden: gegenüber dem Menschen, der gesündigt hat, und gegenüber allem, was von der Sünde in Mitleidenschaft gezogen wurde. Sühnung bedeutet also nicht das Abtragen einer Schuld, denn das kann kein Mensch. „Der Lohn der Sünde ist der Tod", und zwar der ewige Tod. Da bleibt ihm keine Möglichkeit mehr zur Sühnung.

Bei Sühnung geht es nicht darum, was dem Sünder zugutekommt, sondern darum, was Gott empfängt. Jede Sünde ist ein Vergehen gegen Gott, eine Kränkung seiner Heiligkeit, die Genugtuung verlangt. Und die empfängt Er durch Sühnung. So erfordert es seine Heiligkeit.

Aber diese Genugtuung bedeutet nicht Rache. Das beweist Gott dadurch, dass Er das Opfer zur Sühnung unserer Sünden selbst gegeben hat: seinen eigenen Sohn Jesus Christus! Er ist das „Sühnmittel" und hat als Mensch hier auf der Erde sein Blut, sein Leben, am Kreuz zur Sühnung gegeben. Und Er allein war fähig dazu.

Lesen Sie morgen über „Vergebung".

---

2. Mose 38,1-8
Lukas 17,20-37

 SA 06.41   SU 18.23

 MA 15.18   MU 04.56

Freitag **14** März

So tue der Priester Sühnung für ihn wegen seiner Sünde, und es wird ihm vergeben werden.

3. Mose 4,26

Wenn wir unsere Sünden bekennen, so ist Gott treu und gerecht, dass er uns die Sünden vergibt.

1. Johannes 1,9

Vergebung

Wenn die Frage der Sünde geordnet werden sollte, dann war zuerst Sühnung nötig. Die gerechten Ansprüche Gottes mussten erfüllt werden, denn gegen seine Heiligkeit richtet sich jede Sünde. Und dazu hat Christus, sein eigener Sohn, am Kreuz sein Leben zum Opfer gegeben. Dieses Werk ist in seiner Auswirkung allumfassend. Christus ist „das Lamm Gottes, das die Sünde der Welt wegnimmt" (Johannes 1,29). So bleibt nicht eine Sünde, für die Gott im Opfer Christi keine Sühnung empfangen hätte.

Und weil das so ist, kann Gott jetzt jedem, der seine Sünden bekennt, vergeben. Er kann das in voller Wahrung seiner Heiligkeit tun, denn Er hat ja Sühnung empfangen. Schon im Opferdienst Israels sehen wir den Unterschied zwischen Sühnung und Vergebung: Erst wenn das Blut eines Opfertieres Sühnung getan hatte, wurde dem Opfernden die Sünde vergeben.

Vergebung ist das, was der Sünder empfängt. Er empfängt sie nicht, ohne dass er seine Sünden bekennt. Dieser Grundsatz zieht sich durch die ganze Bibel. Der Herr sagte einst von seinem Blut, das am Kreuz fließen würde: „... das *für viele* vergossen wird zur Vergebung der Sünden" (Matthäus 26,28). Es sind eben nicht alle, sondern nur die, die ihre Sünden bekannt und das Opfer Christi glaubend für sich in Anspruch genommen haben: Sie haben Vergebung.

Bis heute bleibt die Einladung Gottes, dass wir unsere Sünden bekennen und an seinen Sohn Jesus Christus glauben, denn „jeder, der an ihn glaubt, empfängt Vergebung der Sünden durch seinen Namen" (Apostelgesch. 10,43).

---

2. Mose 38,9-31
Lukas 18,1-8

 SA 06.39 SU 18.25

 MA 16.22 MU 05.22

> *Denn einst ... dienten auch wir mancherlei Begierden und Vergnügungen.*
>
> *Titus 3,3*

Der kleine Hamster läuft in seinem Rad. Es dreht und dreht sich. Mehr geschieht nicht. Zwischendurch legt das Tier sich zur Ruhe. Danach beginnt das Spiel von neuem.

Früher war ein solches Tret- oder Laufrad auch für viele Menschen bitterer Ernst. Mit seinem gleichförmigen, sich ständig wiederholenden Arbeitsrhythmus war es für viele Aufgaben geeignet. Noch heute kommt es in Entwicklungsländern vor, dass Bauern mit dieser eintönigen Arbeitsmethode ihre Felder bewässern. Der Begriff „Tretmühle" ist zum Sprichwort für gleichförmige, stupide Tätigkeit geworden.

Aber wie viele leiden heute tatsächlich noch unter solch stumpfsinniger Arbeit? – Ist nicht eher das Vergnügen zu einer täglichen Tretmühle geworden? Sprechen wir jetzt nicht über die verschiedenen Arten des Zeitvertreibs. Nicht selten sind sie aus Gottes Sicht direkt verwerflich. Aber sind wir uns dessen bewusst, dass eine Zerstreuung die andere ablösen muss? Man wird davon nicht satt. Und das „Hamsterrad" dreht sich und dreht sich. Weiter nichts.

Was bringt uns das Amüsement in Wirklichkeit ein? Wer zwingt uns eigentlich, uns immer wieder hineinzustürzen – und doch nie befriedigt zu werden?

Freude braucht der Mensch, sagen die Leute. Und sie haben recht. Aber echte und bleibende Freude ist auf diesem Weg nicht zu finden. Das ist unser Thema. Zur wahren Freude gehört ein unbelastetes Gewissen. Denn die gibt es nur in Verbindung mit Gott und nicht ohne Jesus Christus. Durch sein stellvertretendes Opfer am Kreuz können freudelose Menschen vom Druck eines belasteten Gewissens frei werden.

Gott verändert sich nicht, darum ist auch seine Freude unwandelbar.

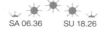

Ich will aber nicht, dass euch unbekannt sei, Brüder, dass ich mir oft vorgenommen habe, zu euch zu kommen (und bis jetzt verhindert worden bin), um auch unter euch etwas Frucht zu haben, wie auch unter den übrigen Nationen.

Römer 1,13

Gedanken zum Römerbrief

Paulus nennt die Hindernisse nicht, die sich einer Reise nach Rom bisher in den Weg gestellt hatten. Vielleicht waren es andere Aufgaben oder äußere Schwierigkeiten oder auch die direkte Führung durch den Heiligen Geist (siehe Apostelgesch. 16,6-10; 2. Korinther 6,4-10).

Die Hindernisse, die sich ihm entgegenstellten, hatte Paulus aus der Hand Gottes angenommen und sich nicht selbstherrlich darüber hinweggesetzt. Doch sein Wunsch war unverändert, das Evangelium in der Hauptstadt zu verkündigen, um auch dort „etwas Frucht zu haben". Paulus weiß nicht, *wie viel* „Frucht" Gott ihm geben würde. Aber *dass* Gott die Predigt des Evangeliums segnen würde, stand außer Frage. Die Verkündigung der guten Botschaft würde zu klaren Entscheidungen führen.

Da wenden sich Menschen „von den Götzenbildern" ihrer Zeit ab und kehren um zu Gott. Sie beginnen ein neues, ein sinnerfülltes Leben, indem sie „dem lebendigen und wahren Gott dienen". Und sie sehen einer gesicherten Zukunft entgegen, denn sie erwarten den Sohn Gottes „aus den Himmeln"; bei Ihm sind sie geborgen vor dem „kommenden Zorn". Auf diese Weise wird die Frucht des Evangeliums sichtbar. So hatte Paulus das in Thessalonich und an anderen Orten erfahren (1. Thessalonicher 1,9.10).

Diese Frucht zeigt sich dort, wo die Botschaft nicht dem Zeitgeist oder den persönlichen Interessen angepasst, sondern rein und lauter verkündigt wird. Dann gibt es Menschen, die sie annehmen, und zwar nicht als Menschenwort, sondern als Gottes Wort (1. Thessalonicher 2,1-13).

---

2. Mose 39,22-31
Lukas 18,18-30

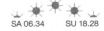

SA 06.34 SU 18.28

MA 18.33 MU 06.09

So wie der Durstige träumt, und siehe, er trinkt – und er wacht auf, und siehe, er ist erschöpft und seine Seele lechzt ...

Jesaja 29,8

Ein Ehepaar besuchte ein Waisenhaus, um ein Kind zu adoptieren. Einem Jungen, auf den ihre Wahl gefallen war, erzählten sie in den rosigsten Farben von ihrem schönen Haus, dem Spielzeug und allem Schönen, das sie ihm sonst noch bieten würden. Da antwortete der kleine Kerl: „Wenn ihr nur das für mich übrig habt, was die meisten anderen Kinder auch haben, dann kann ich ebenso gut hierbleiben."

„Und was stellst du dir sonst noch vor, was du gern hättest?", fragte die Frau. – „Dass ihr mich lieb habt", entgegnete der Junge.

Das ist es! Das Herz kann niemals durch „Spielzeug" oder andere materielle Dinge befriedigt werden. Selbst der größte Luxus kann die Seele des Menschen nicht zufriedenstellen. Unser Herz sehnt sich nach Liebe und Geborgenheit; das hatte der Kleine gut auf den Punkt gebracht!

Die Bibel geht noch einen Schritt weiter und sagt über die Menschen, dass Gott „die Ewigkeit in ihr Herz gelegt hat" (Prediger 3,11). Das bedeutet, dass nicht einmal Liebe und Geborgenheit in den menschlichen Beziehungen unser Herz endgültig zur Ruhe kommen lassen. Selbst das würde ohne Gott nur ein „Traum" bleiben, aus dem wir „erschöpft" und „durstig" wieder aufwachen.

Das tiefste Verlangen unserer Herzen kann nur durch Gott selbst gestillt werden, der uns geschaffen und diese Sehnsucht ins Herz gepflanzt hat. Dazu müssen wir durch den Glauben an den Herrn Jesus Christus zu Gott zurückkehren, von dem wir uns entfernt haben.

... wobei es unmöglich war, dass Gott lügen würde.

Hebräer 6,18

Gott lügt nicht

Menschen lügen oft; manchmal so dreist, „dass sich die Balken biegen", wie eine Redensart lautet; ein anderes Mal so geschickt, dass die Wahrheit erst nach Jahren ans Licht kommt, wenn überhaupt. Wem kann man sich schon vorbehaltlos anvertrauen? Wie mancher hat sein Vertrauen einem Menschen geschenkt und ist bitter enttäuscht worden!

Wenn jemand solche Erfahrungen gemacht hat, dann ist unser Bibelvers eine froh machende Nachricht für ihn: Gott enttäuscht uns nie! Er lügt nicht! Jesus Christus, der Sohn Gottes, sagt: „Ich bin die Wahrheit." Auf die Frage „Wer bist du?", konnte der Herr mit vollem Recht antworten: „Durchaus das, was ich auch zu euch rede" (Johannes 14,6; Johannes 8,25).

Jesus Christus ist die Wahrheit in Person. Ihm können wir völlig vertrauen. Wenn Er sagt: „Wer mein Wort hört und dem glaubt, der mich gesandt hat, hat ewiges Leben und kommt nicht ins Gericht, sondern ist aus dem Tod in das Leben übergegangen", dann gilt dieses Wort auch heute jedem, der sein Vertrauen auf Christus setzt (Johannes 5,24).

Welcher Mensch könnte dem Gericht Gottes ohne Sorge entgegensehen? Bei dem Gedanken, dass die ganze Vergangenheit einmal ans Licht kommen könnte, wird wohl jeden ein Unbehagen beschleichen. Aber Jesus Christus hat sein Leben am Kreuz auf Golgatha für uns hingegeben. Deshalb empfängt jeder, der an Ihn glaubt, Vergebung der Sünden und ewiges Leben; und er kommt *nicht* ins Gericht. Das hat Er uns in seinem Wort versichert. Und Gott kann nicht lügen. Er hält, was Er verspricht. Das Gericht, das Christus getroffen hat, kann an keinem Glaubenden noch einmal vollzogen werden.

---

2. Mose 40,1-16
Lukas 19,1-10

 SA 06.30   SU 18.31

 MA 20.49   MU 06.57

Verloren ist mir jede Zuflucht, niemand fragt nach meiner Seele.
Psalm 142,5

Gemeinsam wollen sich die beiden Versicherungsgesellschaften jetzt um alles kümmern, „vor allem aber um Sie", das versprechen sie dem Leser ihrer Zeitungsanzeige.

Gibt es also doch jemand, der ein tiefes Interesse an unserem Glück und Wohlergehen hat und uns eine sichere Zuflucht bietet? – Die Anzeige schließt mit dem Schlagwort: „Ihre Sicherheit. Ihre Zukunft. Ihr Leben." Ja, darum geht es; aber wir wissen, dass wir uns an *dieser* Stelle nur gegen einige *finanzielle* Risiken absichern können, mehr nicht.

Als David den Psalm 142 dichtete, war er in großer Not. Auf der Flucht vor König Saul hatte er sich in einer Höhle versteckt. Aber er wusste um einen noch sichereren Zufluchtsort. Der Psalm geht weiter: „Zu dir habe ich geschrien, Herr! Ich habe gesagt: Du bist meine Zuflucht."

Gott ersparte ihm diese notvollen Erfahrungen nicht. Aber in seinen Schwierigkeiten zweifelte David nicht daran, dass Gott ihn liebte und für ihn sorgte. Er wurde durch die Nähe des Herrn getröstet und gestärkt.

Zudem hatte Gott eine herrliche Zukunft für ihn vorgesehen. Er sollte König werden, und Gott führte ihn durch alle Gefahren hindurch sicher zu diesem Ziel. David hatte *seine Sicherheit, seine Zukunft, sein Leben* Gott anvertraut. Und die von ihm gedichteten Psalmen spiegeln seine Erfahrungen mit Gott sehr anschaulich wieder. Ganz deutlich wird: David war an der richtigen Stelle „versichert"! Gott hat ihn nie enttäuscht.

Ja, wer sein Leben Gott anvertraut, wird immer wieder erfahren: „Gott ist uns Zuflucht und Stärke, eine Hilfe, reichlich gefunden in Drangsalen" (Psalm 46,2).

---

2. Mose 40,17-38
Lukas 19,11-27

 SA 06.27 SU 18.33

 MA 21.58 MU 07.24

Donnerstag 20 März

... ihnen Freiheit versprechend, während sie selbst Sklaven des Verderbens sind; denn von wem jemand überwältigt ist, diesem ist er auch als Sklave unterworfen.

2. Petrus 2,19

Eine junge Frau erzählt:

Das Ziel meines Lebens war – wie bei vielen anderen auch – lange Zeit das Vergnügen. Meine Freunde und ich wollten frei von allen Zwängen und Tabus leben. Dieser Freiheitsdrang bestimmte unser Verhalten, ganz gleich ob es um Alkohol ging oder um Drogen oder um das Ausleben unserer Sexualität.

Heute weiß ich, dass es nur eine vermeintliche Freiheit war, die dazu diente, unseren Mangel an Sicherheit und an Überzeugungen zu verdecken. Wir wähnten uns frei, aber in Wirklichkeit beherrschte uns der Gruppenzwang. Das zeigte sich brutal deutlich, als ich schwanger wurde.

Gelegentlich überfielen mich Schuldgefühle wegen meiner Lebensweise – bis hin zur Depression. Schließlich erkannte ich, dass ich einen ganz verkehrten Weg eingeschlagen hatte, aber unfähig war, mich selbst aus diesen Verstrickungen zu befreien. Noch nie hatte ich mich so hilflos und verlassen gefühlt.

Da begann ich, das Neue Testament zu lesen. Nach und nach begriff ich, dass die Rettung von Gott ausgeht. Was ich als Kind einmal gelernt hatte, kam mir wieder in Erinnerung. Ich war beeindruckt, wie Jesus die Menschen zu sich ruft und ihnen Vergebung und Heil anbietet – wenn sie bereit sind, an Ihn zu glauben und Ihm zu folgen. Mir war klar: Das bedeutete eine radikale Entscheidung; es ging um alle Bereiche meines Lebens, um mein ganzes Sein.

Ich habe Jesus Christus gebeten, mein Heiland und Herr zu werden. Und Er hat seine Zusage eingehalten: Ich bin ein neuer Mensch geworden. Gottes Liebe und Vergebung haben meine Schuld und meine Bitterkeit weggenommen und mir Freude und Frieden geschenkt.

Jeremia 1,1-19
Lukas 19,28-38

 SA 06.25   SU 18.35

 MA 23.06   MU 07.55

Gott will, dass alle Menschen errettet werden und zur Erkenntnis der Wahrheit kommen.

1. Timotheus 2,4

Es gibt tatsächlich Menschen, die deshalb nicht zu Jesus Christus kommen, weil sie glauben, sie wären zu schlecht für den Himmel. Sie meinen, dass Gott ihnen nicht mehr vergeben kann oder dass Er keinen Wert mehr auf sie legt. Doch beides stimmt nicht – Gott sei Dank!

Wie „gut" oder „schlecht" jemand auch ist, wie sehr er vielleicht sein Leben ruiniert hat: Gottes Angebot gilt für jeden. Jeder Mensch ist für Ihn wertvoll, jeden will Er gewinnen, für jeden ist Hoffnung! Wir Menschen denken oft anders – zum Beispiel, wenn uns jemand verletzt hat. Dann neigen wir dazu, den anderen aufzugeben und ihn nie mehr sehen zu wollen.

Doch Jesus Christus, der Sohn Gottes, sagt: „Kommt her zu mir, alle ihr Mühseligen und Beladenen, und ich werde euch Ruhe geben" (Matthäus 11,28). Bei anderer Gelegenheit hören wir seine Worte: „Wer zu mir kommt, den werde ich nicht hinausstoßen" (Johannes 6,37). Was für eine gewaltige Zusage!

Möglicherweise aber fürchtet sich jemand vor einem Leben als Christ und denkt: „Das pack' ich nie. Die Ansprüche, die Gott an einen Christen stellt, sind viel zu hoch für mich." Ja, aus sich selbst schafft das wirklich niemand. Wer es allein versucht, wird es nie packen. Doch das Herrliche ist: Gott erwartet gar nicht von uns, dass wir etwas aus eigener Kraft tun. Er weiß viel besser, dass wir das nicht können. Wahres christliches Leben kann nur in der Kraft des Heiligen Geistes gelebt werden, den Gott jedem Glaubenden gibt. Alles geht von Gott aus. Er bietet uns allen seine Liebe in Jesus Christus an. Er gibt uns auch die Kraft, als Christen zu leben. An uns ist es, sein Angebot anzunehmen.

Jesus spricht zu dem Gelähmten: Kind, deine Sünden sind vergeben.

Markus 2,5

Gewöhnlich brechen Diebe in ein Haus ein, wenn die Bewohner fort sind. Doch einmal geschah es, dass vier Männer ein Haus aufbrachen, das dicht gedrängt voll Menschen war. Sie stiegen auf das Dach und fingen an, es abzudecken. Als eine große Öffnung entstanden war, ließen sie einen fünften Mann auf einer Matratze in den darunter liegenden Raum hinab.

Der Mann auf der Matratze war gelähmt. Seine Freunde mussten diesen Weg wählen, um ihn zu Jesus Christus zu bringen. Sie wussten, dass Er der Einzige war, der ihren Freund heilen konnte. Ihr größter Wunsch war es, den Sohn Gottes sagen zu hören: „Du bist geheilt."

Aber der Herr sagte etwas ganz anderes: „Deine Sünden sind vergeben." Merkwürdig, gerade das zu einem Schwerkranken zu sagen! Wären die Männer eingebrochen, um zu stehlen, hätte die Sünde als Gesprächsthema nahegelegen. Aber hier litt einer, der doch kaum grobe Sünden begehen konnte und offenbar von seinen Freunden sehr geschätzt wurde. Warum dann gerade zu ihm gleich über Sünde reden? Und waren die Sünden dieses Mannes nicht schon durch sein schweres Leiden gesühnt?

Bald forderte Jesus den Gelähmten auch auf, aufzustehen und umherzugehen; und sofort war dieser völlig geheilt. *Zunächst* aber hatte der Herr sich um das *größere* Problem dieses kranken Mannes gekümmert, das durch seine Krankheit nicht aus der Welt geschafft wurde. Und was Jesus zu dem Gelähmten sagte, ist heute noch die Nachricht für uns. Er kam in die Welt, um Sünder zu erretten. Wir brauchen nicht in ein Haus einzubrechen oder sonst etwas zu leisten, um zu Ihm zu kommen. Wir müssen Ihm nur unsere Lebensschuld bekennen und seiner Zusage glauben.

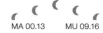

Sowohl Griechen als Barbaren, sowohl Weisen als Unständigen bin ich ein Schuldner. So bin ich denn, soviel an mir ist, bereitwillig, auch euch, die ihr in Rom seid, das Evangelium zu verkündigen.

Römer 1,14.15

Gedanken zum Römerbrief

Paulus sah sich als einen „Schuldner" an, und zwar gegenüber allen Menschen, ob sie mit der griechischen Sprache und Kultur vertraut waren oder nicht (und daher zu den „Barbaren" zählten). Unterschiede in der Nationalität oder in der Bildung spielten keine Rolle.

Dem Apostel war eine umfassende Botschaft anvertraut worden, die sich an alle richtete. Daher fühlte er in seinem Gewissen auch eine Verpflichtung gegenüber allen.

In *einem* Sinn steht Paulus hier allein. Nur ihm, dem Apostel der Heiden, war durch göttliche Offenbarung „das Evangelium der Herrlichkeit" anvertraut worden (Galater 1,12; 1. Timotheus 1,11).

Andererseits ist die dem Apostel Paulus anvertraute Botschaft in ihrem ganzen Umfang in der Bibel, dem inspirierten Wort Gottes, festgehalten. Daher können auch andere Christen „Gesandte für Christus" sein. Sie kennen sowohl „den Schrecken des Herrn" als auch das Mittel zur Rettung. Und von der „Liebe des Christus gedrängt" suchen sie „die Menschen zu überreden", dass sie die Versöhnung in Christus annehmen (2. Korinther 5,11-21).

Wenn „in keinem anderen das Heil" ist als nur in Jesus Christus, was für eine Verpflichtung liegt dann auf denen, die Jesus Christus als ihren Retter kennengelernt haben. Sie kennen das Heilmittel, das jeder Mensch nötig hat! (Apostelgesch. 4,12).

Daher kann Paulus nicht schweigen. Unermüdlich trägt er die Botschaft weiter, um so viele wie möglich zu erreichen. Er ist bereit, auch in die Hauptstadt zu gehen. Und eines Tages wird Gott ihn auch dahin führen.

Der Gott der Herrlichkeit erschien unserem Vater Abraham, als er in Mesopotamien war, ... und sprach zu ihm: „Geh aus deinem Land und aus deiner Verwandtschaft, und komm in das Land, das ich dir zeigen werde."

Apostelgeschichte 7,2.3

Die Vorfahren Abrahams, des Stammvaters Israels, dienten heidnischen Götzen. Abrahams Wissen über den wahren Gott dürfte daher sehr mangelhaft gewesen sein. In diesem Punkt passt er gut zu unserer Zeit. Aber auch noch in einer anderen Hinsicht: Er lebte nämlich in gesicherten Verhältnissen in einer der berühmtesten Städte des Altertums. Neuzeitliche Ausgrabungen haben uns eine Vorstellung von der hohen Kultur der Stadt Ur verschafft.

Dann aber hatte Abraham ein besonderes Erlebnis mit Gott; und das veränderte sein Leben. Warum aber sollte er dann seine angenehmen Verhältnisse und seine heidnische Umgebung verlassen und mit einem ungewissen Nomadenleben vertauschen? Und dazu die aktuelle Frage: Warum fordert Gott heute Menschen auf, alle verkehrten Bindungen aufzugeben? – Uns muss klar werden: Wenn Gott ruft, können wir nicht so weitermachen wie bisher und den eigenen Meinungen und Begierden folgen. Berufungen sind nicht nur eine ehrenvolle, sondern immer auch eine einschneidende Sache.

Abraham ging; er wagte den Weg mit Gott. Lassen wir einmal beiseite, dass er während seiner Reise eine nutzlose Zwischenstation einlegte. Er war ein Mensch wie wir. – Eins aber ist sicher: Ohne ausreichenden Grund hätte Abraham seine Heimat nicht verlassen. Gott hatte um ihn geworben, als Er ihn seine Herrlichkeit sehen ließ. Das verhieß ihm großen Segen, der über das Irdische hinausging, das bedeutete Freude und innere Ruhe. – Abraham hat viele Nachfolger gefunden. Ein Leben mit Gott bedeutet auch heute noch echte Erfüllung.

25

Dienstag   **März**

Also lasst uns nun nicht schlafen wie die Übrigen, sondern wachen und nüchtern sein. Denn die, die schlafen, schlafen bei Nacht, und die, die betrunken sind, sind bei Nacht betrunken.

1. Thessalonicher 5,6.7

„Nein, bei mir brennt's nicht!", sagte kopfschüttelnd der ältere Herr, der aus seinem Fenster im Wohnblock schaute. Er schien seine Aussicht zu genießen. Aber die Feriengäste, die an seinem Haus vorbeispazierten, sahen entsetzt den dichten Rauch in seinem Rücken. „Doch, bei Ihnen brennt's!", riefen sie. Der Mann am Fenster drehte sich nicht einmal um. Er nahm weder den Brandgeruch noch die Warnung ernst.

Während die Urlauber per Handy die Feuerwehr alarmierten und die anderen Hausbewohner durch energisches Klingeln und Rufen heraustrommelten, rief ein Nachbar von gegenüber: „Bei dem brennt's öfter", als ob das sehr nebensächlich sei. „Warum regt ihr euch auf? Was geht euch das überhaupt an?", schien er zu denken – genau wie der Betroffene.

Die Feuerwehrleute stürmten in die Wohnung, verhüteten Schlimmeres und führten den Mann ins Freie. Seine Haare waren bereits angesengt. Das Feuer hatte ihn schon erreicht, als er noch stur behauptete: „Bei mir brennt's nicht!" – Es handelte sich um einen Alkoholiker, der so benebelt war, dass er den Brandgeruch und die Warnrufe nicht mehr auf sich beziehen konnte.

Wachen und nüchtern sein! – Davon spricht auch unser Bibelwort. Denn Jesus Christus kommt wieder. Und dann gibt es keine Möglichkeit mehr, sich zu bekehren. Die Entscheidung für Ihn, die uns vor der ewigen Pein bewahrt, müssen wir jetzt treffen. Wie tragisch, dass so viele unserer Mitmenschen es vorziehen, ihre Sinne weiter von der Sünde benebeln zu lassen! Sie sind in höchster Gefahr. – Wenn doch jeder auf den mahnenden Ruf Gottes hörte und sich retten ließe!

... weil du von Kind auf die heiligen Schriften kennst, die imstande sind, dich weise zu machen zur Errettung durch den Glauben, der in Christus Jesus ist. Alle Schrift ist von Gott eingegeben und nützlich zur Lehre, zur Überführung, zur Zurechtweisung, zur Unterweisung in der Gerechtigkeit.

2. Timotheus 3,15.16

Sind sie heute noch aktuell, die alten griechischen und römischen Klassiker Homer, Plato, Cicero, Vergil oder Tacitus? Mancher hat in seiner Schulzeit einige Schriften dieser Dichter und Denker gelesen. Tatsächlich gibt es noch immer Liebhaber, die sich in diese antiken Texte vertiefen, um in fremde Welten einzutauchen. Andere aber suchen beim Lesen Orientierung über sich selbst und über die eigene Zeit.

Öffnet man dagegen die Bibel, stößt man sehr schnell auf ihren Anspruch, allen Menschen, die nach Orientierung suchen, Gottes gute Unterweisungen zu vermitteln. Das Bibelwort über unserem Andachtstext spricht zunächst vom *Alten Testament,* das damals bereits aufgezeichnet war. Darin finden wir neben den direkten Botschaften Gottes auch das Gottvertrauen der Alten. Es berichtet von ihren Erfahrungen mit ihrem Gott wie auch von den daraus geschöpften Lebensweisheiten.

Vor allem fällt an diesen alten Glaubenszeugnissen auf, dass sie das Kommen einer Person ankündigen, über die das Neue Testament dann ausführlich berichtet: Jesus Christus. Als der Erfüller der alttestamentlichen Verheißungen ist Er zu dem alten Volk Gottes gekommen und hat sich durch die Wunder, die Er tat, als der Sohn Gottes erwiesen.

Das *Neue Testament* aber berichtet nicht nur vom Leben und vom Kreuzestod Jesu Christi, sondern auch von seiner Auferstehung und Himmelfahrt. Und das heißt: Jesus Christus lebt und wird wiederkommen, um seine Ansprüche geltend zu machen. Er hat die Macht dazu.

Jeremia 7,1-34
Lukas 21,1-11

SA 06.12   SU 18.45   MA 03.39   MU 13.35

Am folgenden Tag sieht Johannes Jesus zu sich kommen und spricht: Siehe, das Lamm Gottes, das die Sünde der Welt wegnimmt!

Johannes 1,29

Bei herrlichem Sonnenschein tummeln sich auf dem Vorplatz einer großen Kirche in Paris die Touristen. Der Blick auf den gewaltigen Bau und die Millionenstadt beeindruckt Menschen aus vielen Nationen. Beiläufig ergeben sich Gespräche zwischen Menschen, die sich noch nie begegnet sind. Jemand von weit her fragt uns nach Deutschland. Uns interessiert, ob er schon einmal von Jesus Christus gehört hat. Spontan kommt die Antwort, er kenne ‚Jesus' gut. Erst nach einer Weile stellt sich heraus, dass unser neuer Freund von einem Bekannten spricht, von einem gewissen ‚Jesus Mohammed'.

Johannes der Täufer, von dem unser heutiges Bibelwort spricht, sieht auf den Herrn Jesus. Eindeutige Merkmale kennzeichnen Jesus Christus. Er ist das Lamm Gottes. Wissen Sie, was das bedeutet? Dass Gott ein Opfer gegeben hat. Niemals hat es auf der Erde ein solches Opfer gegeben. Dieses Opfer ist zum Heil für die Welt. Jesus Christus, der Sohn Gottes, ist aus dem Himmel auf die Erde gekommen. Am Kreuz von Golgatha starb Er, unschuldig wie ein Opferlamm. Dieses Opfer ist vollkommen. Es hat Gottes heilige Ansprüche vollkommen erfüllt, denn Er hat den Herrn Jesus auferweckt. Das leere Grab zeugt davon.

Wenn Sie an diesen Jesus glauben und Ihm die Schuld Ihres Lebens bekennen, dann schenkt Gott Ihnen Vergebung, weil das Lamm Gottes für Sie gestorben ist. Ein anderer ‚Jesus' kann uns nicht helfen, denn „es ist in keinem anderen das Heil, denn es ist auch kein anderer Name unter dem Himmel, der unter den Menschen gegeben ist, in dem wir errettet werden müssen" (Apostelgesch. 4,12).

Jeremia 8,1-23
Lukas 21,12-28

SA 06.09   SU 18.47   MA 04.14   MU 14.53

Freitag 28 März

Und die Menschen kamen, um zu sehen, was geschehen war. Und sie kommen zu Jesus und sehen den Besessenen dasitzen, bekleidet und vernünftig.

Markus 5,14.15

Dieser besessene Mann war in der ganzen Gegend bekannt. Wer ihm begegnete, musste mit dem Schlimmsten rechnen. Ohne Rücksicht griff er an. Natürlich hatte man versucht, ihn festzusetzen. Doch mit übermenschlicher Kraft befreite er sich immer wieder von jeder Fessel. Und er war nicht nur für andere gefährlich, auch sich selbst verletzte er und schlug sich mit Steinen. Wild, nackt und schreiend hielt er sich gern bei den Felsengräbern und in den Bergen auf – eine furchterregende Gestalt!

Eines Tages kommt Jesus in dieses Gebiet. Da läuft dieser Mann auf Ihn zu. Doch statt Ihn anzugreifen, wirft er sich vor Jesus auf die Knie. Da gebietet der Herr dem unreinen Geist, aus diesem Menschen auszufahren.

Hier lag die Ursache für sein grauenerregendes Verhalten: Dämonen, böse Geister, hatten von ihm Besitz ergriffen. Und es war nicht nur ein einziger Geist – das wäre schlimm genug gewesen –, es waren viele Dämonen. Doch ob sie wollten oder nicht, sie mussten sich der Macht des Sohnes Gottes fügen und von diesem Menschen weichen.

Augenblicklich war der Mann wie umgewandelt. Wenig später sahen ihn die Leute dann bekleidet und vernünftig bei Jesus sitzen und Ihm zuhören. – Wieder einmal hat sich gezeigt, dass der Sohn Gottes stärker ist als der Teufel und seine Dämonen. Auch heute will Christus jeden befreien, der unter der Macht Satans und der Sünde leidet. Und auch wenn es sich nicht um dämonische Zwänge handelt, mit der Macht der Sünde in uns hat jeder zu tun. Die Befreiung davon kann nur der Sohn Gottes bewirken. – Er will auch Sie frei und glücklich machen!

Als Paulus aber über Gerechtigkeit und Enthaltsamkeit und das kommende Gericht redete, wurde Felix von Furcht erfüllt und antwortete: Für jetzt geh hin; wenn ich aber gelegene Zeit habe, werde ich dich rufen lassen.

Apostelgeschichte 24,25

Die meisten von uns kennen dieses Problem: Da kommt eine unangenehme Aufgabe auf uns zu, und wir zögern; eine Entscheidung mit weitreichenden Folgen wird von uns erwartet, aber wir können uns nicht entschließen.

Der Schüler packt seine Hausaufgaben nicht an, weil ihm das Thema nicht liegt. Die Hausfrau lässt das Bügeln anstehen, weil es ihr zu eintönig ist. Der nötige Gang zum Zahnarzt wird immer wieder hinausgeschoben, weil man sich davor fürchtet. Die Hoffnung, dass sich Aufgeschobenes „von selbst erledigt", mag sich bei den schwankenden Verhältnissen im irdischen Leben gelegentlich erfüllen, doch wenn es um Gott und um Fragen der Ewigkeit geht, versagt dieses Rezept mit Sicherheit.

Der Apostel Paulus sprach mit dem römischen Statthalter Felix „über Gerechtigkeit und Enthaltsamkeit und das kommende Gericht". Das hatte den Mann in Furcht versetzt, denn er spürte wohl, dass er in diesen Punkten schuldig geworden war. Jetzt hätte er seine Verfehlungen Gott bekennen sollen und Vergebung empfangen können. Aber dazu konnte er sich nicht entschließen. – Wirklich nur aus Zeitmangel?

Jeder Mensch ist schuldig vor Gott, und wenn er dem kommenden Gericht entfliehen will, muss er zu Gott umkehren und Ihm seine Lebensschuld bekennen. Davor brauchen wir uns nicht zu schämen – Gott kennt uns ja schon ganz und gar. Nur wenn ein Mensch von Herzen zu Gott umkehrt, empfängt er Vergebung, weil Jesus Christus einst auch für seine Schuld am Kreuz gestorben ist.

„Siehe, jetzt ist der Tag des Heils" (2. Korinther 6,2).

Denn ich schäme mich des Evangeliums nicht, denn es ist Gottes Kraft zum Heil jedem Glaubenden, sowohl dem Juden zuerst als auch dem Griechen.

Römer 1,16

Gedanken zum Römerbrief

Kann das Evangelium denn mithalten mit den Religionen, die in der Hauptstadt ihre Tempel haben? Kann die Predigt von Paulus mit den Sittenlehren der Philosophen konkurrieren? Ist seine Botschaft so angenehm für die Zuhörer, dass er sich nicht zu schämen braucht?

Paulus weiß um das „Ärgernis des Kreuzes". Und doch betont er, dass er sich des Evangeliums nicht schämt. Er weiß, dass Gott „durch die Torheit der Predigt" Menschen zum rettenden Glauben führt. Deshalb predigt er *„Christus als gekreuzigt, den Juden ein Anstoß und den Nationen eine Torheit"* (1. Korinther 1, 21-23).

Das Anstößige an der Predigt ist, dass ich wegen meiner Sünden so hoffnungslos verloren bin, dass mich gar nichts vor dem kommenden Strafurteil retten könnte, *wenn nicht Jesus Christus für mich am Kreuz gestorben wäre!* – Das klingt nicht angenehm. Das stellt die Unzulänglichkeit aller Religionen und Sittenlehren ans Licht. Das fordert Widerspruch heraus.

Doch Paulus weigert sich, seine Botschaft anzupassen. Er könnte Jesus als edlen Sittenlehrer verkündigen, und viele würden Beifall klatschen. Er könnte Ihn als großen Glücksbringer vorstellen, der alle Schwierigkeiten aus dem Leben wegnimmt oder zumindest tragen hilft, und manche würden sich auf einen Versuch einlassen. Aber dann wäre seine Botschaft ihres eigentlichen, dringlichen Kerns beraubt:

Der Mensch ist verloren und hat Rettung nötig! Und die gibt es nur durch Jesus Christus und seinen Kreuzestod! – Diese Botschaft braucht der Mensch. Sie bringt jedem Rettung, der sie glaubend annimmt, denn das Evangelium ist „Gottes Kraft zum Heil jedem Glaubenden".

Seid um nichts besorgt, sondern in allem lasst durch Gebet und Flehen mit Danksagung eure Anliegen vor Gott kundwerden; und der Friede Gottes, der allen Verstand übersteigt, wird eure Herzen und euren Sinn bewahren in Christus Jesus.

Philipper 4,6.7

Im Krankenhaus gibt sich mir ein 16-jähriges Mädchen als Christin zu erkennen. Ihre Geschichte ist nicht alltäglich: Zwei Jahre zuvor hatte sie sich taufen lassen. Sie war zum lebendigen Glauben an Jesus Christus gekommen und wollte durch die Taufe nun auch ein öffentliches Bekenntnis davon ablegen.

Ihre Mitschüler und Mitschülerinnen können das nicht verstehen. Sie behaupten steif und fest: Es gibt gar keinen Gott, also hat das mit dem ganzen Glauben doch keinen Sinn. Unsere Freundin kann das aber nicht erschüttern. „Probleme habt ihr doch alle", hat sie ihnen gesagt, „und die beredet ihr doch auch untereinander." Ja, das war natürlich keine Frage. „Wird es nun dadurch besser?", fragte sie weiter. Sie mussten zugeben: „Nein, das nicht!"

„Aber ich spreche mit meinem Gott darüber", fuhr die junge Christin fort, „und Er hilft mir! Er ändert die Situation, oder Er gibt mir die Kraft, damit fertigzuwerden. Wenn es keinen Gott gäbe, wenn ich also nur Selbstgespräche führe, wie geht das denn zu?" Auf diese Frage wussten die anderen keine Erwiderung mehr.

Doch es gibt auch Menschen, die ebenfalls zu Gott beten – und überhaupt keine Antwort bekommen. Wenn jemand nur betet, um Gott für seine egoistischen Ziele zu benutzen, wird Gott ihn natürlich nicht erhören (vgl. Johannes 9,31; Jakobus 4,3). Die Schlussfolgerung, dass es Gott nicht gibt, weil Er nicht tut, was ich will, wäre deshalb ein Kurzschluss. Das junge Mädchen wusste es besser. Sie wollte *mit Gott leben,* und Gott bekannte sich zu ihr.

Jeremia 12,1-17
Lukas 22,31-38

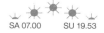 SA 07.00   SU 19.53

 MA 06.09   MU 20.03

Dienstag | 1 | April

Das ganze Haupt ist krank, und das ganze Herz ist siech. Von der Fußsohle bis zum Haupt ist nichts Gesundes an ihm.

Jesaja 1,5.6

Unser Heiland-Gott will, dass alle Menschen errettet werden und zur Erkenntnis der Wahrheit kommen.

1. Timotheus 2,4

Ein hoffnungsloser Fall?

Der Prophet Jesaja beginnt sein Buch mit einer moralischen Diagnose des Menschen: krank von der Fußsohle bis zum Haupt.

Die kranken Füße weisen auf den Lebenswandel hin, in dem der Mensch die Maßstäbe Gottes verfehlt. Der Kopf steht für die Gedanken und den Verstand, der sich so leicht in den Dienst des Bösen stellt. Das schwache Herz vervollständigt das Bild des Elends. Dem Menschen fehlt es an den rechten Beweggründen. Sein Herz ist nicht auf Gott ausgerichtet. Es hat sich als eigenwillig und gottfeindlich erwiesen.

Das Übel, das den Menschen von Geburt an befallen hat, ist die Sünde. Unaufhaltsam übt sie ihren unheilvollen, todbringenden Einfluss aus. – Gibt es da denn niemand, der uns retten kann? Niemand als nur Gott. Gott allein kann es, und Er will es auch. In seinem Wort, der Bibel, zeigt Er uns vier Schritte zur Heilung:

- Wir müssen uns eingestehen, dass wir „krank" sind – dass wir Sünder sind.
- Dann müssen wir den Arzt aufsuchen – unsere Lebensschuld vor Gott aufdecken.
- Wir kommen nicht umhin, Gottes Diagnose zu akzeptieren: verloren für die Ewigkeit.
- Schließlich müssen wir das Mittel anwenden, das Er uns verordnet: den Glauben an seinen Sohn Jesus Christus und an sein Erlösungswerk. Der Sühnungstod Christi ist das notwendige und unfehlbare Mittel zu unserer vollständigen Heilung.

Jeremia 13,1-27
Lukas 22,39-46

 SA 06.58　SU 18.55

 MA 07.39　MU 22.15

Dann kommt der Teufel und nimmt das Wort von ihren Herzen weg, damit sie nicht glauben und errettet werden.

Lukas 8,12

A. H. Stewart, später ein bekannter Prediger, war um seine eigene Errettung lange sehr in Not gewesen. Man hatte ihm gesagt, er solle an Jesus Christus glauben und Ihn als Retter annehmen. Aber er hielt diesen Weg für zu leicht, für zu billig. Er folgte seinen eigenen Vorstellungen, schloss sich einer Kirche an, wirkte mit im Kirchenchor und in der christlichen Arbeit und hoffte, auf diese Weise zum inneren Frieden mit Gott zu kommen. – Vergebens.

Etwas sehr Nutzbringendes allerdings tat er: Er las regelmäßig in der Bibel. Dabei kam er auch an das Gleichnis vom Sämann, das der Herr Jesus Christus seinen Zuhörern erzählte. Einiges von dem ausgestreuten Samen, so fand er im Text, fiel an den Weg. Dort wurde das Korn teils zertreten, teils von Vögeln gefressen. Im weiteren Verlauf der bildhaften Erzählung erklärt Jesus, dass der Same das Wort Gottes ist, das einen Menschen zum Leben führen kann.

Was aber sind die Vögel, die den guten Samen wegfressen? Stewart fand beim Weiterlesen auch hierfür die Erklärung: „Dann kommt der Teufel und nimmt das Wort von ihren Herzen weg, damit sie nicht glauben und errettet werden." Er wurde nachdenklich und ließ die Bibel sinken. „Sieh", sagte er zu sich selbst, „sogar der Teufel weiß, dass ein Mensch nur dann errettet wird, *wenn er glaubt!"* An diesem Tag fiel die Entscheidung: Er wandte sich mit seiner Lebensschuld an Jesus Christus und vertraute Ihm völlig als seinem Erretter und Erlöser.

Ja, Gott rettet den Menschen, wenn er glaubt! Er rettet die Sünder, wie auch ihre Vorgeschichte ist – wenn sie nur an seinen Sohn und seinen Sühnungstod glauben!

Jeremia 14,1-22
Lukas 22,47-65

 SA 06.56   SU 19.57

 MA 08.12   MU 23.24

3

Donnerstag   April

Jeder, der die Sünde tut, ist der Sünde Knecht.

Johannes 8,34

Das Drogenproblem bleibt eine große Herausforderung für die Gesellschaft. Seit Jahren weist die polizeiliche Kriminalstatistik einen Anstieg der registrierten Rauschgiftdelikte aus. Hinzu kommt, dass zur Finanzierung der Sucht weitere Verbrechen begangen werden.

Die Wissenschaft analysiert das Problem, um Lösungen zu finden. So hat sich bei Laborversuchen gezeigt: Wenn drogenabhängige Ratten zwischen einem Schalter für Nahrung und einem für Drogen wählen können, drücken sie immer wieder den Knopf für die Drogen, und das so lange, bis sie sterben. – Natürlich kann man von solchen Versuchsergebnissen nie ohne Weiteres auf den Menschen schließen, aber die Zwänge einer Sucht werden hier doch deutlich.

Auch Gott "führt Buch" über die Straftaten der Menschen (Offenbarung 20,12). Seine "Dokumentation" ist umfassender als die der Polizei. Jede Sünde ist dort registriert. Und von Natur aus sind wir zunächst alle darin verzeichnet, denn jedes registrierte Vergehen kommt aus einer Abhängigkeit hervor. Die Macht der Sünde, die in jedem von uns wirkt, treibt uns zu sündigen Gedanken, Worten und Taten. Im Gegensatz zu jeder menschlichen Statistik gibt es bei Gott keine unaufgeklärten Fälle. Auch jeder Justizirrtum ist ausgeschlossen. Und das Urteil, das Er aussprechen muss, ist gerecht.

Doch als der Herr Jesus Christus auf die Abhängigkeit von der Macht der Sünde hinwies, hat Er zugleich angeboten, uns davon *wirklich frei* zu machen (V. 36). Er, der Sohn Gottes, kann und will uns von dieser Macht befreien; und Er bietet uns zugleich die Vergebung der Schuld an, den völligen Erlass der Strafe. Jede Sünde kann durch das Blut Jesu ausgetilgt werden. Solche Gnade kann nur Gott geben. Nur Er hat die Macht dazu!

Jeremia 15,1-21
Lukas 22,66-71

 SA 06.54   SU 19.58

 MA 08.49   MU 00.26

Freitag 4 April

Der HERR blickt von den Himmeln herab, er sieht alle Menschenkinder.

Psalm 33,13

Wir lesen öfters in den Psalmen, dass Gott vom Himmel herniedergeschaut hat oder auf die Erde herabblickt.

Solange Gott „herniederschaute auf die Menschenkinder, um zu sehen, ob ein Verständiger da sei, einer, der Gott suche", konnte das Ergebnis nur sein, dass sie alle abgewichen und verdorben waren und dass keiner da war, „der Gutes tut, auch nicht einer" (Psalm 14,2.3).

Gott hat sich aber nicht mit diesem niederschmetternden Ergebnis abgefunden. Er hat auch „herabgeschaut vom Himmel auf die Erde, um zu hören das Seufzen des Gefangenen, um zu lösen die Kinder des Todes" (Psalm 102,20.21). Und um uns zu erlösen, ist sein geliebter Sohn „vom Himmel herabgekommen" (Johannes 6,38). Wer Gottes Autorität über sein Leben anerkennt, zu Ihm umkehrt und Ihm seine Lebensschuld aufrichtig bekennt, der ist „aus dem Tod in das Leben übergegangen" (Johannes 5,24).

Wenn Gott „alle Menschenkinder" sieht, dann natürlich auch jene, die wirklich zum Glauben gekommen sind. Er achtet auch „auf alle ihre Werke". Das sollte allen, die durch den Glauben seine Kinder geworden sind, immer bewusst sein! Führen wir unser Leben bewusst unter seinem Blick, unter seiner gütigen Leitung! Dann dürfen wir auch wissen:

> *„Siehe, das Auge des HERRN ist gerichtet auf die, die ihn fürchten, auf die, die auf seine Güte harren"* (Psalm 33,15.18).

Gott will ihnen Hilfe und Schild sein, will ihr Vertrauen mit Freude belohnen und mit seiner Güte über ihnen wachen (Psalm 33,20-22).

Jeremia 16,1-21
Lukas 23,1-12

 SA 06.51   SU 20.00

 MA 09.31   MU -.-

Samstag 5 April

Rufe mich an am Tag der Bedrängnis: Ich will dich erretten, und du wirst mich verherrlichen!

Psalm 50,15

In einer großen Tageszeitung stand einmal folgende kurze Notiz: „Frauen bei Nacht – gebt acht!" So rät die Kriminalpolizei. Einer ihrer Tipps lautet: „Auch ein laut gesprochenes Gebet kann einen Sittlichkeitstäter ablenken oder in die Flucht schlagen."

Selbst Verbrecher haben also manchmal noch eine geheime Scheu und Furcht vor dem allmächtigen Gott. Und dann – so die Polizei – lassen sie sich vielleicht durch einen lauten Hilferuf zu diesem Gott irritieren oder gar in die Flucht schlagen.

Und tatsächlich kommt es gar nicht selten vor, dass Menschen, die sonst wenig oder gar nicht an Gott denken, in einer Notlage auf einmal zu Ihm beten. Gerade bei Katastrophen geschieht das oft. Dann erkennt der Mensch schlagartig, welche Grenzen ihm und seinen Möglichkeiten gesetzt sind. Und wenn die Tageszeitungen resignierend über die Situation berichten, lautet die Schlagzeile zuweilen: *„Da hilft nur noch beten!"*

„Not lehrt beten", sagt ein Sprichwort. Nicht wenige haben in einer aussichtslosen Lage Gott versprochen, ihr Leben künftig nach seinem Willen auszurichten, wenn Er sie nur erhören würde. – Ja, Gott ist tatsächlich bereit, Menschen in der Not zu helfen, selbst wenn sie Ihm gegenüber bis dahin völlig gleichgültig waren. Seine Liebe ist ohne Vorbedingungen.

Aber wenn Gott uns seine Liebe erwiesen und in einer Notlage geholfen hat, erwartet Er auch, dass wir unser Versprechen halten und zu Ihm umkehren. Wer sein Herz gegenüber dieser Liebe Gottes „verhärten" würde, der würde wirklich „ins Unglück fallen" (Sprüche 28,14).

Jeremia 17,1-11
Lukas 23,13-25

 SA 06.49   SU 20.01

 MA 10.18   MU 01.22

Sonntag 6 April

Denn ich schäme mich des Evangeliums nicht, denn es ist Gottes Kraft zum Heil jedem Glaubenden, sowohl dem Juden zuerst als auch dem Griechen.

Römer 1,16

Gedanken zum Römerbrief

Die Botschaft von Jesus Christus, „das Wort vom Kreuz", wird von vielen Menschen nur als eine „Torheit" angesehen. Doch Paulus schämt sich nicht, dieses Evangelium unverkürzt zu verkündigen. Es ist ja die einzige Heilsbotschaft, die diesen Namen verdient. Denn nur das Evangelium von Christus erweist sich als Gottes Kraft, die vom ewigen Verderben retten und ein Leben radikal verändern kann (1. Korinther 1,18).

Diese rettende, verändernde Kraft gibt es in keiner menschlichen Religion. Selbst in der Zeit des Alten Testaments war diese Kraft noch nicht offenbart. Zwar hatte Gott dem Volk Israel das Gesetz vom Sinai gegeben. Aber das musste dem Menschen Forderungen stellen, die dieser nicht erfüllen konnte. Es deckte zwar die Sünde auf, zeigte aber keinen Weg zur Vergebung und gab dem Menschen auch nicht die Kraft, von der Macht der Sünde frei zu werden.

Beim Evangelium ist es umgekehrt: Es stellt keine Forderungen, aber erweist sich als Gottes Kraft. Denn alles das, was das Gesetz nicht tun konnte, hat Gott selbst getan (Römer 8,3). In Jesus Christus und seinem Kreuzestod hat Gott eine vollkommene Errettung bereitet: Jede Sünde kann vergeben werden; der Mensch kann befreit werden von der Macht und den Zwängen der Sünde in uns; die Gemeinschaft mit Gott kann wiederhergestellt werden. Alles das und noch viel mehr ist in dem Wort *Heil* – oder *Rettung, Errettung* – enthalten.

Daher fordert das Evangelium uns nicht dazu auf, *etwas* zu unserer Errettung *zu tun*, sondern anzuerkennen, dass Gott selbst in Jesus Christus *alles getan hat*. Dann kann sich das Evangelium als „Gottes Kraft zum Heil" erweisen.

Jeremia 17,12-27
Lukas 23,26-38

 SA 06.47   SU 20.03

 MA 11.10   MU 02.10

Montag   7   April

Wenn sie weise wären, so würden sie dies verstehen, ihr Ende bedenken.

5. Mose 32,29

In dem Kalender „Die 365 dümmsten Dinge, die jemals gesagt wurden", findet sich folgendes interessante Zitat aus einer Zeitschriftenanzeige: „Wenn Sie unseren Kurs ‚Fliegen lernen in 6 leichten Lektionen' gekauft haben, entschuldigen Sie bitte jede Unannehmlichkeit, die dadurch entstanden sein könnte, dass wir das letzte Kapitel ‚Wie Sie Ihr Flugzeug sicher landen' nicht beigefügt haben. Senden Sie uns bitte Namen und Adresse, und wir werden Ihnen das letzte Kapitel postwendend zusenden."

Das Zitat schließt mit den Worten: „Auch Anfragen von Erben werden berücksichtigt." Spätestens hier wird deutlich, dass es sich nur um einen makabren Scherz handelt.

Wir können uns nämlich keinen Piloten – wie unerfahren auch immer – vorstellen, der mit einem Flugzeug startet, ohne zu wissen, wie er wieder landen soll.

Andererseits gibt es sehr wohl viele Menschen, die durch das Leben „fliegen", ohne sich Gedanken darüber zu machen, wo und wie sie einmal endgültig „landen" werden. Solche Menschen können zwar geltend machen, dass sie für ihre Geburt, den Beginn des „Lebensfluges", nicht verantwortlich sind. Und doch wäre es sehr kurzsichtig, so zu denken wie ein Student, der sagte: „Ich denke nicht über Dinge nach, die noch gar nicht eingetroffen sind. Und der Tod ist noch weit entfernt." Denn für die „Landung" am Lebensende und für das Danach müssen wir rechtzeitig Vorbereitungen treffen.

Gott fordert uns auf, das Ende zu bedenken. Und das nicht nur, damit es im Jenseits keine bestürzende Überraschung für uns gibt, sondern auch, weil Er uns auf unserem ganzen „Lebensflug" zielgerichtet und zu unserem Segen leiten will.

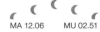

Jesus aber sprach zu ihr: Tochter, dein Glaube hat dich geheilt; geh hin in Frieden und sei gesund von deiner Plage.

Markus 5,34

Schon seit zwölf Jahren leidet diese Frau an krankhaften Blutungen. In ihrer Not hat sie einen Arzt nach dem anderen aufgesucht und viele Heilmittel versucht. Ihr ganzes Vermögen hat sie dafür ausgegeben, aber keine Heilung erfahren. Im Gegenteil, ihr Leiden ist sogar schlimmer geworden. Da hört sie von Jesus, der die Menschen dazu aufruft, zu Gott umzukehren, und der schon so viele Kranke geheilt hat. Jetzt ist Er in der Nähe. Da macht sie sich auf den Weg. „Wenn Er anderen geholfen hat, wird Er auch mir helfen können", wird sie gedacht haben.

Als sie näherkommt, sieht die Frau eine große Volksmenge, die sich dicht um Jesus drängt. Fest entschlossen bahnt sie sich einen Weg bis zu Ihm. Und dann streckt sie ihre Hand aus und fasst sein Gewand an. „Das reicht, um gesund zu werden", davon ist sie fest überzeugt. Über das Wie denkt sie nicht nach; sie vertraut einfach dem Sohn Gottes und seiner Macht. Und tatsächlich: Kaum, dass sie sein Gewand berührt hat, ist ihre Krankheit geheilt.

Voll Erleichterung will sie sich still zurückziehen. Doch da wendet Jesus sich um und fragt: „Wer hat mich angerührt?" Die Frau spürt, dass sie nicht unentdeckt bleiben wird, und gibt sich zu erkennen. Sie fällt Ihm zu Füßen und erzählt Ihm ihre ganze traurige Geschichte. Und dann hört sie die gütigen Worte: „Tochter, dein Glaube hat dich geheilt; geh hin in Frieden und sei gesund von deiner Plage."

Sie hatte begriffen, dass Jesus nicht irgendein Prophet oder Wunderheiler war, sondern der Sohn Gottes, der alle Kraft hatte, auch ihr zu helfen. Ihre Not zog sie zu Ihm hin; und der Glaube gab ihr den Mut, auch wirklich zu Ihm zu gehen.

Mittwoch 9 April

Gott führt Gefangene hinaus ins Glück.

Psalm 68,7

Zum Stichwort *Glück* enthält mein Zitatenlexikon über 500 verschiedene kurze Aussprüche. Aber wie gegensätzlich sind die Empfehlungen, wo und wie man das Glück finden kann! Einigkeit besteht nur darüber, wie kurzlebig und unbeständig jedes irdische Glück ist. – Eines der Zitate lautet: *„Glück heißt: das mögen, was man muss, und das dürfen, was man mag."*

Das „Muss" der täglichen Aufgaben und Lasten wirklich *mögen*? – Und wie steht es, wenn zu den täglichen Aufgaben noch andere, schwierige Lebensumstände hinzukommen? – Andererseits: Viele, die von lästigen Verpflichtungen frei wurden, klagen dann über gähnende Leere!

Beim „Dürfen" hat sich in den letzten Jahrzehnten eine Veränderung ergeben. Die Grenzen dessen, was man für erlaubt hält, wurden kräftig verschoben, man lässt seinen Leidenschaften freien Lauf, tut biblische Moralvorstellungen als überholt ab. – Aber ist dadurch das Glück bei uns eingekehrt? Ist etwa die Befriedigung der Leidenschaften mit tiefem Glück identisch? – Die hohen Selbstmord- und Scheidungsraten weisen eher auf das Gegenteil hin.

Wirkliches, beständiges Glück kommt also nicht durch die Veränderung der äußeren Lebensumstände – und erst recht nicht durch das Verschieben sittlicher Grenzen.

Aber die innere Haltung, das „Mögen" unseres Herzens, das kann sich ändern! Und genau das bietet Gott uns an: Er will durch den Glauben unser Inneres reinigen und uns neue Wünsche und Ziele geben (1. Petrus 1,22). Er will uns frei machen von der Unzufriedenheit im Herzen und von allen inneren Bindungen an die Sünde. Er will uns frei machen für das wirkliche Glück in der Gemeinschaft mit Ihm, für ein Glück, das jetzt beginnt und bis in Ewigkeit hält.

Donnerstag 10 April

Denn es ist kein Unterschied, denn alle haben gesündigt und erreichen nicht die Herrlichkeit Gottes und werden umsonst gerechtfertigt durch seine Gnade.

Römer 3,22-24

An diesem Bibelwort haben viele Menschen schwer zu schlucken. Sollte es denn gar keinen Unterschied geben zwischen frommen und gottlosen Menschen, zwischen einem Wohltäter und einem Mörder? Ist das die letzte Konsequenz dieser Bibelstelle?

Natürlich gibt es unter den Menschen große und zahlreiche Unterschiede auf den verschiedensten Ebenen, und Gott berücksichtigt das auch. Es gibt nicht nur Arme und Reiche, nicht nur Einfache und Gebildete, sondern auch edle Menschen und Verbrecher – die Bandbreite ist groß. Aber in einem entscheidenden Punkt sind sie alle gleich, und davon redet unser Bibelwort: Auf ihre Weise haben alle gesündigt. Alle ohne Ausnahme. Und die Folge ist: Keiner erreicht die Herrlichkeit Gottes. Der Edle ebenso wenig wie der Verbrecher. In dieser Hinsicht sind sie tatsächlich alle gleich.

Lassen Sie mich ein Bild gebrauchen: Eine hohe Wand, die *Sünde,* trennt die Menschen von Gott. Und an dieser Wand steht eine Leiter. Doch diese Leiter ist viel zu kurz! Was nützt es da, ob jemand ganz oben auf der Leiter steht oder ganz unten? Keiner wird die Wand übersteigen und das Ziel erreichen!

Aber damit ist unser Bibelwort noch nicht zu Ende. Es gibt einen Weg, auf dem wir *umsonst* gerechtfertigt werden können: durch die *Gnade* Gottes. In Jesus Christus, seinem Sohn, will Gott uns erlösen. Wer einsieht, dass er Gottes heiligen Ansprüchen nicht genügen kann, und das Heil ergreift, das Gott ihm in Jesus Christus anbietet, der wird für gerecht erklärt. Dieses Gnadenangebot gilt für jeden, aber man muss es auch persönlich annehmen.

Die Gnade Gottes ist erschienen, heilbringend für alle Menschen, und unterweist uns, damit wir, die Gottlosigkeit und die weltlichen Begierden verleugnend, besonnen und gerecht und gottselig leben in dem jetzigen Zeitlauf.

Titus 2,11.12

Die sittlichen Maßstäbe Gottes bleiben unveränderlich, weil Gott selbst sich nicht ändert. „Du sollst keine anderen Götter haben neben mir. ... Du sollst nicht töten. Du sollst nicht ehebrechen. Du sollst nicht stehlen. ... Du sollst nicht begehren die Frau deines Nächsten ..." (2. Mose 20,1-17). Das alles kann der Schöpfer mit Recht vom Menschen erwarten.

Lange Zeit haben diese moralischen Maßstäbe Gottes als Grundlage für die Gesetzgebung in Europa gedient. Heute aber erkennt man vielfach Gott nicht mehr an, oder will zumindest selbst – ganz unabhängig von Gott – darüber entscheiden, was gut oder böse ist. So ist es zu Gesetzen gekommen, die vieles, was Gott in der Bibel als böse bezeichnet, dulden oder sogar ausdrücklich fördern.

Christen, die sich an der Bibel orientieren, werden natürlich *nicht* andere Menschen zwingen wollen, nach ihren christlichen Maßstäben zu leben. Umgekehrt bereitet die Tatsache Sorge, was für ein Druck oft auf christliche Familien ausgeübt wird in Punkten, die diese in ihren Gewissen nicht gutheißen können.

Wie sollen wir in dieser Situation unser Leben führen? Zuerst gilt es, die heilbringende Gnade Gottes *anzunehmen*. So empfangen wir die Vergebung unserer Sünden und neues Leben durch Jesus Christus. Und dann will uns diese Gnade *unterweisen*, damit wir

- *besonnen* leben – im persönlichen Bereich,
- *gerecht* leben – im Kontakt mit den anderen,
- *gottesfürchtig* leben – in Beziehung zu Gott.

Hört, ihr Himmel, und horche auf, du Erde! Denn der HERR hat geredet.

Jesaja 1,2

Nachdem Gott vielfältig und auf vielerlei Weise ehemals zu den Vätern geredet hat in den Propheten, hat er am Ende dieser Tage zu uns geredet im Sohn.

Hebräer 1,1

Innerhalb der Grenzen unseres Daseins als Geschöpfe können wir uns keinen Begriff von Gott machen. Wenn der Mensch sich mit seinem Verstand und seinen Sinnen Gott in seiner Absolutheit vorstellen wollte, dann müsste er selbst Gott sein. – Dennoch hat Gott geredet. Er hat sich geäußert in einer Sprache, die dem Menschen zugänglich ist.

Die Schöpfung offenbart seine Existenz (Psalm 19,1-7). Darin zeigt sich die unendliche Macht und Weisheit des Schöpfers.

Er hat geredet durch *die Engel* (Apostelgesch. 7,35; Galater 3,19) und *die Propheten.*

Er hat geredet in der Person seines *Sohnes.* Christus ist die Offenbarung Gottes in seinem vollen Ausmaß.

Schließlich spricht Gott immer noch durch die Bibel, das geschriebene Wort. Alles, was wir von Ihm und dem Herrn Jesus Christus wissen können, ist in diesem Buch enthalten.

Nun hat die Offenbarung Gottes im Wesentlichen einen *moralischen* Charakter: Sie wendet sich weniger an unsere Intelligenz als an unser Gewissen und unser Herz. Unserem *Gewissen* stellt Er sich vor als heiliger und gerechter Gott, als der Gott der Wahrheit, dessen Forderungen absolut sind. So kann Er das Böse, das in uns ist und das wir getan haben, nur verurteilen. Unserem *Herzen* offenbart Er sich als Gott der Liebe, der seinen Sohn gegeben hat. Für alle, die zu Ihm umkehren, hat Er das Urteil, das wir verdient hatten, auf Christus gelegt.

Ihm sei ewig Dank dafür!

Jeremia 22,13-30
Lukas 24,44-53

 SA 06.34   SU 20.13

 MA 17.18   MU 05.12

Gottes Gerechtigkeit wird darin offenbart aus Glauben zu Glauben, wie geschrieben steht: „Der Gerechte aber wird aus Glauben leben."

Römer 1,17

Gedanken zum Römerbrief

Gottes *Gerechtigkeit* wird offenbart; und sündige, verlorene Menschen bleiben am Leben! Ja, sie werden sogar *Gerechte* genannt! Wie kann das sein?

Gott macht seine Gerechtigkeit *im Evangelium* offenbar, in der guten Botschaft, die zugleich von seiner *Liebe* redet. Seine Gerechtigkeit und seine Liebe sind in Übereinstimmung miteinander. Aufgrund des Sühnungstodes Jesu können sie den Sündern Rettung und Rechtfertigung aus freier Gnade anbieten. Hier wird es nur angedeutet; im weiteren Verlauf des Römerbriefs wird der Apostel das noch ausführlich erklären.

Der Mensch besitzt keine eigene Gerechtigkeit, in der er vor Gott bestehen könnte. Und der gerechte Gott muss jede Ungerechtigkeit bestrafen. Aber im Evangelium wird *Gottes* Gerechtigkeit offenbart. Gott hat eine Gerechtigkeit, die Ihm zu eigen ist, und Er bietet sie im Evangelium dem Menschen an.

Gottes Gerechtigkeit ist nur durch Glauben zu erlangen – *„aus Glauben"*, also auf dem Grundsatz des Glaubens, nicht auf dem Grundsatz von Werken, wie das Gesetz Moses sie vom Volk Israel gefordert hatte. Jedes eigene Verdienst ist ausgeschlossen: „Durch die Gnade seid ihr errettet, mittels des Glaubens; und das nicht aus euch, Gottes Gabe ist es; nicht aus Werken, damit niemand sich rühme" (Epheser 2,8.9).

Die Offenbarung der Gerechtigkeit Gottes im Evangelium geschieht *„zu Glauben",* denn nur dem Glaubenden kommt sie zugute (Römer 3,22). Und wir müssen nicht erst in Religionen und Philosophien angestrengt danach *suchen,* sondern im „Glaubensgehorsam" annehmen, was Gott *offenbart* hat.

Jeremia 23,1-15
Römer 1,1-7

 SA 06.31   SU 20.15

 MA 18.26   MU 05.35

Einer aber der gehängten Übeltäter lästerte ihn und sagte: Bist du nicht der Christus? Rette dich selbst und uns! Der andere aber antwortete und wies ihn zurecht und sprach: Auch du fürchtest Gott nicht, da du in demselben Gericht bist? Und wir zwar mit Recht, denn wir empfangen, was unsere Taten wert sind.

Lukas 23,39-41

Zwei Wege – zwei Ziele (1)

Lange Zeit waren die beiden Räuber, die mit Jesus gekreuzigt worden waren, einen ähnlichen oder denselben Weg gegangen. Irgendetwas hatte beide auf die schiefe Bahn gebracht. Sie hatten – möglicherweise sogar gemeinsam – ein schweres Verbrechen begangen, das die Römer jetzt mit der grausamen Strafe der Kreuzigung ahndeten. Und aus dem Markus-Evangelium erfahren wir, dass sich die beiden sogar noch am Kreuz anfangs sehr ähnlich verhielten und Jesus schmähten (Markus 15,32).

Plötzlich aber schlagen sie denkbar verschiedene Wege ein. Nicht äußerlich natürlich, denn dazu haben sie keine Gelegenheit mehr. Aber ihre innere Entwicklung könnte verschiedener nicht sein.

Einer der Verbrecher, so wird uns berichtet, lästert Jesus und sagt: „Bist du nicht der Christus? Rette dich selbst und uns!" Was er sagt, ist an sich nicht falsch. Selbst die Dämonen bezeugten des Öfteren, dass Jesus der Christus ist, der dem Volk Israel verheißene Messias. Der Räuber sagt es allerdings mit Spott und Verachtung. – Aber auch ohne negativen Unterton nützt es niemand etwas, wenn er an und für sich richtige Dinge über Jesus Christus lediglich weiß oder ausspricht. Ein bloßes Lippenbekenntnis ohne Wirklichkeit im Herzen, ohne den rettenden Glauben, ohne eine persönliche Lebensbeziehung zu Christus, wäre völlig nutzlos.

Jeremia 23,16-40
Römer 1,8-17

 SA 06.29 SU 20.16

 MA 19.34 MU 05.59

Dienstag **15** April

Einer aber der gehängten Übeltäter lästerte ihn und sagte: Bist du nicht der Christus? Rette dich selbst und uns! Der andere aber antwortete und wies ihn zurecht und sprach: Auch du fürchtest Gott nicht, da du in demselben Gericht bist? Und wir zwar mit Recht, denn wir empfangen, was unsere Taten wert sind.

Lukas 23,39-41

Zwei Wege – zwei Ziele (2)

Der eine mit Jesus gekreuzigte Verbrecher schmäht den Sohn Gottes noch in den letzten Stunden seines Lebens. Der andere aber spricht plötzlich und völlig unerwartet großartige Worte aus, die nur aus einem lebendigen Glauben an Christus hervorgehen können. Zunächst weist er seinen Miträuber zurecht, geht also auf Distanz zu ihm, um für die Ehre Jesu einzustehen.

Er beklagt, dass sein Komplize noch nicht einmal am Kreuz, „in demselben Gericht", Gottesfurcht zeigt. Er selbst hingegen erkennt an, dass sie diese Strafe zu Recht empfangen. Er sieht in dem Geschehen das Eingreifen Gottes und erinnert sich an das, was er vielleicht in Kindertagen über den Messias vernommen hatte. Vor allem aber nimmt er die Hürde, an der heute noch die meisten Menschen scheitern: Er sieht ein, dass er schuldig geworden ist.

Äußerlich betrachtet endet hier der Lebensweg zweier Menschen, die ähnlich tief gesunken sind – denkbar tief. Dennoch nimmt ihr Leben in den letzten Augenblicken ganz verschiedene Wendungen. Einer von ihnen ergreift den rettenden Glauben. Er ist nunmehr, wie wir dem anschließenden Wort des Herrn entnehmen, schon bald 2000 Jahre im Paradies, am Ort des Glücks in der Gegenwart Jesu. Der andere hingegen ist schon ebenso lange am Ort der Qual.

Jesus Christus anzunehmen oder Ihn abzulehnen – das macht auch heute noch den entscheidenden Unterschied aus.

Jeremia 24,1-10
Römer 1,18-32

 SA 06.27   SU 20.18

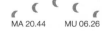 MA 20.44   MU 06.26

Dieser aber hat nichts Ungeziemendes getan. Und er sprach zu Jesus: Gedenke meiner, Herr, wenn du in deinem Reich kommst! Und er sprach zu ihm: Wahrlich, ich sage dir: Heute wirst du mit mir im Paradies sein.

Lukas 23,41-43

Zwei Wege – zwei Ziele (3)

Trotz der rastlosen Hatz, der Jesus seit seiner Gefangennahme ausgesetzt ist, trotz der unsäglichen Qualen, die Er am Kreuz zu erleiden hat – der Sohn Gottes nimmt sich auch jetzt noch einzelner Menschen an. Sein ganzer Weg war gekennzeichnet von dieser Sorge um Einzelne und ihre speziellen Bedürfnisse.

Hier in der Begegnung Jesu mit den zwei Mitgekreuzigten blieb der eine völlig unberührt, während der andere noch kurz vor seinem Tod zum Glauben an Christus kam. Dieser bekam von Jesus selbst die so wertvolle und tröstende Zusage: „Heute wirst du mit mir im Paradies sein."

Offenbar war dieser Übeltäter in den letzten Stunden seines Lebens zum Nachdenken gekommen. Vielleicht konnte er sich an eine religiöse Erziehung erinnern, in der das Kommen des verheißenen Messias eine wichtige Rolle spielte. Und dann war er Jesus begegnet, der so viele Leiden klaglos erduldete. Er hatte Ihn beobachten können, wie Er sämtlichen Unrat, den man über Ihn ausgoss, nur mit einem Schweigen erwiderte. Er war schließlich Zeuge geworden, wie Jesus auf einzigartige Weise betete: „Vater, vergib ihnen, denn sie wissen nicht, was sie tun!" (V. 34).

Doch alles das genügt noch nicht zur Erklärung seines Sinneswandels. Wer Jesus wirklich war, das wurde auch ihm nicht durch „Fleisch und Blut" offenbart, sondern durch Gott, den Vater. Und es war „die Güte Gottes", die ihn „zur Buße leitete" (Matthäus 16,17; Römer 2,4).

Donnerstag **17** April

Dieser aber hat nichts Ungeziemendes getan. Und er sprach zu Jesus: Gedenke meiner, Herr, wenn du in deinem Reich kommst! Und er sprach zu ihm: Wahrlich, ich sage dir: Heute wirst du mit mir im Paradies sein.

Lukas 23,41-43

Zwei Wege – zwei Ziele (4)

Der römische Statthalter Pilatus hatte wiederholt von Jesus bezeugt, dass er keine Schuld und nichts Todeswürdiges bei Ihm gefunden habe (V. 4.14.15.22). Das Zeugnis des Räubers am Kreuz geht noch darüber hinaus: „Dieser aber hat nichts Ungeziemendes getan." Er bekundet damit, dass Jesus nichts Unrechtes oder Unstatthaftes getan hatte – nichts, was nicht „am Platz gewesen wäre".

Die Bitte des ungläubigen Räubers war grob und spöttisch gewesen: „Rette dich selbst und uns!" (V. 39). So musste sein Weg ins Verderben führen.

Der gläubig gewordene Räuber hingegen spricht die bescheidene Bitte aus: „Gedenke meiner, Herr, wenn du in deinem Reich kommst!" Diese Bitte zeigt, dass er sieht, was nur ein *Gläubiger* sehen kann: Jesus hängt zwar scheinbar hilflos am Kreuz; aber Er wird als König wiederkommen, um sein Reich auf dieser Erde zu errichten.

So erweisen sich die letzten Augenblicke dieses vormaligen Räubers als Augenblicke, in denen er mehr Werke des Glaubens vollbringt als vielleicht manch einer, der schon früh zum Glauben gekommen ist, dessen geistliches Leben dann aber eingeschlafen ist. Der Herr weiß das Zeugnis dieses Mannes zu würdigen und verheißt ihm nicht nur die Teilhabe an seinem Reich, sondern dass er „noch heute" mit Ihm im Paradies sein werde. Jesus schämt sich also nicht, sozusagen mit einem Räuber im Gefolge ins Paradies einzutreten, so wie Er sich bis heute all derer nicht schämt, die an Ihn glauben.

Jeremia 25,15-38
Römer 2,8-16

 SA 06.23 SU 20.21

 MA 23.04 MU 07.32

Freitag

18

Karfreitag

April

Unser Heiland-Gott will, dass alle Menschen errettet werden und zur Erkenntnis der Wahrheit kommen. Denn Gott ist einer, und einer ist Mittler zwischen Gott und Menschen, der Mensch Christus Jesus, der sich selbst gab als Lösegeld für alle.

1. Timotheus 2,3-6

O Heiland-Gott, welch selges Glück,
dass Du den Sünder liebst
und ihm, kehrt er zu Dir zurück,
Heil und Vergebung gibst!

Den Sohn, der Sünde nicht gekannt,
hast Du zur Sünd gemacht
und Dich dann von Ihm abgewandt,
in Kreuzesqual und Nacht.

Er litt für das, was wir getan
in Lust, in Hass und Streit,
dass jeder in Ihm werden kann
Gottes Gerechtigkeit.

Seither streckst Du, o Heiland-Gott,
die Retterarme aus,
führst den, der glaubt, aus Sündennot
als Kind ins Vaterhaus.

W. G.

Und man hat sein Grab bei Gottlosen bestimmt; aber bei einem Reichen ist er gewesen in seinem Tod.

Jesaja 53,9

Diese prophetische Ankündigung über das Begräbnis des Messias wurde Jahrhunderte vor der Geburt und dem Tod des Herrn Jesus niedergeschrieben. Wer zum Tod verurteilt war, hatte auch kein ehrenhaftes Begräbnis zu erwarten. Jesus von Nazareth war unter die Verbrecher eingereiht worden, als man Ihn zwischen zwei Räubern kreuzigte. Und nichts anderes hatte man nach seinem Tod für Ihn vorgesehen.

Reiche Leute damals sorgten für ehrenhafte Grabplätze für sich und ihre Angehörigen, zum Beispiel für Felsengräber, die oft über Jahrhunderte von der Familie genutzt wurden. Der reiche jüdische Ratsherr Joseph von Arimathia hatte besondere Vorbereitungen getroffen: Er hatte in einem Garten nahe bei Jerusalem eine ganz neue Gruft in den Felsen schlagen lassen.

Bis zu diesem Augenblick war Joseph nur ein heimlicher Jünger Jesu. Doch nach dem Kreuzestod Jesu geht er mutig zum römischen Statthalter Pilatus und bittet um den Leib Jesu. Pilatus gewährt es ihm. Und so nimmt Joseph den Leib des Herrn vom Kreuz ab und legt ihn in seine eigene Gruft. Auf diese Weise erfüllt sich die jahrhundertealte Weissagung, dass der Messias Israels in seinem Tod nicht „bei Gottlosen", sondern „bei einem Reichen" sein würde. – Ein klarer Hinweis auf den göttlichen Ursprung der Bibel!

Nach der Grablegung rollte man einen sehr großen Stein vor die Öffnung der Gruft. Zusätzlich wurde das Grab versiegelt und von römischen Soldaten bewacht, damit niemand dort eindringen konnte. Doch der Sohn Gottes konnte dort nicht festgehalten werden – weder vom Tod noch von dem Stein, dem Siegel oder den Wächtern. Früh am ersten Tag der Woche stand Er aus den Toten auf und verließ das Grab.

Diesen Jesus hat Gott auferweckt, wovon wir alle Zeugen sind.
Und mit großer Kraft legten die Apostel das Zeugnis von der
Auferstehung des Herrn Jesus ab.

Apostelgeschichte 2,32; 4,33

Die Verkündigung, dass Jesus Christus aus den Toten auferstanden ist, zieht sich durch das ganze Buch der Apostelgeschichte hin. Gerade diese erste Generation von Christen musste es ja wissen, sie war nämlich die Generation der *Augenzeugen*.

Für den Christen ist die Auferstehung Jesu eine grundlegende Tatsache. Bereits im Alten Testament sprechen viele Stellen davon. So zitiert Petrus in seiner „Pfingstrede": „Denn meine Seele wirst du dem Scheol nicht überlassen, wirst nicht zugeben, dass dein Frommer die Verwesung sehe" (Apostelgesch. 2,27; Psalm 16, 10).

Christus starb am Kreuz als Opfer für die Sünde verlorener Menschen. Wer das im Glauben für sich und seine Sünden in Anspruch nimmt, hat ewiges Leben und kommt nicht ins Gericht. Der Glaubensblick auf den Gekreuzigten und die Umkehr zu Ihm befreit von aller Schuld, ja rechtfertigt den Sünder vor Gott.

Aber Christus ist nicht mehr am Kreuz, Er lebt als verherrlichter Mensch im Himmel. Hunderte von Augenzeugen haben den Auferstandenen gesehen. Und seinen Jüngern sagte Er: „Weil *ich* lebe, werdet auch *ihr* leben" (Johannes 14,19).

Ein Christ erzählt: Bei einer Wanderung treffe ich auf einer Anhöhe neben einem Kreuz einige Frauen. Ich weise auf den gekreuzigten Heiland hin und auf seinen Sühnungstod. Da sagt eine von ihnen plötzlich: „Neben jeden gekreuzigten gehört auch ein auferstandener Christus." Wie recht hatte diese Frau! – Er ist gestorben, aber Er ist wieder auferstanden und zum Himmel aufgefahren. Und Er wird in Macht und Herrlichkeit wiederkommen.

Montag

21

Ostermontag

April

Der Engel antwortete und sprach zu Maria: Der Heilige Geist wird auf dich kommen, und Kraft des Höchsten wird dich überschatten; darum wird auch das Heilige, das geboren werden wird, Sohn Gottes genannt werden.

Lukas 1,35

Das große Anliegen des Lukas-Evangeliums besteht darin, Jesus Christus als vollkommenen Menschen vorzustellen. Was Lukas berichtet, sind Tatsachen, die von den ersten Christen völlig geglaubt wurden (Kap. 1,1-4).

Jesus Christus ist wirklicher Mensch, und doch Gottes Sohn. Lukas teilt uns mit, dass Jesus Christus, der Sohn Gottes, durch die „Kraft des Höchsten" Mensch wurde. Von einer Jungfrau geboren, wie schon das Alte Testament es angekündigt hatte, war Er wirklicher Mensch (Jesaja 7,14). Doch im Gegensatz zu allen anderen war Er auch in seiner menschlichen Natur heilig und rein, völlig ohne Sünde. Nur so konnte Er am Kreuz das Sühnopfer für die Sünden werden. Gleichzeitig war Er aber auch der Sohn Gottes. Der 12-jährige Jesus nannte Gott seinen Vater (Lukas 2,49). Und später öffnete sich der Himmel über Ihm, und Gott selbst bezeugte: „*Du bist mein geliebter Sohn, an dir habe ich Wohlgefallen gefunden*" (Lukas 3,22).

Jesus Christus ist auferstanden: Damit ist keineswegs gemeint, dass Er nur geistig weiterleben würde, z. B. als sittlicher Einfluss oder in seinen Nachfolgern. „Auferstehung" bedeutet vielmehr, dass der Körper durch Gottes Macht wieder lebendig wird. Als Jesus Christus gestorben war, legte man Ihn in ein Grab. Aber Er ist wirklich auferstanden, so dass man seinen Körper dort nicht mehr fand (Lukas 24,3). Danach erschien Er seinen Jüngern, ließ sich von ihnen berühren und aß vor ihnen. So konnten sie sich davon überzeugen, dass Er wirklich körperlich auferstanden war.

Jeremia 28,1-17
Römer 3,21-31

SA 06.14   SU 20.28   MA 01.56   MU 11.12

Dienstag 22 April

Gott hat uns nach seiner großen Barmherzigkeit wiedergezeugt zu einer lebendigen Hoffnung.

1. Petrus 1,3

In jedem Frühling erfreuen wir uns neu am Anblick der prächtig blühenden Obstbäume. Die Zweige stehen voll verheißungsvoller Blüten. Wenn der Wind dann die Blütenblätter wegbläst, ist bald hier und dort schon ein kleiner Fruchtansatz zu erkennen. Nach ein paar Monaten aber zeigt sich, dass sich nicht alle Erwartungen erfüllen. Die ausgewachsenen Früchte sind nicht so zahlreich, wie die Blüten es waren, und längst nicht immer von guter Qualität. Sie sind oft klein, haben Flecken oder sind wurmstichig.

Auch Kinder bereiten in den ersten Lebensjahren ihren Eltern in der Regel viel Freude. Solange sie noch recht klein sind, lassen sie sich ja leicht lenken und lächeln uns so fröhlich und unschuldig an. Aber wenn der Eigenwille zunimmt, sehen wir, wie auch diese schönen „Blüten" verwelken. Die Kinder werden älter, und das Böse, das in ihnen von Anfang an vorhanden war, zeigt sich mehr und mehr. Das Urteil der Bibel bewahrheitet sich: „Wie könnte ein Mensch gerecht sein vor Gott?"

Natürlich, es gibt Unterschiede: zum einen strebsame junge Leute, die sich gute Lebensziele gesteckt haben und diese auch erreichen, so scheint es jedenfalls – zum anderen solche, die vieles versucht haben, und mit denen es dennoch immer mehr bergab geht.

Doch den einen steht durch ein strebsames und solides Leben der Himmel noch längst nicht offen – das wäre eine trügerische Hoffnung. Und den anderen ist er keineswegs verschlossen, auch wenn für sie vieles hoffnungslos aussieht. Für eine zuverlässige Hoffnung, die bis ins Jenseits reicht, haben *beide* die Barmherzigkeit Gottes nötig und das neue Leben, das Er jedem geben will, der sich Christus anvertraut.

Freund, wie bist du hier hereingekommen, da du kein Hoch-
zeitskleid anhast?

Matthäus 22,12

Ein skurriles Hobby

Claude Khazizian war nur ein harmloser Rentner, und doch galt er als der „Albtraum jedes Leibwächters". Sein Hobby war, sich bei hochrangigen Veranstaltungen unter die geladenen Gäste zu schmuggeln. So zeigt ihn ein Foto aus dem Jahr 1995 gemeinsam mit Spitzenpolitikern aus verschiedenen Ländern. Khazizian verstand es, sich in die jeweilige Situation einzufühlen, die dafür passende Kleidung zu wählen und im politischen Small Talk zu bestehen. Daher fiel er in einer solchen Runde nicht sofort auf.

Ebenfalls im Jahr 1995 gelang es ihm, sich bei einer Trauung im dänischen Königshaus unter die Gäste zu schmuggeln und dem Brautpaar die Hände zu schütteln. Er hatte sich einfach einer Gruppe Adeliger angeschlossen.

Im Gleichnis von der Hochzeit des Königssohnes, das der Herr Jesus Christus erzählte, hatte sich auch ein Mann eingeschlichen. Er war zwar eingeladen wie jeder andere Mensch auch. Doch er hatte nicht das vorgeschriebene hochzeitliche Gewand angelegt. Alle Gäste mussten nämlich das Kleid tragen, das der König selbst zur Verfügung stellte. – Das soll uns zeigen, dass niemand in seiner eigenen Gerechtigkeit vor Gott bestehen kann.

In die Herrlichkeit des Himmels wird sich niemand „einschmuggeln" können. Da hilft es keinem, wenn er irgendein „religiöses Kleid" trägt oder „christlichen Small Talk" beherrscht. Und es genügt auch nicht, sich einfach einer Gruppe von Christen „anzuschließen". Nein, der Weg in die Herrlichkeit Gottes geht für jeden persönlich nur über Jesus Christus, den Retter und Herrn. Und das „Kleid der Gerechtigkeit" will Gott jedem geben, der an Christus glaubt.

Jeremia 29,15-32
Römer 4,9-15

 SA 06.10   SU 20.31

 MA 03.15   MU 13.39

Dieses Volk ehrt mich mit den Lippen, aber ihr Herz ist weit entfernt von mir. Vergeblich aber verehren sie mich, indem sie als Lehren Menschengebote lehren.
Tut Buße, und glaubt an das Evangelium!

Markus 7,6.7; 1,15

Religion ist nicht Glaube

Müssen wir, um zu Gott zu kommen, auf die Entfaltung unserer eigenen Persönlichkeit verzichten und ganz in der Form einer Religion oder gar einer Sekte aufgehen?

Jesus Christus selbst hat sich nachdrücklich gegen jedes Formenwesen gewandt. Er warf den religiösen Führern seiner Zeit vor, dass sie die Menschen dadurch sogar daran hinderten, zu Gott zu kommen. Und außerdem: Wie könnte Gott, der die Menschen mit so verschiedenen Empfindungen, Charakteren und Fähigkeiten geschaffen hat, diese Vielfalt gering achten?

Nein, jeder kann zu Gott kommen, wie er ist. Und das nicht um religiöse Riten und Formen zu finden, sondern eine lebendige Verbindung mit Ihm. Der christliche Glaube ist auch nicht eine Sammlung von Lehrsätzen. Er ist die Offenbarung Gottes durch klare Tatsachen, besonders durch das Leben, den Tod und die Auferstehung Jesu. Er, der Sohn Gottes, ist gekommen, um uns Gottes Liebe zu zeigen. Religiöses Formenwesen lässt den Menschen im geistlichen Tod bleiben, aber der Glaube an Jesus Christus bedeutet Befreiung und wahres Leben, das allen umsonst angeboten wird.

Glaube ist nicht Naivität oder Gutgläubigkeit. Er nimmt die biblische Botschaft an, weil er erkennt, dass Gott redet. Wahrer Glaube hat nichts zu tun mit Aberglauben oder Schwärmerei, sondern mit Vertrauen und Gehorsam Gott gegenüber. Der Christ glaubt nicht „blind", sondern er hat gelernt, dass Gott immer recht hat. Und danach handelt er.

So spricht der HERR, der Gott der Hebräer: Bis wann weigerst du dich, dich vor mir zu demütigen?

2. Mose 10,3

Diese Frage ging dem Pharao, dem König von Ägypten, damals mächtig auf den Nerv. Er *wollte nicht* auf Gott hören.

Empfinden auch wir es als lästig, wenn Gott uns fragt: Wann willst du dein Leben mit mir in Ordnung bringen? Wann willst du zu mir umkehren? – Welche Antwort geben wir Gott dann?

Der junge Mensch wird von vielem abgelenkt und denkt nicht an Gott und die Ewigkeit. Es gibt noch so viel vom Leben zu genießen. – Sich bekehren? Fromm werden? – Vielleicht irgendwann einmal, aber jetzt noch nicht.

Wer mitten im Leben steht, ist viel zu beschäftigt. Keine Zeit für Gott. Zuerst muss die Karriere „stehen", es muss Geld verdient werden. – Gott? Vielleicht später.

Was sagt der Rentner? – Ich bin zu alt! Außerdem ist es mir bis jetzt auch ohne Gott einigermaßen gut gegangen. – Und überhaupt: Wer kann mit Sicherheit sagen, dass es nach dem Tod noch etwas gibt?

Der kranke Mensch ist zu schwach, um sich noch mit so ernsten Fragen über Gott zu befassen. Seine Schmerzen hindern ihn daran, über sein Verhältnis zu Gott nachzudenken. Er ist zu krank, um sich noch zu bekehren.

Und dann tritt der Tod ein. Damit ist es für immer zu spät, mit Gott ins Reine zu kommen. Die Würfel sind gefallen. Das Los eines Menschen, der unversöhnt mit Gott aus dem Leben in die Ewigkeit hinübergeht, ist endgültig. Er ist für ewig verloren.

Doch Gott sei Dank! Genauso endgültig ist das Glück eines jeden, der in seinem Leben Gott seine Sünden offen bekannt und durch den Glauben an den Herrn Jesus Vergebung und Gnade empfangen hat. Er ist für ewig gerettet.

Da sprach Thomas: Lasst auch uns gehen, dass wir mit ihm sterben!

Johannes 11,16

Thomas ist einer der zwölf Apostel, die den Herrn Jesus Christus durch das Land Israel begleiteten. Er ist als der „ungläubige Thomas" bekannt, weil er der Nachricht von der Auferstehung Jesu zunächst skeptisch gegenüberstand. – Was sagt die Bibel sonst noch über diesen Jünger? Als Jesus ins feindlich gesinnte Judäa zog, wo Ihm die Kreuzigung bevorstand, zeigte Thomas *seine tiefe Liebe* zu Christus in der Bereitschaft, mit Ihm sterben zu wollen.

Als der Herr den Jüngern mitteilte, dass Er zu seinem Vater zurückkehren und auch sie einst zu sich in das himmlische Vaterhaus Gottes aufnehmen würde, fügte Er die Worte an: „Und wohin ich gehe, wisst ihr, und den Weg wisst ihr." – Da zeigte Thomas *sein tiefes Interesse* an den Worten Jesu und an der Zukunft bei Ihm, indem er fragte: „Herr, wir wissen nicht, wohin du gehst, und wie können wir den Weg wissen?" – Diese Frage wurde der Anlass für die bekannten Worte des Herrn: „Ich bin der Weg und die Wahrheit und das Leben. Niemand kommt zum Vater als nur durch mich" (Johannes 14,2-6).

Thomas war nicht zugegen gewesen, als der Herr sich den anderen Jüngern gezeigt hatte. Wie konnte er wissen, ob Er wirklich auferstanden war oder ob sie nur eine „Erscheinung" gesehen hatten? Er forderte *Beweise:* „Wenn ich nicht in seinen Händen das Mal der Nägel sehe und meinen Finger in das Mal der Nägel lege und meine Hand in seine Seite lege, so werde ich *nicht* glauben." – Thomas war ein gründlicher Denker, aber hier erlag er der Gefahr, bezeugte Tatsachen ungläubig zu ignorieren. Doch dann, in der Begegnung mit dem Auferstandenen, brechen alle Zweifel zusammen, und mit den Worten: „Mein Herr und mein Gott!", gibt Thomas ein zusätzliches Zeugnis von der leiblichen Auferstehung Jesu (Johannes 20,24-29).

Ich schäme mich des Evangeliums nicht, denn es ist Gottes Kraft zum Heil jedem Glaubenden, sowohl dem Juden zuerst als auch dem Griechen. Denn Gottes Gerechtigkeit wird darin offenbart aus Glauben zu Glauben, wie geschrieben steht: „Der Gerechte aber wird aus Glauben leben."

Römer 1,16.17

Gedanken zum Römerbrief

Diese Verse 16 und 17 aus Römer 1 bilden die Kernaussage des Römerbriefs. Die folgenden Kapitel entfalten dann die Einzelheiten:

- Der Mensch ist ein Sünder. Und es gibt gar keine Entschuldigung für ihn.
- In seiner menschlichen Religiosität und Gerechtigkeit kann er nicht vor Gott bestehen.
- Aber Gott hat eine Gerechtigkeit für den Menschen und bietet sie ihm im Evangelium an.
- Gott handelt so, weil Jesus Christus das Strafurteil für verlorene Sünder auf sich genommen hat und für sie gestorben ist.
- Wer auf Jesus Christus und seinen Kreuzestod vertraut, der bekommt durch den Glauben Anteil an *Gottes* Gerechtigkeit und Heil.

Auffallend war in den ersten Versen dieses Briefes die Betonung, dass das Evangelium und sein Inhalt ganz von Gott ausgeht: Es ist das Evangelium *Gottes*; es ist *Gottes* Kraft zum Heil; es offenbart *Gottes* Gerechtigkeit (V. 1.16.17).

Im Folgenden wird gezeigt, warum *jeder* Mensch die gute Botschaft *nötig* hat. Erneut finden wir etwas, was von Gott ausgeht: „Denn Gottes *Zorn* wird vom Himmel her offenbart." – „Das Wort vom Kreuz", das Wort von der Erlösung in Jesus Christus, ist eben deshalb die *gute* Botschaft, weil die Sünde mit ihren Folgen eine schreckliche Wirklichkeit ist. Zu diesen Folgen gehört nicht nur jedes menschliche Elend, sondern auch „Gottes Zorn über alle Gottlosigkeit und Ungerechtigkeit der Menschen" (V. 18).

Jeremia 31,27-40
Römer 5,17-21

 SA 06.02 SU 20.38

 MA 05.09 MU 18.42

Montag 28 April

Wer seine Übertretungen verbirgt, wird kein Gelingen haben; wer sie aber bekennt und lässt, wird Barmherzigkeit erlangen.

Sprüche 28,13

Ein Regierungsbeamter besuchte ein Gefängnis und wurde bei der Besichtigung vom Direktor begleitet. Ein junger Mann fiel durch sein gepflegtes Äußeres auf. Er schien aus gutem Hause zu sein. Der Beamte fragte den Direktor: „Wie ist dieser junge Mann hierher gekommen?" – „Er hat Dokumente gefälscht und seinen Chef um eine größere Summe betrogen."

Die beiden gingen weiter und ließen den jungen Mann zurück. Aber dieser hatte die Frage gehört und auch die Antwort verstanden. Nun war er nachdenklich geworden. War das wirklich der Grund dafür, dass er hier gelandet war, oder lag die eigentliche Ursache tiefer?

Deutlich erinnerte er sich daran, dass er als Junge einmal eine Rechnung für seinen Vater bezahlen sollte: Der Empfänger nahm den Betrag entgegen, unterschrieb die Quittung und gab ihm einen kleinen Betrag als Skonto zurück. Diesen Betrag behielt er für sich. Der Vater merkte nichts. – Das war seine erste Unehrlichkeit. Zwar fühlte er sich dabei nicht besonders wohl, aber zu einer rechten Einsicht seiner Schuld kam er damals nicht.

Im Lauf der Zeit aber wurde seine Geldgier größer, und er eignete sich auf betrügerische Weise kleinere und größere Beträge an. Doch eines Tages kam es ans Licht, und er landete im Gefängnis. – Ein Fall von vielen!

Was ist zu tun, wenn jemand der Versuchung zum Bösen nachgegeben hat? – Die Schuld vor Gott *bekennen und das Böse lassen!* Sonst verstrickt man sich nur noch tiefer in die Sünde. Und die Schuld, wenn nötig, auch vor Menschen bekennen, an denen man schuldig geworden ist! Das mag ein schwerer Gang sein; aber wer mit Gott im Reinen ist, hat Ihn auf seiner Seite!

Jeremia 32,1-25
Römer 6,1-11

 SA 06.01 SU 20.40

 MA 05.38 MU 19.55

Dienstag 29 April

Ich bezeugte sowohl Juden als auch Griechen die Buße zu Gott und den Glauben an unseren Herrn Jesus Christus.

Apostelgeschichte 20,21

Buße und Glauben

Unser Bibelvers zeigt uns zwei notwendige Schritte, ohne die es unmöglich ist, errettet zu werden: die Buße zu Gott und den Glauben an Jesus Christus.

Buße bedeutet eine radikale Sinnesänderung. Sie ist keine äußere Übung, sondern ein innerer Vorgang und berührt das Herz des Menschen, die Steuerungszentrale seiner Handlungen. Wer Buße tut, wendet sich wieder Gott zu und schont weder sich selbst noch seine Vergangenheit. Buße führt zu einem radikalen Bruch mit der Sünde und zu einem Bekenntnis wie beim „verlorenen Sohn" in Lukas 15: „Ich habe gesündigt." Wer Buße getan hat, denkt von da an anders über sich und sein Leben als vorher.

In der *Buße* schaut ein Mensch auf das Verkehrte in seinem Leben zurück und beurteilt es neu. Im *Glauben* hingegen richtet sich sein Blick auf Christus, den Sohn Gottes, und auf seine Erlösungstat. In Jesus Christus erkennt der Sünder die Liebe und Gnade Gottes. Christus ist der Heiland der Welt, der Sühnung für die Sünde getan hat und jedem, der an Ihn glaubt, ewiges Leben gibt.

Der Glaube blickt hin zum Kreuz von Golgatha, wo Christus durch seinen Opfertod die Schuld auf sich nahm und die Strafe dafür trug. So kommen Herz und Gewissen des Glaubenden völlig zur Ruhe. Er weiß, dass er durch das kostbare Blut Jesu Christi vor Gott gerechtfertigt und von aller Sünde gereinigt ist. Er wird nicht ins Gericht kommen.

Jeremia 32,26-44
Römer 6,12-16

 SA 05.59 SU 20.41

 MA 06.09 MU 21.05

Es ist den Menschen gesetzt, einmal zu sterben, danach aber das Gericht.

Hebräer 9,27

Reinkarnation

Der berühmte Dirigent Herbert von Karajan sagte einmal: „Ich glaube an die Wiedergeburt. Ich komme ganz sicher wieder."

Großen Einfluss auf die heutige Verbreitung der „Reinkarnations-Lehre" scheinen die Bücher der Filmschauspielerin Shirley McLaine gehabt zu haben. Ihre Schriften, in denen sie von „Wiedergeburt" als vielmaliger Reinkarnation spricht, fanden Millionen von Lesern. Auch die Sängerin Tina Turner glaubt, schon einmal gelebt zu haben. Umfragen haben ergeben, dass immer mehr Menschen an ein mehrmaliges Wiedergeborenwerden auf dieser Erde glauben.

Aber die Lehre von der Reinkarnation ist betrügerisch, weil sie dem Menschen vorschnell die Angst vor dem Tod und dem Gericht Gottes nimmt und ihm vortäuscht, die Erlösungstat Jesu Christi sei überflüssig. Vielleicht lassen sich auch deshalb so viele Menschen von dieser modernen Strömung einfangen.

Es bleibt aber wahr, dass wir uns in diesem Leben entscheiden müssen, auf welche Seite wir uns stellen. Ewiges Leben in der Herrlichkeit des Himmels empfängt nur, wer seine Schuld vor Gott bekennt und an den Sohn Gottes glaubt. Das bezeugt die höchste Autorität auf der Erde, die Heilige Schrift.

Darüber hinaus macht unser heutiges Bibelwort deutlich, dass niemand eine zweite Chance durch ein nochmaliges Leben bekommt. Und dies noch: So sicher, wie jemand *einmal* stirbt, so sicher wird er vor dem Gerichtsthron Gottes erscheinen müssen. Dazu werden alle Toten auferstehen, entweder in der „Auferstehung des Lebens" oder in der „Auferstehung des Gerichts" (Johannes 5,29).

Gott der HERR pflanzte einen Garten in Eden gegen Osten, und dorthin setzte er den Menschen, den er gebildet hatte.

1. Mose 2,8

Dieser Garten in Eden – das bedeutet „Wonne" oder „Lieblichkeit" – ist als das „verlorene Paradies" in die Weltliteratur eingegangen. Nachdem die ersten Menschen gesündigt hatten, mussten sie diese Stätte des Glücks verlassen. Mit ihrer Unschuld hatten sie und ihre Nachkommen auch den Zugang zum „Paradies" verloren (1. Mose 3,23).

Doch ein gewisses Sehnen nach dem verloren gegangenen „Paradies" lebt in der Menschheit fort. Eine ganz andere, bessere Welt oder einen Zustand der Reinheit und des Glücks – wer hätte sich nicht schon danach gesehnt?

Sicher lebte das erste Menschenpaar damals in Eden in einem äußerlich „paradiesischen" Zustand, denn der Garten entsprach völlig ihren Bedürfnissen. Das eigentliche Glück aber machte etwas ganz anderes aus: Sie erfreuten sich einer ungetrübten Gemeinschaft und Harmonie mit Gott, solange sie sein Gebot befolgten. Nach dem Sündenfall aber fühlten sich Adam und Eva in Eden nicht mehr wohl, denn sie versteckten sich vor Gott (1. Mose 3,8). Deshalb würden auch ideale Lebensbedingungen, könnte man sie irgendwo auf der Erde schaffen, noch kein vollkommenes Glück garantieren. – Nicht, solange Gott dabei ausgeklammert bleibt.

Was wir brauchen, ist nicht so sehr äußeres Wohlergehen unter idealen Bedingungen, sondern die Vergebung unserer Sünden und damit die Wiederherstellung der Gemeinschaft mit Gott. Wer sie besitzt, kann wahrhaft glücklich sein, auch wenn die Lebensverhältnisse nicht unbedingt „paradiesisch" sind. Und seine Zukunft? Die liegt im *Paradies Gottes,* das nicht in dieser Schöpfung ist (Lukas 23,43; Offenbarung 2,7).

Der Tor spricht in seinem Herzen: Es ist kein Gott!

Psalm 14,1; 53,2

Gefunden?

Vor einiger Zeit hatte ich geschäftlich in München zu tun. Als ich mit einem Taxi in die Innenstadt fuhr, kam ich mit dem Fahrer ins Gespräch über die wissenschaftliche Forschung und den heutigen Erkenntnisstand, der weit höher ist als derjenige früherer Generationen.

Beim Stichwort „Wissenschaft und Glaube" unterbrach mich der Fahrer: „Moment mal. Da muss ich Ihnen mal etwas zeigen." Er öffnete sein Portemonnaie und zog einen Zettel heraus. Dann erzählte er:

„Vor knapp zwei Jahren war ich mit Freunden in einem Park unterwegs. An einer Stelle sahen wir einen Haufen Zettel herumfliegen. Jemand musste sie einfach in den Park geworfen haben. Wir waren richtig verärgert über diese Umweltverschmutzung. Trotzdem war ich neugierig und schaute nach, was das wohl für eine Papiersammlung war. Ich griff nach einer herumfliegenden Seite. Und was sah ich? Genau diesen Zettel (er zeigte jetzt darauf) mit meinem Geburtsdatum: 17. August."

Es war ein Blatt aus einem Tageskalender mit dem Thema: Erkenntnis und Glaube.

Dazu meinte der Fahrer: „Das kann doch kein Zufall sein, dass ich gerade den Tageszettel von meinem Geburtstag gefunden habe, und jetzt sprechen Sie mich auch noch auf genau dieses Thema an! – Gibt es Gott wirklich?"

Wir unterhielten uns noch länger über dieses Thema, vor allem über die Notwendigkeit, an den Schöpfer zu denken, zu Ihm umzukehren und durch Jesus Christus wieder in Beziehung zu Ihm zu kommen. Nach meiner Rückkehr konnte ich ihm noch einen aktuellen Evangeliumskalender zusenden.

Samstag 3 Mai

Wenn wir unsere Sünden bekennen, so ist Gott treu und gerecht, dass er uns die Sünden vergibt und uns reinigt von aller Ungerechtigkeit.

1. Johannes 1,9

Die Einladung des Herrn Jesus Christus: „Kommt her zu mir, alle ihr Mühseligen und Beladenen, und ich werde euch Ruhe geben", wendet sich an alle Menschen. Alle tragen nämlich Schuld vor Gott für ihr Leben, das sie geführt haben, ohne nach seinem Willen zu fragen. Wer darunter leidet, weil er das einsieht, und dann seine Schuld bekennt, dem gilt die Zusicherung: „Wer zu mir kommt, den werde ich nicht hinausstoßen." Daraufhin vergibt Gott alle Sünden. Man könnte das die *richterliche Vergebung* Gottes nennen, denn wer sie empfängt, ist freigesprochen von der ewigen Strafe und braucht Gott nie mehr als Richter zu fürchten.

Diese Vergebung geschieht ein für alle Mal und umfasst alle Sünden. Sie beruht auf der sühnenden Wirkung des Blutes Christi, das auf das jeder Glaubende sich berufen darf. Damals, vor 2000 Jahren, lebten wir ja alle noch nicht, und keine unserer Sünden war schon geschehen. Dennoch sagt Gottes Wort jedem Glaubenden: „Er ist die Sühnung für unsere Sünden." – „Also ist jetzt keine Verdammnis für die, die in Christus Jesus sind" – was im Leben des Gläubigen auch geschehen mag (Römer 8,1).

Leider ist es ja so, dass auch im Leben eines wiedergeborenen Christen noch Sünden vorkommen. Doch auch diese sind gesühnt und ziehen daher „keine Verdammnis" nach sich. Aber das Verhältnis des Kindes Gottes zu seinem himmlischen Vater ist dadurch getrübt. Deshalb gilt das heutige Wort auch uns Glaubenden. Wenn wir Gott unsere Sünden bekennen, empfangen wir *die väterliche Vergebung*. Gott vergibt uns als seinen Kindern und stellt so unser getrübtes Verhältnis zu Ihm wieder her. Diese Art von Vergebung brauchen wir täglich neu.

Jeremia 35,12-19
Römer 7,14-25

 SA 05.51   SU 20.48

 MA 08.59   MU 00.47

Denn Gottes Zorn wird vom Himmel her offenbart über alle Gottlosigkeit und Ungerechtigkeit der Menschen, die die Wahrheit in Ungerechtigkeit besitzen.

Römer 1,18

Gedanken zum Römerbrief

Die vorigen Verse haben gezeigt: Das Evangelium offenbart *Gottes Gerechtigkeit* und erweist sich als *Gottes Kraft* zur Errettung. Den dunklen Hintergrund für diese gute Botschaft bilden die „Gottlosigkeit und Ungerechtigkeit der Menschen" und „Gottes Zorn" darüber. – Heute noch verbinden sich Gerechtigkeit und Kraft zur *Errettung* des Glaubenden. Später im Gericht aber verbinden sie sich zur *Bestrafung* aller, die Gottes Gnade im Evangelium abgelehnt haben.

Jetzt wird der Zorn Gottes noch nicht im Gericht ausgeübt, aber er wird schon zugleich mit dem Evangelium *offenbart.*

Auch in der Zeit des Alten Testaments hatte Gott durch Machttaten Gericht geübt, wenn die Auflehnung des Menschen ein besonderes Ausmaß erreicht hatte. So zeigte Gott seine Oberhoheit durch die Sintflut oder durch das Gericht über Sodom und Gomorra.

Völlig offenbart hat sich Gott erst in seinem Sohn Jesus Christus. In Christi Kreuzestod wurde deutlich, dass Gott Liebe ist, da Er seinen geliebten Sohn für verlorene Sünder gerichtet hat. Zugleich traten dort Gottes Heiligkeit und Gerechtigkeit völlig hervor. Dass Gott Sünde nicht dulden kann, dass Er sie in heiligem Zorn strafen muss, *wo und bei wem sie sich vorfindet* – das wurde offenbart, als Er Jesus Christus nicht verschonte, obwohl Er „der Gerechte" war. Aber Christus hatte die Schuld verlorener Menschen auf sich geladen, und so hat Gottes Strafurteil Ihn getroffen.

Daher wird jeder, der durch den Glauben an Jesus und an seinen stellvertretenden Tod gerechtfertigt ist, auch durch Jesus „gerettet werden vom Zorn" (Römer 5,9).

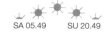

Montag — 5 — Mai

*Während aber die Menschen schliefen, kam sein Feind und säte
Unkraut mitten unter den Weizen und ging weg.*

Matthäus 13,25

Das Gleichnis vom Unkraut im Acker (1)

Es war auf einer Messe in Holland. Als Blickfang für seinen Bibelstand hatte der Aussteller an einer Wand dreizehn Säckchen mit
Samen verschiedener Pflanzen aufgehängt, die in der Bibel erwähnt
werden. Diese Ausstellungsstücke fanden das lebhafte Interesse zweier Ordensbrüder. Sie schlugen die jeweils zu den Samen
angeführten Stellen in ihrer Bibel auf.

Beim letzten Säckchen mit der Aufschrift „Lolch" stutzten sie
jedoch, da sie diesen Ausdruck nicht im angegebenen Bibelvers
fanden. So fragten sie den Standinhaber, der ihnen erklärte, dass
dieses Wort mit „Unkraut" übersetzt worden sei, weil den meisten
Bibellesern der Begriff „Lolch" unbekannt sei.

Bald entwickelte sich ein „Fachgespräch" über die Bedeutung des
Gleichnisses vom Unkraut im Acker (Matthäus 13, 24-30, 36-43). Man war
sich einig, dass Lolch ein dem Weizen täuschend ähnliches Unkraut
ist, das im biblischen Gleichnis die „unechten" Christen darstellt.

Schließlich bemerkte einer der geistlichen Herren seinem Amts-
bruder gegenüber: „Da steckt eine gute Predigt für den nächsten
Sonntag drin!" An dieser Stelle mischte sich der Aussteller ein:
„Gut – aber dazu müsste man zunächst seinen eigenen Standort
anhand dieses Gleichnisses bestimmt haben."

„Wie meinen Sie das?", fragte der andere verwundert. Darauf der
Aussteller: „Ich nehme an, Sie beide gehören derselben Kirche und
auch demselben Orden an. Äußerlich unterscheiden Sie sich in keiner Weise. Und doch könnte es sein, dass vielleicht der eine von
Ihnen zum ‚Weizen' und der andere zum ‚Lolch' gehört. Gott allein
weiß es!"

(Schluss morgen)

Jeremia 36,16-32
Römer 8,12-17

 SA 05.48   SU 20.51

 MA 10.53   MU 01.25

> *So viele ihn aber aufnahmen, denen gab er das Recht, Kinder*
> *Gottes zu werden, denen, die an seinen Namen glauben.*
>
> *Johannes 1,12*

Das Gleichnis vom Unkraut im Acker (2)

Der Aussteller vom Bibelstand hatte die beiden Ordensbrüder auf die wichtige Frage hingewiesen, die jeder bedenken sollte, der sich Christ nennt: Ist mein Christsein echt, gehöre ich also zum „Weizen"? Oder bin ich unecht – also nur „Unkraut"?

Eine kurze Pause entstand; dann erklärte der Erste mit Überzeugung: „Ich gehöre zum Weizen!" – „Worauf gründen Sie diese Zuversicht?", fragte der Mann vom Bibelstand. „Ist es, weil Sie einer bestimmten Kirche angehören?" Der andere schüttelte den Kopf. „Oder weil Sie Theologe sind?" Nochmals Kopfschütteln.

Und dann kam es freudig über seine Lippen: „Ich weiß, dass ich durch das Kreuzesverdienst meines Heilandes Jesus Christus das ewige Leben erben werde. Sein Blut floss zur Sühnung für meine Schuld. Ich habe Ihm mein Herz und Leben gegeben, und der Apostel Johannes hat geschrieben: ‚So viele ihn aufnahmen, denen gab er das Recht, Kinder Gottes zu werden.'" Der Bibelverkäufer entgegnete bewegt: „Dann sind wir Brüder, denn eine andere Glaubensgrundlage habe ich auch nicht!"

Da trat auch der zweite Geistliche hinzu und erklärte: „Und das ist auch das Fundament, auf dem ich am Ende meines Lebens in Frieden die Augen schließen kann." Die Augen der drei wurden feucht, weil sie sich inmitten des Trubels Tausender von Messebesuchern als Kinder Gottes erkannt hatten. So war es ganz natürlich für sie, dass sie sich mit gemeinsamem Gebet voneinander verabschiedeten. Sie waren durch dieselbe Beziehung zu ihrem himmlischen Vater auch miteinander verbunden.

Jeremia 37,1-21
Römer 8,18-25

 SA 05.46 SU 20.53

 MA 11.53 MU 01.57

Der Zweifelnde gleicht einer Meereswoge, die vom Wind bewegt und hin und her getrieben wird.

Jakobus 1,6

Viele Menschen stellen heute die Bibel und den christlichen Glauben infrage. Sie zweifeln alles an. Wenn man aber genau hinschaut, bemerkt man zwei Arten von Zweiflern.

Zunächst gibt es solche, die ihre Zweifel lieben. Wenn sie vom Gewissen beunruhigt werden, ist der Zweifel das beste Mittel, es zum Schweigen zu bringen. Daher wählen sie auch Literatur, die ihre Zweifel bestärkt. Diese Leute wollen immer diskutieren; aber gegen Zweifel hilft das nicht. Nur das Erfassen von Tatsachen kann unsere Seele vom Zweifel zur Gewissheit bringen. Und sobald es um die ewigen Dinge geht, sind wir Menschen dazu auf die bestimmten Mitteilungen Gottes angewiesen.

Die andere Klasse von Zweiflern sind solche, die darunter leiden. Sie suchen die Ruhe einer festen Gewissheit und finden den Weg dazu nicht. Aber diesen Weg gibt es! Er ist für jeden Zweifler gangbar. Der Herr Jesus Christus hat ihn vor bald zweitausend Jahren mit folgenden Worten beschrieben: „Wenn jemand Gottes Willen *tun will,* so wird er von der Lehre wissen, ob sie aus Gott ist oder ob ich von mir selbst aus rede" (Johannes 7,17). Die Bedingung, unter der man persönliche Gewissheit in Glaubensfragen bekommt, ist die Bereitschaft, Gottes Willen zu tun. Das fängt ganz praktisch beim Gebet und beim Lesen der Bibel an, denn darin finden wir den Willen Gottes.

Das Erste, was uns Gott zeigen will, ist unsere Unfähigkeit, Ihm zu gefallen. Als Sünder brauchen wir dringend den Erlöser Jesus Christus. Sagen wir dazu ja, oder wollen wir lieber in unseren Zweifeln verharren?

Donnerstag 8 Mai

Gib mir, mein Sohn, dein Herz!

Sprüche 23,26

Ein lebendiges Opfer

Im Süden der USA predigte ein Missionar vor einer Versammlung im Wald. Er sprach über den Guten Hirten, der in die Welt gekommen ist, um das Verlorene zu suchen und zu erretten. Er erzählte auch, wie eindringlich der Heiland im Garten Gethsemane betete, als Ihm sein Kreuzestod vor Augen stand. Und er schilderte, wie Er gefangen genommen wurde und rohen Misshandlungen ausgesetzt war und wie Er dann, von Gott verlassen, als Sühnopfer für uns gelitten hat und in den Tod ging.

Da trat ein stattlicher Indianer, mit Tränen auf den Wangen, zu dem Missionar hin und sagte: „Ist Jesus auch für mich, den armen Indianer, gestorben? Land kann ich Jesus nicht geben, aber meinen Hund gebe ich Ihm und meine Büchse."

Der Missionar entgegnete ihm freundlich, dass Jesus etwas anderes von ihm erwarte.

„Ja, ich gebe Jesus meinen Hund, meine Büchse und meine wollene Decke, ich bin ein armer Indianer, der nicht mehr geben kann – ich gebe Jesus alles."

Der Prediger wiederholte seine Antwort. Da senkte der arme Sohn des Waldes traurig den Kopf und schien nachzudenken. Plötzlich blickte er den Missionar zuversichtlich an und sagte: „Hier ist der Indianer selbst! Will Jesus den haben?" Was für ein ergreifender Augenblick, als dieser Indianer zu Jesus kam und sich selbst und sein ganzes Leben Ihm übergab!

> *„Was ich jetzt lebe ..., lebe ich durch Glauben, durch den an den Sohn Gottes, der mich geliebt und sich selbst für mich hingegeben hat."*
>
> *Galater 2,20*

Jeremia 38,14-28
Römer 8,31-39

 SA 05.42   SU 20.56

 MA 13.58   MU 02.51

Und der HERR liebte ihn.

2. Samuel 12,24

Was für ein inhaltsreicher und ergreifender Satz! Diese Aussage steht sicher in Zusammenhang mit einer Begebenheit, die Gottes Zustimmung findet? – Nein, im Gegenteil! Dieses Wort ist der Hoffnungsstrahl am Ende einer der dunkelsten Familiengeschichten der Bibel. Kein Geringerer als König David ist darin der Schuldige.

David begeht Ehebruch mit der Frau eines anderen und scheut nicht vor einem Mord zurück, um die Tat zu vertuschen. Als er schließlich meint, dass Gras über die Sache gewachsen sei, tritt ihm der Prophet Nathan in den Weg, um sein Gewissen aufzuwecken. Nathan kleidet die Tat in eine Gleichnis-Geschichte.

In dieser Erzählung erkennt David sich nicht selbst wieder, sondern äußert seinen gerechten Unwillen über den Täter. Da schleudert Nathan ihm die Anklage entgegen: „Du bist der Mann!" Im Gewissen getroffen, bricht David vor Gott zusammen und bekennt: „Ich habe gegen den HERRN gesündigt!" Seine Buße ist aufrichtig, und er vernimmt die Antwort Gottes: „So hat auch der HERR deine Sünde weggetan" (V. 13).

Doch obwohl David die Vergebung Gottes empfängt, kann Gott ihm nicht ersparen, dass der Sohn aus dieser sündigen Beziehung stirbt. Aber dieselbe Frau (Bathseba) schenkt ihm später wieder einen Sohn (seinen Nachfolger Salomo), und da lesen wir dieses Wort: „Der HERR liebte ihn." Wo aus menschlicher Sicht alles zu Bruch gegangen ist, leuchtet Gottes Liebe auf, und es gibt wieder Hoffnung und Zukunft für David.

Hoffnung gibt es auch heute für alle, die durch die Geschichte Davids an dunkle Punkte in ihrem eigenen Leben erinnert werden. Auch für unser Leben gibt es einen Hoffnungsstrahl: Die Liebe Gottes bietet jedem, der zu Ihm umkehrt, einen Neuanfang an.

Jeremia 39,1-18
Römer 9,1-13

 SA 05.41 SU 20.57

 MA 15.02 MU 03.14

Bittet, und es wird euch gegeben werden; sucht, und ihr werdet finden; klopft an, und es wird euch aufgetan werden.

Matthäus 7,7

Ein junger Mann war in großer Gewissensnot wegen seiner Sünden und fragte einen älteren Bekannten um Rat. Was müsse er wohl tun, um Frieden zu erlangen? Dieser antwortete: „Du kannst nichts tun; alle eigenen Bemühungen sind nutzlos. Warte einfach, bis Gottes Stunde gekommen ist. Dann und nicht eher wirst du finden, was du suchst."

Diese Antwort, von der nur der erste Teil wahr ist, vergrößerte die Unruhe des Suchenden. Ein anderer antwortete ihm auf dieselbe Frage: „Du musst anklopfen, denn in der Bibel steht: ‚Klopft an, und es wird euch aufgetan werden.'" – „Das tue ich doch schon so lange", erwiderte der junge Mann entmutigt.

Schließlich schilderte er einem alten Christen seine Not und was für Antworten er auf seine Frage bekommen hatte. Nun endlich hörte er ein klares, biblisches Wort: „Du musst nicht länger anklopfen. Geh einfach als verlorener Sünder, so wie du bist, zum Herrn Jesus, und nimm sein Erlösungswerk im Glauben für dich in Anspruch. Gerade für solche, die einsehen, dass sie verloren sind, und über ihre Sünden trauern, ist Christus gestorben. Wende dich im Glauben zu Ihm, und du bist für ewig errettet."

Das war eine befreiende Botschaft für den jungen Mann! Er brauchte nicht länger zu warten und anzuklopfen; er hatte Frieden gefunden. Von Herzen dankte er Gott, der seinen Sohn für ihn gegeben hatte. Und er dankte dem Herrn Jesus Christus, der ihn geliebt und sich selbst für ihn hingegeben hatte. Auf die Freude über seine Errettung folgte die Freude am Herrn in seiner Nachfolge und auch die Freude in der Gemeinschaft mit anderen Kindern Gottes.

Denn Gottes Zorn wird vom Himmel her offenbart über alle Gottlosigkeit und Ungerechtigkeit der Menschen, die die Wahrheit in Ungerechtigkeit besitzen.

Römer 1,18

Gedanken zum Römerbrief

In Verbindung mit dem Evangelium wird auch Gottes Zorn offenbart. Es wird sichtbar, dass Gott einst alles Böse richten wird – alles, was im Widerspruch zu seiner heiligen Natur steht.

Gottes Zorn richtet sich gegen alle „Gottlosigkeit". Das weist vor allem auf die Sünden der Heidenvölker hin. Von ihnen sagt Paulus, dass sie „keine Hoffnung" hatten und „ohne Gott" in der Welt waren. Ihr Leben führten sie „verfinstert am Verstand, entfremdet dem Leben Gottes wegen der Unwissenheit, die in ihnen ist" (Epheser 2,12; 4,18). Von Vers 19 an wird der Apostel auf ihre Situation näher eingehen.

Doch Gottes Zorn richtet sich auch gegen alle „Ungerechtigkeit der Menschen, die die Wahrheit in Ungerechtigkeit besitzen". Hier ist mehr die besondere Verantwortung solcher Menschen gemeint, denen Gott eine gewisse Erkenntnis der Wahrheit gegeben hatte. Das betrifft die Israeliten. Sie hatten Verheißungen von Gott empfangen, aber auch das Gesetz vom Sinai. Daher waren sie mit den gerechten Forderungen Gottes an den Menschen vertraut. Doch auch sie stehen unter dem Zorn Gottes, weil sie „die Wahrheit in Ungerechtigkeit" besitzen. In Kapitel 2,17 bis 3,20 wird Paulus das beweisen.

Heute ist hier vor allem an die vielen Menschen zu denken, die zwar dem Namen nach Christen sind, aber die christliche Wahrheit „in Ungerechtigkeit besitzen". Ein nur äußerliches Bekenntnis zum Christentum genügt nämlich nicht. Durch die Umkehr zu Gott und den Glauben an Jesus Christus muss es bei jedem persönlich zu einer radikalen Lebenswende kommen. Sonst „bleibt der Zorn Gottes auf ihm" (Johannes 3,36).

Jeremia 40,13-41,10
Römer 9,30-33

 SA 05.37   SU 21.00

 MA 17.16   MU 04.01

Wer irgend das Reich Gottes nicht aufnimmt wie ein Kind, wird nicht dort hineinkommen.

Markus 10,15

Vertraue auf den HERRN mit deinem ganzen Herzen, und stütze dich nicht auf deinen Verstand. Erkenne ihn auf allen deinen Wegen, und er wird gerade machen deine Pfade.

Sprüche 3,5.6

Der Glaube – ein Sprung ins Leere?

Nein, der Glaube ist kein Sprung ins Leere. Allerdings muss es ein Glaube sein, der sich auf handfeste Tatsachen, auf glaubwürdige Zeugnisse Gottes stützt. Die muss jeder prüfen und annehmen, der das Heil erlangen will. – Und niemand wird Gott je vorwerfen können, dass Er sich nicht deutlich bezeugt hat.

Auf der anderen Seite kann unsere eigene Einsicht Gott niemals erfassen. Durch logische Argumente würden wir nie völlig überzeugt werden; deshalb wendet Gott sich durch die Bibel ebenso an unser Herz wie an unseren Geist. Wie ein Kind vertrauensvoll die Erklärungen seines Vaters aufnimmt, so müssen auch wir einfach annehmen, was Gott uns offenbart hat. Das Heil kann nur ergriffen werden durch einen Akt, an dem das Gewissen, der Wille und die Zuneigungen zugleich beteiligt sind.

In den Augen derer, die verloren gehen, ist der Glaube an den gekreuzigten Christus eine Torheit. Doch für den Glaubenden ist er befreiende Gewissheit, die sein Herz überzeugt hat.

Aber der Glaube errettet nicht deshalb, weil er so harmonisch ist oder logisch oder anziehend oder gar überzeugend. Der Glaube errettet, weil Gott das so eingerichtet hat. Gott will, dass alle Menschen errettet werden; deshalb gebietet Er allen, Buße zu tun (1. Timotheus 2,4; Apostelgesch. 17,30). Wer nicht an Ihn glauben will, wer sein Leben nicht ändert, wer nicht umkehrt zu Gott, ist in Wirklichkeit Gott ungehorsam.

Jeremia 41,11-42,6
Römer 10,1-13

 SA 05.36   SU 21.02

 MA 16.25   MU 04.26

Weil das Urteil über böse Taten nicht schnell vollzogen wird, darum ist das Herz der Menschenkinder in ihnen voll, Böses zu tun.

Prediger 8,11

„Barmherzig und gnädig ist der HERR, langsam zum Zorn und groß an Güte" (Psalm 103,8). – Diese Aussage findet sich achtmal in der Bibel; sie bildet gewissermaßen die Regierungserklärung Gottes. Zum ersten Mal redete Er so zu Mose, als das Volk Israel das gerade erst gegebene Gesetz gebrochen hatte (2. Mose 34,6).

Unser heutiger Vers beschreibt die Reaktionen vieler Menschen auf die Geduld Gottes: Sie nehmen sie zum Anlass, ihre bösen Handlungen fortzusetzen. Das lässt sich nur so erklären, dass das gnädige Verhalten Gottes als Duldung oder gar als Beweis gegen seine Existenz ausgelegt wird. Aber das ist ein verhängnisvoller Irrtum, vor dem die Bibel uns eindringlich warnt:

Römer 2,4-6: „Verachtest du den Reichtum seiner Güte und Geduld und Langmut und weißt nicht, dass die Güte Gottes dich zur Buße leitet? Nach deinem Starrsinn und deinem unbußfertigen Herzen aber häufst du dir selbst Zorn auf am Tag des Zorns … Gottes, der jedem vergelten wird nach seinen Werken."

Psalm 50,17-21: „Du hast ja die Zucht *(oder Unterweisung)* gehasst und meine Worte hinter dich geworfen. Wenn du einen Dieb sahst, so gingst du gern mit ihm um, und dein Teil war mit Ehebrechern. Deinen Mund ließest du los zum Bösen, und Trug flocht deine Zunge. Du saßest da, redetest gegen deinen Bruder, gegen den Sohn deiner Mutter stießest du Schmähung aus. Dieses hast du getan, und ich schwieg; du dachtest, ich sei ganz wie du. Ich werde dich strafen und es dir vor Augen stellen."

2. Petrus 3,9: „Der Herr ist langmütig euch gegenüber, da er nicht will, dass irgendwelche verloren gehen."

Mittwoch 14 Mai

Paulus schreibt an seinen Mitarbeiter Timotheus: **Ich habe den ungeheuchelten Glauben in dir in Erinnerung, der zuerst in deiner Großmutter Lois und deiner Mutter Eunike wohnte.**

2. Timotheus 1,5

Das Büro der Seemannsmission in Seward ist ein beliebter Anlaufpunkt für das Personal der Kreuzfahrtschiffe, die an diesem Hafen in Alaska anlegen. Jeder Seemann, gleich welcher Nationalität, wird hier herzlich willkommen geheißen. Er kann telefonieren oder seiner Familie zu Hause eine Nachricht senden. Bibeln und christliche Literatur liegen dort in vielen Sprachen und Dialekten aus. Für manche ist es der erste Kontakt mit dem Wort Gottes, für andere ist es eine Erinnerung an die Vergangenheit.

Eines Tages musterte ein Seemann erstaunt und interessiert ein Regal mit Bibeln. Schließlich nahm er eine polnische Kinderbibel in die Hand. Er begann zu lesen und sagte nach einiger Zeit: „Meine Großmutter hat mir immer aus dieser Bilderbibel vorgelesen." An seinem Gesichtsausdruck konnte man ablesen, wie lebendig die Erinnerung daran noch war.

Die Mitarbeiter der Mission sind immer wieder erstaunt darüber, wie oft sich die Seeleute an den Glauben ihrer Mutter oder Großmutter erinnern. Sie erwähnen, wie viel Einfluss diese Personen durch ihre Liebe und ihre Beziehung zu Gott auf sie ausgeübt haben. Es war ja nicht nur ein theoretischer Glaube, sondern ein fester Halt in ihrem Leben. Daher blieb es den Kindern unauslöschlich im Gedächtnis.

Man sagt, dass in Russland und anderen Ländern, in denen es Christenverfolgungen gab und gibt, der christliche Glaube vor allem wegen der Großmütter überlebt hat. Sie haben die Flamme des Glaubens jahrzehntelang am Leben erhalten und mit Mut und Liebe ihren Enkeln die Wahrheit von Gott gesagt.

Jeremia 43,1-13
Römer 11,1-10

 SA 05.33   SU 21.05

 MA 20.48   MU 05.28

Und ein Aussätziger kommt zu Jesus, bittet ihn und kniet vor ihm nieder und spricht zu ihm: Wenn du willst, kannst du mich reinigen. Und innerlich bewegt streckte er seine Hand aus, rührte ihn an und spricht zu ihm: Ich will; werde gereinigt! Und sogleich wich der Aussatz von ihm, und er wurde gereinigt.

Markus 1,40-42

„Wenn du willst, kannst du mich reinigen!" (1)

Der Aussatz (die Lepra) ist eine furchtbare Krankheit. Sie fängt oft scheinbar harmlos an. Aber weil sie neben der Haut vor allem auch die Nerven befällt, verliert der Kranke das Gefühl für Hitze und Schmerz. Das führt in der Regel zu zusätzlichen Infektionen und Verletzungen. Aussatz war lange Zeit unheilbar. Keiner konnte helfen, am wenigsten der Betreffende selbst.

Daher ist der Aussatz – wo immer in der Bibel davon die Rede ist – zugleich ein treffendes Bild von der Sünde. Alle Menschen sind von ihr befallen. Darin gibt es keinen Unterschied. Und wie der Aussatz, so führt auch die Sündenkrankheit in Tod und Verderben.

Wegen der Ansteckungsgefahr, auch *Unreinheit* genannt, wurden Aussätzige streng isoliert. Das ist im übertragenen Sinn nicht viel anders. Zwar fehlt es dem sündigen Menschen nicht an Ablenkungen, doch tief im Herzen lässt ihn die Sünde immer einsamer werden. Zudem entfernt er sich durch die Sünde immer weiter von dem Einzigen, der helfen und heilen kann.

Der Aussätzige in unserem Bibelwort schätzt seine Lage richtig ein. Wie sehnt er sich danach, wieder gesund und rein zu werden. Als er von dem Herrn Jesus hört, gibt es deshalb für ihn nur eins: hin zu Ihm, dem Sohn Gottes! Ohne zu zögern und ohne sich um andere, die ihn vielleicht zurückhalten wollen, zu kümmern, geht er zu Ihm. Und dann hören wir ihn ausrufen: „Wenn du willst, kannst du mich reinigen!"

Und ein Aussätziger kommt zu Jesus, bittet ihn und kniet vor ihm nieder und spricht zu ihm: Wenn du willst, kannst du mich reinigen. Und innerlich bewegt streckte er seine Hand aus, rührte ihn an und spricht zu ihm: Ich will; werde gereinigt! Und sogleich wich der Aussatz von ihm, und er wurde gereinigt.

Markus 1,40-42

„Wenn du willst, kannst du mich reinigen!" (2)

Fällt uns etwas auf? Dieser Mann bringt keine Entschuldigungen vor. Und er beschuldigt auch nicht andere, ihn angesteckt zu haben. Aber er weiß: Wenn mir jemand helfen kann, dann Jesus und keiner sonst! Dieses Vertrauen erwartet der Herr Jesus auch von uns.

Und so, wie der Sohn Gottes diesen Mann nicht enttäuschte, wird Er auch heute niemand enttäuschen, der mit seiner Gewissensnot und seiner Sündenschuld zu Ihm kommt: „Innerlich bewegt streckte er seine Hand aus." Wie zeigt uns das die große Liebe des Heilands!

Wir können uns gut vorstellen, wie die Jünger Jesu entsetzt vor dem Aussätzigen zurückweichen. Aber Einer ist da, der weicht nicht zurück, sondern geht auf den Ärmsten zu. Ihm ist kein Aussatz, keine Sünde zu groß und zu schmutzig. Seine Liebe ist unvergleichlich. Er rührt den Mann an. Als Er seine Hand auf den mit Aussatz bedeckten Kranken legt, sagt Er nur: „Ich will, sei gereinigt!" Und im selben Augenblick muss der Aussatz weichen. Was für eine ergreifende Begebenheit!

Wer zu Jesus kommt wie dieser Aussätzige, der darf auch heute dieselben Worte des Herrn vernehmen: „Ich will, sei gereinigt!" Wer Ihm seine Sündenlast aufrichtig bekennt, wird im selben Augenblick erfahren, dass Er die Sünden vergibt und uns ganz reinigt. Christus selbst hat es verheißen: „Wer zu mir kommt, den werde ich nicht hinausstoßen" (Johannes 6,37).

Jeremia 44,11-23
Römer 11,22-36

 SA 05.30   SU 21.08

 MA 22.59   MU 06.56

Wandelt im Geist, und ihr werdet die Lust des Fleisches nicht vollbringen. Denn das Fleisch begehrt gegen den Geist, der Geist aber gegen das Fleisch; denn diese sind einander entgegengesetzt.

Galater 5,16.17

Unter neuer Leitung

An einem Hotel, das seit Wochen geschlossen war, las ich: „Dieses Haus wird dann und dann unter neuer Leitung wieder eröffnet." Das Haus hatte den Besitzer gewechselt. Das Gebäude war noch dasselbe, aber es hatte einen neuen Eigentümer.

So ist es auch bei einem Menschen, der zu Gott umgekehrt ist. Er ist dieselbe Person geblieben, mit denselben Merkmalen wie vor seiner Bekehrung. Er hat noch denselben Beruf, lebt in denselben Familienverhältnissen, aber er ist in das persönliche Eigentum eines anderen übergegangen. Er gehört jetzt Jesus Christus – er ist „unter eine neue Leitung" gekommen. Jetzt wohnt der Heilige Geist im Körper des Christen und leitet das „Haus" von nun an nach göttlichen Grundsätzen.

In den Briefen des Apostels Paulus wird uns der gläubige Christ geschildert: Er ist vor Gott gerechtfertigt und von Ihm völlig angenommen in Christus. Zwar haben wir Christen auch noch die frühere Natur mit ihren sündigen Neigungen in uns, und doch erklärt Gott, dass unser alter Zustand am Kreuz vor Ihm zu Ende gekommen ist. Unser „alter Mensch" ist mit Christus „mitgekreuzigt" worden, als Er unseren Platz im Gericht Gottes eingenommen hat.

Gott sieht seine Erlösten nicht mehr verbunden mit dem „ersten Adam", der im Paradies unter das Todesurteil gekommen ist, sondern in Verbindung mit dem „zweiten Menschen" – mit Jesus Christus und seinem Auferstehungsleben (1. Korinther 15,45-47).

Jeremia 44,24-45,5
Römer 12,1-8

 SA 05.28   SU 21.09

 MA 23.53   MU 07.54

Sonntag 18 Mai

... weil das von Gott Erkennbare unter ihnen offenbar ist, denn Gott hat es ihnen offenbart – denn das Unsichtbare von ihm wird geschaut, sowohl seine ewige Kraft als auch seine Göttlichkeit, die von Erschaffung der Welt an in dem Gemachten wahrgenommen werden –, damit sie ohne Entschuldigung seien.

Römer 1,19.20

Gedanken zum Römerbrief

Diese Verse geben den ersten Grund dafür an, warum die Heiden keine Entschuldigung für ihre Gottlosigkeit haben und so zu Recht unter dem Zorn Gottes stehen: Sie setzen sich über die Offenbarung Gottes in der Schöpfung hinweg.

Gott hat sich dem Volk Israel besonders kundgetan; das Alte Testament ist der von Gott eingegebene Bericht davon. Dann hat Gott sich in seinem Sohn Jesus Christus völlig offenbart; davon berichtet Gottes Wort im Neuen Testament. Daher wird die ganze Bibel zu Recht „das Buch der Offenbarung Gottes" genannt. Diese Offenbarung Gottes in seinem Wort kennen die Heiden nicht. Gott macht sie *dafür* auch nicht verantwortlich. Und doch können sie etwas von Gott wissen, weil in der Schöpfung etwas von dem großen Gott sichtbar wird.

Was der Mensch in der Schöpfung von Gott erkennen kann, bleibt natürlich hinter der Offenbarung in seinem Sohn und hinter dem Evangelium zurück. Das heißt: Die Schöpfung zeigt dem Menschen nicht den Weg zum Heil, aber sie lässt ihn etwas von der Existenz und der Größe des lebendigen Gottes erkennen. Für diese Erkenntnis ist jeder Mensch verantwortlich, selbst der ungebildetste Heide.

Auch in den einfachsten Kulturen gibt es ein Empfinden für die Existenz des Schöpfers. Doch was haben die Menschen mit dieser Erkenntnis angefangen? Haben sie dem Schöpfer, dem lebendigen Gott, gedient, oder haben sie sich von Ihm abgewandt?

Jeremia 46,1-28
Römer 12,9-15

SA 05.27   SU 21.11

MA 00.39   MU 09.01

*Er spricht und bestellt einen Sturmwind, der hoch erhebt seine Wellen. ... Dann schreien sie zu dem H*ERRN *in ihrer Bedrängnis, und er führt sie heraus aus ihren Drangsalen ..., und er führt sie in den ersehnten Hafen.*

Psalm 107,25.28.30

Die Geschichte der Erforschung der Kontinente und Meere ist recht faszinierend. Nicht selten wurden bedeutende Forschungsreisen später sogar „wiederholt". So wurde zum Beispiel die Seereise Magellans nachvollzogen, der im Jahr 1520 die nach ihm benannte Passage zwischen dem äußersten Süden Amerikas und Feuerland entdeckte. Für diese Fahrt wurde ein Nachbau seiner Karavelle benutzt.

Als eine Filmaufzeichnung dieser Reise auf einer Konferenz gezeigt wurde, waren die Zuschauer sehr beeindruckt. Besonders von der Szene, als das Schiff an die berühmte Meerenge kam. Die gewaltigen Wellen und die tosende Brandung boten ein großartiges Schauspiel. Der fachkundige Erklärer sagte dazu: „Wenn man auf einem so kleinen, zerbrechlichen Kahn ist, an einem solchen Ort und inmitten einer solchen Szenerie – in dem Augenblick glauben alle Menschen an Gott."

Was könnte ein Mensch angesichts der entfesselten Naturgewalten auch ausrichten? Ihm wird bewusst, wie klein und ohnmächtig er ist. Und viele besinnen sich in Augenblicken der Hilflosigkeit auf die Größe des Schöpfers und beten zu Ihm. – Aber wäre es in Ordnung, nur in der Not zu Gott zu rufen und Ihn dann wieder zu vergessen und ohne Ihn weiterzuleben? Im Umgang unter Menschen würde doch niemand, der durch den Mut eines anderen vor dem sicheren Tod gerettet wurde, hinterher ohne Gruß an seinem Retter vorübergehen!

*„Wer weise ist, der wird dies beachten, und verstehen werden sie die Gütigkeiten des H*ERRN*."*

Dienstag **20** Mai

Ich werde dir die Schlüssel des Reiches der Himmel geben; und was irgend du auf der Erde binden wirst, wird in den Himmeln gebunden sein, und was irgend du auf der Erde lösen wirst, wird in den Himmeln gelöst sein.

Matthäus 16,19

Wer diesen Auftrag von Jesus Christus an Petrus richtig verstehen will, darf nicht das „Reich der Himmel" mit dem Himmel verwechseln. Das *Reich der Himmel* ist auf der Erde. Es ist das Reich Gottes, das in der heutigen Gestalt besteht, solange Christus, der König, im Himmel ist, und zwar bis Er erscheint, um seine Herrschaft auf der Erde anzutreten.

Als Jesus Christus damals auf der Erde lebte, erwarteten die Juden das Reich Gottes in sichtbarer Macht und Herrlichkeit. So hatten es die Propheten angekündigt. Aber die Masse des Volkes stand unter dem Einfluss der religiösen Führer und lehnte Christus ab. Sie blieben ungläubig und brachten ihren König ans Kreuz. Deshalb nahm das Reich den Charakter eines Geheimnisses an, das nur den Glaubenden bekannt ist. Nach der Rückkehr von Jesus Christus in den Himmel sollte Petrus unter diesen neuen Verhältnissen die Verkündigung des Evangeliums einleiten und so das Reich der Himmel eröffnen.

Das hat er getan und die ihm anvertrauten „Schlüssel" gebraucht. Zuerst den Juden, dann den Samaritern und schließlich allen Nationen hat Petrus durch seinen Dienst den Zutritt zum Reich der Himmel eröffnet (Apostelgeschichte, Kap. 2; Kap. 8,4-17; Kap. 10). Jeder, der Jesus als den von Gott gesandten Retter und Herrn anerkennt, darf nun in dieses Reich eintreten.

Keineswegs aber hat Jesus Christus dem Apostel Petrus Vollmacht über den Zutritt zum Himmel gegeben. Den erlangt man allein durch den Glauben an Christus, den Herrn und Erlöser.

Jeremia 48,26-47
Römer 13,1-10

 SA 05.24   SU 21.14

 MA 01.18   MU 11.29

Der Tod wird nicht mehr sein, noch Trauer, noch Geschrei, noch Schmerz wird mehr sein; denn das Erste ist vergangen.

Offenbarung 21,4

Ein Prediger des Evangeliums unterhielt sich einmal mit einem Fremden. Dieser sagte zu ihm: „Sie haben mir gesagt, was Sie glauben, aber ich glaube nicht, was Sie predigen."

„Vielleicht darf ich wissen, was Sie glauben", entgegnete der Prediger. – „Nun, ich glaube, dass mit dem Tod alles aufhört."

„Das glaube ich auch", sagte der Christ. – „Was? Sie glauben auch, dass mit dem Tod alles aufhört?"

„Gewiss", sagte der Gläubige, „der Tod setzt allem Bisherigen ein Ende. Er beendet die Möglichkeit, Böses zu tun, er macht allen unseren Wunschträumen ein Ende, macht alle Pläne gegenstandslos. Mit jedem ehrgeizigen Streben und jedem irdischen Besitz ist es dann vorbei. Das alles nimmt mit dem Tod für Sie ein Ende. Und dann wird jeder, der Gott nicht geglaubt hat, in die ewige Verdammnis gehen.

Was mich betrifft, so beendet der Tod alle meine Sorgen, Nöte und Schwierigkeiten, allen Kummer und Schmerz, alle meine Tränen. Alles das hört mit dem Tod für mich auf, und ich gehe zu meinem Herrn in die Herrlichkeit, wo mich ewige Freude, ewiger Frieden und ewiges Glück erwarten."

„So habe ich das noch nicht gesehen", entgegnete der Kritiker. Das Ergebnis dieser Unterhaltung war, dass dieser Mann Frieden mit Gott fand.

Ja, mit dem Tod hört alles Irdische auf. Die Ungläubigen erwartet das Gericht, die Gotteskinder aber gehen zu Christus ins Paradies, wo es „weit besser" ist (vgl. Philipper 1,23). Ihre Zukunft in der Herrlichkeit des Himmels ist sicher und unantastbar.

Jeremia 49,1-22
Römer 13,11-14

 SA 05.23　SU 21.15

 MA 01.51　MU 12.45

Wie könnte ein Mensch gerecht sein vor Gott?

Hiob 9,2

Sie werden umsonst gerechtfertigt durch seine Gnade, durch die Erlösung, die in Christus Jesus ist.

Römer 3,24

„Da ist kein Gerechter, auch nicht einer", so heißt es in der Bibel. Doch Gott sagt auch: „Freut euch in dem HERRN und frohlockt, ihr Gerechten!" Woher kommen diese Gerechten? Ist es denn möglich, dass ein Ungerechter gerecht wird vor Gott? – Ja, durch das Blut Christi: Christus ist für unsere Sünden gestorben.

Und was genau müssen wir nun tun, um gerecht zu sein vor Gott? Einfach dieses: An Jesus Christus glauben, den Gott als Erlöser für uns in die Welt gesandt hat (Römer 3,10; Psalm 32,11; Römer 5,8.9; 1. Korinther 15,3).

„Durch die Gnade seid ihr errettet ...", heißt es. Das ist Gottes ausgestreckte Hand, die jedem Sünder seine Vergebung umsonst anbietet. Und dann wird hinzugefügt: „... mittels des Glaubens". Das ist die Hand des Menschen, der die Gnade ergreift (Epheser 2,8).

Habe auch ich diese Gnade nötig? – Ja, denn Gott sagt: „Es ist kein Unterschied, denn alle haben gesündigt." Aber Gott hat einen Ausweg geschaffen, damit dem Sünder vergeben und er völlig gereinigt werden kann: Jesus Christus, der sündlose Sohn Gottes, hat am Kreuz stellvertretend für jeden Glaubenden das Strafgericht erduldet, so dass jeder freigesprochen werden kann, der sein Sühnungswerk für sich in Anspruch nimmt (Römer 3,22.23).

> *„Da wir nun gerechtfertigt worden sind aus Glauben, so haben wir Frieden mit Gott durch unseren Herrn Jesus Christus."*
>
> *Römer 5,1*

> *„Wenn wir unsere Sünden bekennen, so ist er treu und gerecht, dass er uns die Sünden vergibt."*
>
> *1. Johannes 1,9*

Jeremia 49,23-39
Römer 14,1-12

 SA 05.22   SU 21.16

 MA 02.20   MU 14.01

Freitag 23 Mai

Verirrungen, wer sieht sie ein? Von verborgenen Sünden reinige mich!

Psalm 19,13

„Schuld abladen verboten!"

Mit diesem Spruch wird bisweilen ironisch aufgezeigt, dass keiner gern persönliche Schuld eingesteht. Schließlich ist jeder irgendwann und irgendwie einmal schuldig geworden. Und kann man es sich in einer Ellbogengesellschaft überhaupt leisten, Fehler zuzugeben?

Nicht selten findet man den Spruch aber auch an Bürotüren angebracht. Das soll signalisieren: „Mir ist es lästig, wenn ich immer wieder für eure Fehler aufkommen und sie ausbügeln soll."

Die einen wollen ihre eigene Schuld nicht eingestehen und abladen – für die anderen ist es unbequem, wenn die Schuld Dritter bei ihnen abgeladen wird.

Was sollen wir nun tun mit der Schuld vor Gott, die unser Gewissen belastet? Wir könnten uns einreden, dass es Gott gar nicht gäbe, oder wir könnten die Schuld verdrängen – doch zur Ruhe käme unser Gewissen dann nicht.

Das Altarbild von Hans Memling in der Lübecker Marienkirche stellt die Kreuzigung Jesu dar. Es zeigt uns, wo wir die Schuld abladen können, so dass die Last wirklich von uns abfällt. Da sehen wir ein Gewimmel von Menschen: Schaulustige, Priester, berittene Soldaten und weinende Frauen. Doch in der Mitte des Bildes, gerade unter dem Kreuz, hat Memling einen leeren Platz gelassen! Und hier gibt es kein Schild „Schuld abladen verboten!". Hier darf und soll ich die ganze Last hinbringen; hier wird sie mir wirklich abgenommen.

Gott lädt uns ein, zum gekreuzigten Heiland zu kommen und Ihm unsere Schuld einzugestehen. Wenn wir das tun, dann versichert Gott uns durch sein Wort, dass Christus selbst für unsere Schuld aufgekommen ist in seinem Tod am Kreuz. – Diese Gewissheit gibt Frieden!

Vom Baum der Erkenntnis des Guten und Bösen, davon sollst du nicht essen; denn an dem Tag, da du davon isst, musst du sterben.

1. Mose 2,17

„Aber Adam soll doch 930 Jahre alt geworden sein. Wie verträgt sich das denn damit, dass er am selben Tag sterben sollte, wenn er vom Baum der Erkenntnis essen würde?" – Hören Sie, was mein Freund Karsten einmal beobachtete:

Karsten schnitt in seinem Garten eine Rose ab und stellte sie im Haus in eine Vase. Es war ein prächtiges Stück, wie sie so frisch und duftend dastand. Karsten versorgte sie täglich mit Wasser. Am dritten Tag kam ein Besucher, der meinte, sie sei soeben erst geschnitten worden. Kurz darauf begannen die ersten Blütenblätter sich kaum merklich am Rand zu kräuseln; später fiel eines herab. Immer noch war es die schöne, stattliche Rose. Doch dann fiel ein Blatt nach dem anderen, und der Augenblick kam, wo der entblätterten und verdorrten Pflanze keine Spur von Leben mehr anzusehen war.

Und jetzt die Frage: „Wann starb die Rose?" Erst als sie verdorrt dalag? Oder als das erste Blatt abfiel? Starb sie, als das erste Kräuseln begann, oder war sie etwa schon gestorben, als der Besucher kam und noch gar nichts merkte? Kein Zweifel: Die Rose starb schon viel früher. Sie starb, als das Messer sie vom Rosenstock trennte und ihr damit den Lebenssaft abschnitt.

Genauso ist es bei uns Menschen. Adam starb, als die Sünde ihn von Gott trennte. Sterben bedeutet Trennung von Gott. Darum ist für Gott, seit die Sünde in die Welt gekommen ist, jeder Mensch „tot in seinen Vergehungen und Sünden" (Epheser 2,1). Doch durch die neue Geburt „aus Wasser und Geist", im Glauben an den Sohn Gottes, empfängt jemand neues, ewiges Leben (Johannes 3,5.16). Nur so kann man dem „zweiten Tod" entgehen, der ewigen Existenz in Gottferne und Gericht (Offenbarung 20,14.15).

Denn das Unsichtbare von Gott wird geschaut, sowohl seine ewige Kraft als auch seine Göttlichkeit, die von Erschaffung der Welt an in dem Gemachten wahrgenommen werden –, damit sie ohne Entschuldigung seien.

Römer 1,20

Gedanken zum Römerbrief

Was ist es nun, das der Mensch, und sei es der einfachste Heide, im Lauf der Weltgeschichte von Gott in der Schöpfung erkennen kann? – Gott bewohnt „ein unzugängliches Licht"; der Mensch kann Ihn „nicht sehen" (1. Timotheus 6,16). Und doch: Etwas von dem „Unsichtbaren von Gott" kann „in dem Gemachten wahrgenommen werden".

Was sichtbar wird, ist zunächst Gottes *ewige Kraft*. Die Antwort Gottes an den klagenden Hiob zeigt viele Einzelheiten dieser Schöpfermacht auf. Schon Hiob erkannte an: „Ich weiß, *dass du alles vermagst* und kein Vorhaben dir verwehrt werden kann" (Hiob 38-41; 42,2).

Auch Gottes *Göttlichkeit* wird in der Schöpfung wahrgenommen. Zwar ist die Schönheit und Vollkommenheit der Schöpfung durch die Sünde des Menschen in Mitleidenschaft gezogen (Römer 8,19-21). Doch immer noch kann erkannt werden, dass diese vielfältige Vollkommenheit auf eine Kraft und eine Weisheit hindeutet, die *außerhalb* der Schöpfung liegen muss. Sie muss größer sein als alle Fähigkeiten des Menschen oder jedes anderen Geschöpfs. Nur *göttliche* Weisheit, nur *göttliche* Kraft kann das alles geschaffen haben.

Die Offenbarung Gottes in Jesus Christus geht viel weiter. Er offenbarte nicht nur *göttliche* Eigenschaften – in Ihm „wohnt die ganze Fülle der *Gottheit* leibhaftig" (Kolosser 2,9).

Die Heiden aber, die Jesus Christus nicht kennen, sind verantwortlich für das, was sie in der Schöpfung von Gott erkennen, und sind *deshalb* ohne Entschuldigung für ihre Gottlosigkeit.

Jeremia 51,1-33
Römer 15,14-22

 SA 05.18   SU 21.20

 MA 03.40   MU 17.41

Wir werden ihn sehen, wie er ist.

1. Johannes 3,2

„Man darf das Schiff nicht an einen einzigen Anker und das Leben nicht an eine einzige Hoffnung binden."

Was halten Sie von diesem Satz? Immerhin stammt er von Epiktet (ca. 50–138 n. Chr.), einem bedeutenden Philosophen des alten Griechenland. Doch noch einmal: Was halten Sie von einer solchen Aussage?

Wenn es um Gott geht, dann sage ich: Doch, gerade das tue ich! Ich hänge mein ganzes Leben an eine einzige Hoffnung! – An welche denn? Unser heutiger Bibelvers sagt es: Ich werde nach diesem Leben Den sehen, „der mich geliebt und sich selbst für mich hingegeben hat" – Jesus Christus, meinen Heiland und Herrn; ich werde in der Herrlichkeit des Himmels bei Ihm sein. Das macht das Leben erst lebenswert: ein Ziel zu haben, das die Mühen der Reise lohnt, eine Hoffnung zu besitzen, die keine Fata Morgana, sondern gesicherte Zukunft ist.

Doch wer gibt mir diese Sicherheit? – Nur einer: Er, der am Kreuz auf Golgatha „die Strafe zu meinem Frieden" getragen hat, der dort „zur Sünde gemacht" wurde, der als Gerechter für mich Ungerechten gelitten hat, um mich zu Gott zu führen. Er ist jetzt schon als Mensch in der Herrlichkeit des Himmels bei Gott und bürgt dafür, dass auch ich einmal dort sein werde.

Diese Tatsache ist tatsächlich „ein sicherer und fester Anker der Seele" (Hebräer 6,19). Daran kann ich mein ganzes Leben binden. Sei es noch durch den Tod hindurch, sei es, dass Jesus Christus wiederkommt und mich mit allen Kindern Gottes zu sich nimmt – Er ist das Ziel meines Lebens; Er soll auch dessen Inhalt und Kraft sein.

Dienstag **27** Mai

Als nun Jesus den Essig genommen hatte, sprach er: Es ist vollbracht!

Johannes 19,30

Der bekannte China-Missionar Hudson Taylor (1832–1905) hatte gläubige Eltern. An ihrem Beispiel merkte er sehr früh, wie hilfreich das Beten und wie wertvoll die Bibel ist.

Das vorbildliche Leben seiner Eltern beeindruckte ihn, und er versuchte, selbst auch ein so guter Christ zu werden wie sie. Aber das gelang ihm nicht. Ja, es konnte nicht gelingen, sagte er selbst später. – Alle seine Bemühungen scheiterten, und schließlich hielt er sich für einen hoffnungslosen Fall, der nach dem Tod nichts Gutes zu erwarten hatte. – Sollte er da nicht besser das irdische Leben in vollen Zügen genießen?, fragte er sich. Und er fand Freunde, die ihn in dieser Haltung bestärkten.

Eines Tages suchte Hudson in der Bibliothek seines Vaters nach interessantem Lesestoff. In einer Schachtel mit Pamphleten fand er eine kleine Evangeliumsschrift. – „Zu Beginn wird es eine Geschichte geben und am Schluss eine Predigt oder Moral", dachte er. „Ich werde den Anfang lesen und das Ende denen überlassen, die so etwas mögen."

Beim Lesen stieß Hudson auf den Ausdruck „das vollendete Werk Christi". Er überlegte, warum dort nicht einfach stand: „das Sühnungswerk Christi". Da erinnerte er sich an das Wort Jesu am Kreuz: „Es ist vollbracht!" – Was ist vollbracht? Er gab sich selbst die Antwort: „Eine vollständige und vollkommene Sühnung für die Sünden. Die ganze Schuld wurde durch Jesus Christus, den Stellvertreter, bezahlt."

Hudson überlegte weiter: „Wenn das ganze Werk vollbracht und die ganze Schuld bezahlt ist – was bleibt dann für mich zu tun übrig?" Und dann kniete er nieder, um das Erlösungswerk Jesu im Glauben für sich in Anspruch zu nehmen und seinem Erretter zu danken.

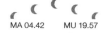

Judas Iskariot, einer von den Zwölfen, ging hin zu den Hohenpriestern, um Jesus an sie zu überliefern.

Markus 14,10

Judas Iskariot – dieser Name steht für schändlichen Verrat. Doch wie kam es dazu? Im dritten Kapitel des Markus-Evangeliums lesen wir, wie Judas von Jesus berufen wird und elf andere mit ihm. Sie werden die zwölf Apostel genannt. Judas genießt also etwa drei Jahre lang die höchsten Vorrechte. Er darf ständig in unmittelbarer Nähe von Jesus Christus sein, seine Worte hören, seine Wunder miterleben.

Judas sah gewiss nicht aus wie ein Schuft. Er gehörte ja zu den Nachfolgern Jesu, wenigstens äußerlich. Doch er hatte Jesus niemals wirklich als seinen *Herrn* anerkannt. Vielleicht hoffte auch er, dass sein Meister der König Israels werden würde. Denn dann würde auch er selbst einen guten Platz in seinem Reich bekommen. Dieser Jesus war ja wirklich beeindruckend. Wenn Er predigte, dann war das schon etwas Besonderes. Aber den errettenden Glauben an Jesus, den ewigen Sohn Gottes, den Heiland der Welt, nein, den hatte Judas nicht.

Als dann alles anders kam, als die Führer des Volkes den Meister verwarfen und deutlich wurde, dass sie Ihn nicht als König über Israel annehmen, sondern töten würden, da hielt Judas seine Zeit für gekommen. Er ging zu den Hohenpriestern und verriet Jesus für Geld. Was für eine schreckliche Tat!

Doch schon bald klagte ihn sein Gewissen an, denn er sah, dass er in Christus einen Unschuldigen verraten hatte. Er hatte mit der Gnade gespielt und alles verloren. Schließlich ging Judas fort und nahm ein schreckliches Ende. Seine Seele kam an den Ort ewiger Finsternis und Gottesferne (Markus 14,21).

Das Beispiel von Judas warnt uns, wie gefährlich es ist, ein Mitläufer zu bleiben. Jeder muss ein echter Jünger Jesu werden!

Jeremia 52,17-34
Römer 16,17-27

 SA 05.15 SU 21.24

 MA 05.19 MU 20.59

Vater, ich will, dass die, die du mir gegeben hast, auch bei mir seien, wo ich bin, damit sie meine Herrlichkeit schauen.

Johannes 17,24

In diesen Worten des Herrn Jesus Christus liegt eine gewaltige Zusage, die den glaubenden Christen über alles geht. In dieser Erwartung leben sie; und Ungezählte vor ihnen sind in dieser Gewissheit ruhig gestorben.

Was ist das Besondere an dem Willen des Herrn, den Er seinem Vater in diesem Gebet mit aller Bestimmtheit mitteilt? Nichts weniger, als dass alle, die an Ihn glauben, einst die Herrlichkeit des Himmels mit Ihm teilen sollen. – Vermutlich ist Ihnen das Außerordentliche dieser Tatsache sofort bewusst. Sterbliche Menschen sollen in Gottes Himmel kommen!

Da stolpern die meisten schon. Gibt es überhaupt einen Himmel? Können Tote auferstehen? Kann irgendein Mensch in diesem unbegreiflichen Jenseits leben, dessen Dimensionen uns völlig unbekannt sind? Und noch mehr Fragen ließen sich anschließen.

Allen Unklarheiten oder sogar Zweifeln, die Sie in dieser Sache haben, steht einfach das feste „Ich will" des Sohnes Gottes gegenüber. Das genügt. Was zählen dann alle Argumente, die sich nur auf begrenzte menschliche Erfahrung und Forschung berufen können? – Und was das Ärgernis für alle rein diesseits orientierten Menschen noch vergrößert: Jesus Christus ist aus dem Tod auferstanden und nach 40 Tagen in die Herrlichkeit des Himmels eingegangen. Diese bezeugten Tatsachen lassen sich nicht mit einer Handbewegung abtun.

Wenn Sie mit uns Christen die Herrlichkeit des Sohnes Gottes erleben wollen, dann müssen Sie an Ihn glauben, so wie die Bibel es sagt. Nur Er ist der Weg zum Vater und in sein himmlisches Haus.

Freitag | 30 | Mai

Der Teufel war ein Menschenmörder von Anfang an ... er ist ein Lügner und der Vater der Lüge.

Johannes 8,44

Vor einigen Jahren konnte man in einer Tageszeitung den Abschiedsbrief eines Drogenabhängigen lesen: „Ich werde heute Abend oder morgen früh mein Leben beenden, weil ein Fixer allen Verwandten und Freunden Ärger, Sorgen, Bitternis und Verzweiflung bringt. Er macht nicht nur sich selbst kaputt, sondern auch andere ... Körperlich bin ich eine Null ... Fixer sein ist immer der letzte Dreck, aber wer treibt die Leute, die jung, voller Lebenskraft auf die Welt kommen, ins Unglück? Es soll ein Warnbrief sein für alle, die mal vor der Entscheidung stehen: Na, versuche ich es mal? – Ihr Dummköpfe, seht es doch mal an mir!"

Die Bibel sagt uns, *wer* die Menschen mit falschen Versprechungen verführt und sie auch zu diesem gefährlichen Laster treibt. Es ist Satan, der „Menschenmörder von Anfang an". Satan verheißt ihnen interessante, glückliche und sorgenfreie Stunden. Doch sobald der Rausch vorüber ist, sieht das Leben genauso kaputt aus wie vorher. Keines der Probleme ist gelöst, und der nächste Rausch ist vorprogrammiert.

Wohin führt das? Irgendwann zum „goldenen Schuss", zur Überdosis? Jedenfalls aber zum Tod: „Der Lohn der Sünde ist der Tod" (Römer 6,23). Und damit ist nicht nur das Ende des Lebens auf der Erde gemeint, sondern auch die ewige Trennung von Gott und seiner Herrlichkeit.

Doch der Vers in Römer 6 geht weiter: „... die Gnadengabe Gottes aber ewiges Leben in Christus Jesus, unserem Herrn." – Ewiges Leben, das hier und heute beginnt für alle, die ihr Vertrauen auf Christus setzen. – Viele Menschen mit Suchtproblemen, die im Vertrauen auf Gott ihre Sucht zugaben und geeignete Hilfe in Anspruch nahmen, haben erfahren: Jesus macht wirklich frei!

Wenn es irgendein Unrecht oder eine böse Handlung wäre, o Juden, so hätte ich euch billigerweise ertragen; wenn es aber Streitfragen sind über Worte und Namen und das Gesetz, das ihr habt, so seht ihr selbst zu; über diese Dinge will ich nicht Richter sein.

Apostelgeschichte 18,14.15

Der Apostel Paulus befindet sich in unermüdlichem Einsatz für Christus, dessen Anhänger er früher einmal verfolgt hatte. Jetzt – während seiner zweiten Missionsreise – wird Paulus von Mitjuden angeklagt und vor den römischen Prokonsul Gallion gebracht. Zum Vorteil für Paulus und für die Verbreitung der guten Botschaft kommt es erst gar nicht zu einem Entscheid. Mit den eingangs zitierten Worten lehnt es der Prokonsul ab, über die Klage zu befinden.

Dabei klingt das, was Gallion sagt, ausgesprochen modern: Über Glaubensfragen will er nicht richten. – Um das Verhältnis von Religion und Staat würde im Abendland noch viele Hundert Jahre später erbittert gerungen werden, bis sich ihre Trennung durchgesetzt haben würde. Der Christ begrüßt die Religionsfreiheit nicht nur für sich selbst, sondern auch weil die Hinwendung von Menschen zu Christus nicht erzwungen werden kann. Sie muss aus eigenem Glaubensentschluss geschehen. Und das Neue Testament lehrt uns, dass die Gemeinde nicht zum Regieren über die Welt berufen ist, sondern zur Leidensnachfolge Jesu.

Beim Lesen der Worte Gallions drängt sich allerdings der Eindruck auf, dass seine Haltung auch auf persönlicher Gleichgültigkeit beruht. So gut es ist, dass er keine Entscheidung *als Richter* fällt, so gefährlich ist seine *persönliche* Gleichgültigkeit in dieser Frage: An Christus und am Kreuz achtlos vorüberzugehen – das bedeutet ja, das ewige Heil abzulehnen, das uns im Evangelium angeboten wird.

Klagelieder 2,1-10
Psalm 43,1-5

 SA 05.12   SU 21.28

 MA 07.43   MU 22.23

> *... weil sie, Gott kennend, ihn weder als Gott verherrlichen noch ihm Dank darbrachten, sondern in ihren Überlegungen in Torheit verfielen und ihr unverständiges Herz verfinstert wurde.*
>
> *Römer 1,21*

Gedanken zum Römerbrief

Hier finden wir den zweiten Grund, warum die Heiden ohne Entschuldigung für ihre Gottlosigkeit sind und zu Recht unter Gottes Zorn stehen: Sie hatten Kenntnis von Gott, aber das hatte keine Konsequenzen für ihr Leben.

Der Ausdruck „das von Gott *Erkennbare*" (V. 19.20) hatte auf die *Möglichkeit* hingewiesen, Gottes Größe in der Schöpfung zu erkennen. Hier in Vers 21 wird nun eine gewisse Kenntnis Gottes durch die Heiden zu einem bestimmten Zeitpunkt in der Geschichte *fest vorausgesetzt;* es heißt: „Gott *kennend*".

Die Menschheit besaß einmal eine gewisse Kenntnis von dem *einen* wahren Gott. Doch diese Kenntnis haben die Heiden mutwillig aufgegeben und sich stattdessen Götzen gemacht (V. 28.23).

Die Entwicklung der Menschheit führte also nicht von der Vielgötterei zum Glauben an den einen Gott, sondern verlief genau umgekehrt. Zuerst war der Glaube an den einen Gott da. Sein Handeln hatte der Mensch erlebt, zum Beispiel im Gericht durch die Sintflut und im Neuanfang mit der Menschheit in Noah und seinen Nachkommen.

Für wenige Generationen *kannte* der Mensch den einen wahren Gott. Dann aber kam es zur erneuten Auflehnung und schließlich auch zum Götzendienst. Doch die Erinnerung an die weltweite Flut ist in vielen Völkern mündlich weitergegeben worden und verbunden damit auch die verschwommene Erinnerung an einen Schöpfer-Gott, der über allem steht.

Die Völker der Welt *kannten* Gott einmal, *aber sie wollten Ihm nicht dienen.*

Klagelieder 2,11-22
Psalm 44,1-8

 SA 05.12 SU 21.29

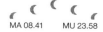 MA 08.41 MU 23.58

Montag | 2 | Juni

Der Gruß mit meiner, des Paulus, Hand, was das Zeichen in jedem Brief ist; so schreibe ich. Die Gnade unseres Herrn Jesus Christus sei mit euch allen!

2. Thessalonicher 3,17.18

Der 62-jährige Peadar Gallagher macht, wie so häufig, nachmittags seinen Spaziergang an der irischen Atlantikküste. Da er mit wachen Augen durch die Welt geht, fällt sein Blick auf eine Flasche, die die Wellen an den Strand gespült haben. Flaschen am Ufer sind keine Seltenheit, das weiß Mr. Gallagher; und doch macht er sich die Mühe, sie näher zu untersuchen.

Tatsächlich, es ist eine besondere Flasche, eine Flaschenpost! Teilnehmer einer Hundeschlitten-Expedition zum Nordpol hatten sie drei Jahre zuvor hinter einem Eiskamm ins Meer geworfen, und die Strömung hatte sie wohlbehalten bis nach Irland transportiert. – Erfreulich zu hören, dass der Wanderer 5000 Dollar Belohnung erhalten hat.

Der Gruß des Apostels Paulus an die Christen in Thessalonich hat eine viel längere Reise hinter sich, eine Reise von ungefähr 1960 Jahren. Solch ein ehrwürdiges Dokument pflegt man mit großer Hochachtung zu betrachten. Es ist schon ein Wunder an sich, dass dieser Brief und die anderen Bücher der Bibel die unübersehbaren Gefahren der Geschichte überstanden haben.

Wie oft ist die Bibel bis heute in Zeiten von Christenverfolgungen beschlagnahmt und zerstört worden! Ganze Heerscharen von feindlichen Agenten haben sich darum bemüht. Doch hat Gott uns diese schriftlichen Zeugnisse zuverlässig bewahrt, damit wir uns von ihrem ewig gültigen Inhalt leiten lassen.

Übrigens: Möchten Sie nicht die Gnade des Herrn Jesus Christus, die der Apostel den Briefempfängern wünscht, persönlich kennenlernen? Auch wir Menschen von heute haben sie bitter nötig.

Der jüngere Sohn brachte alles zusammen und reiste weg in ein fernes Land, und dort vergeudete er sein Vermögen, indem er ausschweifend lebte.

Lukas 15,13

„Vater, gib mir!" – Mit diesen Worten verlangte der Sohn in diesem Gleichnis seinen Anteil am väterlichen Erbe. Der Vater wird geahnt haben, wie sein Sohn damit umgehen würde, und doch zahlte er ihm das Erbe vorzeitig aus.

Mit prall gefülltem Geldbeutel verlässt der junge Mann dann das elterliche Anwesen. In der Fremde führt er ein herrliches Leben – wie er eine Zeit lang meint. Doch bei seinem ausschweifenden Lebensstil ist das Vermögen schnell aufgezehrt. Gerade zu diesem Zeitpunkt kommt eine Hungersnot. Seine Freunde lassen ihn im Stich; jeder muss selbst sehen, wie er überlebt. Eben noch war er der reiche Partyboy, jetzt ist er ein hungernder Landstreicher. In seiner Not findet er Arbeit bei einem Bauern: Er darf die Schweine hüten. Doch selbst hier muss er Hunger leiden.

Beim Schweinehüten wird ihm klar, wie falsch es gewesen war, seinem Vater den Rücken zu kehren. Er will zu ihm zurückkehren und ihm sagen: „Vater, ich habe gesündigt gegen den Himmel und vor dir, ich bin nicht mehr würdig, dein Sohn zu heißen." – Doch wird der Vater ihn annehmen? Mit klopfendem Herzen macht er sich auf den Weg.

Mit welcher Sehnsucht hat der Vater darauf gewartet, dass sein verlorener Sohn zurückkehrt! Als er ihn in der Ferne erblickt, läuft er ihm entgegen, umarmt ihn und küsst ihn. Ohne Rücksicht auf das heruntergekommene Äußere nimmt der Vater das Bekenntnis seines Sohnes an und vergibt ihm die ganze Schuld.

Diese Geschichte erzählt Jesus Christus als Beispiel dafür, wie Gott verlorene Menschen annimmt, die zu Ihm umkehren und Ihm ihre Schuld offen bekennen.

Klagelieder 3,25-51
Psalm 44,18-27

 SA 05.10   SU 21.31

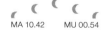 MA 10.42   MU 00.54

Der Sohn aber sprach zu ihm: Vater, ich habe gesündigt gegen den Himmel und vor dir.
Ebenso wird Freude im Himmel sein über einen Sünder, der Buße tut.

Lukas 15,21.7

Georg, ein achtjähriger Junge in Kamerun, ist in einer christlichen afrikanischen Familie aufgewachsen und kennt viele biblische Geschichten. Eines Tages ist er zu Besuch bei Missionarinnen in der Hauptstadt.

Als Georg nach dem Essen in der Küche beim Abtrocknen hilft, fragt er plötzlich: „Wie hieß eigentlich der verlorene Sohn?" – „Der Name steht nicht in der Bibel", antwortet die Missionarin, „vielleicht hieß er Paul … oder Georg, so wie du. Aber wie steht es mit dir, Georg? Bist du schon zu Gott umgekehrt?" – „Nein, das bin ich noch nicht", antwortet der Junge. – „Hast du denn schon gesündigt?" – Die Antwort kommt ohne Zögern: „Ja, schon oft!" – „Dann bekenne doch dem Herrn Jesus jetzt alles Böse, an das du dich erinnern kannst. Und bitte Ihn, in dein Herz zu kommen. Schieb es besser nicht auf. Du kannst dazu in mein Zimmer gehen, da bist du ungestört", rät ihm die Missionarin.

Schweigend trocknet Georg zunächst weiter ab. Doch nach einigen Minuten legt er das Geschirrtuch weg und zieht sich in das ruhige Zimmer zurück. Eine Viertelstunde später geht die Missionarin ihm leise nach. Da findet sie Georg mit verweintem Gesicht. Er hat sich hingekniet und Gott von seinen Lügen und seinem Ungehorsam gesagt, alles Böse, was er getan hatte und woran er sich noch erinnern konnte. – Georg hat seine Schuld offen vor Gott bekannt; und Gott hat ihm vergeben.

Als er wieder nach Hause kommt, erzählt er seinen Eltern froh von seiner Bekehrung. Das löst große Freude aus. Und in der Umgebung merkt man die Veränderung: Georgs Verhalten zeigt, dass er ein Kind Gottes geworden ist.

Donnerstag 5 Juni

Lasst uns essen und fröhlich sein; denn dieser mein Sohn war tot und ist wieder lebendig geworden, war verloren und ist gefunden worden. Und sie fingen an, fröhlich zu sein.

Lukas 15,23.24

In diesem Gleichnis des Herrn Jesus erkennt der Vater mit großer Freude, dass sein Sohn nicht nur äußerlich, sondern von ganzem Herzen zu ihm zurückgekehrt ist. Das ist der Anlass zu einem großen Fest. Nur einer fehlt noch: der ältere Bruder. Er ist bei der Feldarbeit. Als er dann nach Hause kommt und die fröhliche Musik hört, erkundigt er sich nach dem Grund. Und als er den erfährt, wird er ärgerlich.

Im Gegensatz zu seinem erlebnishungrigen Bruder hat er dem Vater doch immer treu gedient und alle seine Gebote gehalten. Aber für ihn wurde nie ein Fest gefeiert. Doch als sein Bruder heimkommt, der dem Vater so viel Kummer bereitet und sein Geld verprasst hat, da wird gefeiert! – Ist das nicht ungerecht?

Der ältere Sohn will deshalb nicht zur Feier hineingehen. Als sein Vater ihn ausdrücklich darum bittet, wirft er ihm vor: „Mir hast du niemals ein Böcklein gegeben, damit ich mit meinen Freunden fröhlich wäre." Da wird seine innere Einstellung deutlich: Er würde gern mit seinen Freunden feiern; der Vater soll dabei jedoch außen vor bleiben. In diesem wichtigen Punkt unterscheidet er sich also gar nicht von seinem Bruder, dem „verlorenen Sohn".

Vielleicht meint jemand, seine moralisch einwandfreie Lebensführung würde Gott zufriedenstellen. Dafür müsse Er ihm ein gutes Leben ermöglichen und ihn später in den Himmel aufnehmen. – Doch eine so selbstgerechte Haltung führt nie zu wahrer Gemeinschaft mit Gott, weder auf der Erde noch im Himmel. Niemand wird im Himmel sein, der sich diesen Platz mit guten Werken und eigener Gerechtigkeit erworben hätte. Dort werden nur begnadigte Sünder sein.

Trügerische Waagschalen sind dem HERRN ein Gräuel, aber volles Gewicht ist sein Wohlgefallen.

Sprüche 11,1

Denn ein Gott des Wissens ist der HERR, und von ihm werden die Handlungen gewogen.

1. Samuel 2,3

Im Supermarkt

Ich stehe in der Warteschlange an der Kasse und frage mich, ob die gut gekleidete Frau vor mir Waren in ihrer Tasche versteckt hat. Die Kassiererin bemerkt nichts. – So etwas läuft unter der Rubrik „Schwund".

Doch wenn es wirklich Ladendiebstahl war, dann hat es einen Zeugen gegeben, dem das kleine Betrugsmanöver nicht entgangen ist. Und das ist Gott. Er hat alles gesehen, und für Ihn heißt das Diebstahl und nicht anders.

Betrug in jeder Form wird nach menschlichem Recht bestraft. Trotzdem passieren jeden Tag zahllose Betrügereien, und die strikte Ehrlichkeit anderen Menschen gegenüber wird sogar oft herabsetzend als Naivität oder Schwäche angesehen. Dabei würde letztendlich jeder nur gewinnen, wenn es in allem mit rechten Dingen zuginge. Doch Gott nimmt Kenntnis von alledem, vom geringsten Verstoß gegen die Ehrlichkeit bis zum größten Schwindel, und sein Wort sagt seit jeher, dass „trügerische Waagschalen dem HERRN ein Gräuel" sind.

Die Dame wäre sehr erstaunt, wenn man ihr sagen würde, dass ihr eines Tages die unbezahlte Rechnung präsentiert wird – nicht vom Filialleiter, sondern von Gott, der zu rechnen weiß und dessen „Bücher" auf dem letzten Stand sind. Es ist eine Torheit zu glauben, dass man irgendetwas vor Ihm verbergen könnte. Und ganz abgesehen vom künftigen Gericht, geht die Rechnung mit diesen unehrlichen Praktiken auch deshalb nicht auf, weil ein gutes Gewissen unbezahlbar ist.

Klagelieder 5,1-22
Psalm 46,1-12

 SA 05.08   SU 21.34

 MA 13.51   MU 01.41

> *... die ein Schatten der zukünftigen Dinge sind, der Körper aber ist des Christus.*
>
> Kolosser 2,17

Das Alte Testament ist eine Art „Bilderbuch", das im Neuen Testament erklärt wird. Es ist ein Buch voller „Schattenbilder". Der Opferdienst der Israeliten, die Festzeiten, die Gesetze über reine und unreine Speisen, die vielen Rituale usw. sind solche Schatten. Der Schatten eines Gegenstandes ist natürlich nicht der Gegenstand selbst. Aber wenn man den Schatten sieht, kann man oft schon erkennen, um welchen Gegenstand es sich handelt.

Wenn man nun das Alte Testament liest, sollte man sich unbedingt fragen: „Was für ein Gegenstand gehört zu diesem Schatten?" Paulus antwortet darauf ganz allgemein: „Der Körper ist des Christus." Das will sagen, die Aussagen des Alten Testaments verdeutlichen irgendetwas, was Christus betrifft.

Ein einfaches Beispiel eines Schattenbildes, das sich wie ein roter Faden durch das ganze Alte Testament zieht, ist das Lamm bzw. das Opfertier. Schon die Kleider aus Fell, die Gott dem ersten Menschenpaar nach dem Sündenfall machte, zeigen uns, dass ein Tier stellvertretend für sie sterben musste. Auch Abraham musste später anstelle seines Sohnes einen Widder opfern. Lesen Sie auch, was über das Passahlamm gesagt wird! (1. Mose 3,21; 22,13; 2. Mose 12,5-13).

Im Neuen Testament finden wir dann den „Gegenstand". Was sagt Johannes der Täufer über Jesus, als er Ihn sah? Genau! „Siehe, das Lamm Gottes, das die Sünde der Welt wegnimmt!" (Johannes 1,29). Jesus Christus ist also das stellvertretende Sühnopfer für die, die an Ihn glauben. Und im letzten Buch der Bibel erscheint noch einmal das geschlachtete Lamm – aber es lebt! Ja, Christus ist auferstanden, Er lebt!

---

3. Mose 1,1-17
Psalm 47,1-10

 SA 05.08   SU 21.34

 MA 14.57   MU 02.03

In Christus seid ihr auch, nachdem ihr geglaubt habt, versiegelt worden mit dem Heiligen Geist der Verheißung.

Epheser 1,13

Wenn jemand das „Evangelium des Heils" – die gute Botschaft von Jesus Christus und seinem Sühnungstod – im Glauben annimmt, empfängt er den Heiligen Geist. Dieser ist wie ein Siegel, das Gott jedem Gläubigen aufprägt. Was bedeutet nun diese Versiegelung mit dem Heiligen Geist für den Christen?

Das Siegel unter einer Urkunde bestätigt, dass das betreffende Dokument sowohl abgeschlossen als auch echt ist. So bestätigt das Siegel des Heiligen Geistes in Bezug auf die Gläubigen, dass sie in Jesus Christus ein volles Heil empfangen haben, dem nichts mehr hinzugefügt werden kann.

Andererseits gehört nur derjenige wirklich Christus an, der den Heiligen Geist empfangen hat: „Wenn aber jemand Christi Geist nicht hat, der ist nicht sein". Und: „Der Geist selbst bezeugt mit unserem Geist, dass wir Kinder Gottes sind." So wird die Echtheit eines Gläubigen durch den Heiligen Geist bezeugt (Römer 8,9.16).

Ein Siegel bekundet aber auch einen Eigentumsanspruch. Christen gehören Gott mit allem, was sie sind und haben. Sie gehören weder sich selbst noch der Welt, sondern sind Gottes Eigentum. Deshalb sollte ihr Leben Ihn ehren.

Schließlich bedeutet die Versiegelung mit dem Geist auch völlige Sicherheit. Wer zum Glauben an Christus gekommen ist, gehört nicht nur Gott an, sondern steht auch unter seinem Schutz. Niemand kann einen Gläubigen aus der Hand Gottes rauben – weder jetzt noch in der Zukunft. Der Herr selbst hat es verheißen, und der Geist Gottes ist die Bestätigung dafür. Der Gläubige steht in alle Ewigkeit unter dem Schutz des mächtigen Gottes, der auch sein Vater ist (Johannes 10,27-30).

---

3. Mose 2,1-16
Psalm 48,1-15

SA 05.07 SU 21.35   MA 16.05 MU 02.27

Wenn er (der Heilige Geist) gekommen ist, wird er die Welt über-
führen von Sünde und von Gerechtigkeit und von Gericht.

Johannes 16,8

Der Herr Jesus Christus hatte seinen Jüngern erklärt, dass Er am
Kreuz für Sünder leiden und sterben würde. Doch dann würde Er auf-
erstehen und zu seinem Vater im Himmel zurückkehren. Die Jünger
waren traurig darüber, dass ihr Herr sie verlassen würde. Da tröstete
Er sie mit dem Hinweis, dass Er ihnen an seiner Stelle einen anderen
Sachwalter oder Fürsprecher senden wollte: den Heiligen Geist.

Aus Apostelgeschichte 2 wissen wir, dass der Heilige Geist dann
nach der Himmelfahrt Jesu auf die Erde kam – als göttliche Person,
die in jedem Wohnung nimmt, der an den Sohn Gottes und sein Sühnungswerk glaubt.

Der Heilige Geist ist für die Gläubigen die Kraft des neuen, göttlichen Lebens; Er leitet sie an, Gottes Wort zu verstehen; Er verwendet
sich für sie vor Gott; und Er ist das „Pfand" dafür, dass sie das himmlische Ziel erreichen und die Fülle des Segens empfangen werden.

So ist jetzt nicht mehr Christus, sondern der Heilige Geist auf dieser
Erde. Dadurch werden, wie die folgenden Verse in Johannes 16 erläutern, drei Tatsachen bezeugt, die die ungläubige Welt ohne Entschuldigung dastehen lassen:

1. Ihre *Sünde* steht fest – sie wollte sich dem Sohn Gottes nicht
   unterwerfen, sondern hat Ihn verworfen und ans Kreuz gebracht.
2. Gegenüber dieser Ungerechtigkeit des Menschen hat Gott
   seine *Gerechtigkeit* erwiesen: Er hat Jesus Christus auferweckt und Ihm den höchsten Platz zu seiner Rechten gegeben.
3. „Der Fürst dieser Welt ist gerichtet." – Die Gegenwart des Heiligen Geistes auf der Erde bezeugt auch den Sieg, den der
   Herr am Kreuz über den Teufel errungen hat.

3. Mose 3,1-17
Psalm 49,1-11

SA 05.07   SU 21.36   MA 17.14   MU 02.53

Ich habe deine Übertretungen getilgt wie einen Nebel und wie eine Wolke deine Sünden.

Jesaja 44,22

Sicher haben Sie schon einmal beobachtet, wie Gewitterwolken vom Wind weggetrieben werden. Wo vorher nur Dunkelheit und Bedrückung waren, kommen dann der blaue Himmel und die Sonnenstrahlen wieder zum Vorschein. Vielleicht sehnen Sie sich danach, dass so etwas auch in Ihrem Leben geschieht. Gott sagt, dass das möglich ist! Er selbst will das bewirken: „Ich habe deine Übertretungen getilgt wie einen Nebel und wie eine Wolke deine Sünden."

Wenn wir darüber nachdenken, wird uns klar, dass die Sünde tiefe Dunkelheit in unser Leben gebracht hat. Die Bibel sagt uns, wie entscheidend die Sünde nicht nur das Leben, sondern auch die Zukunft des Menschen prägt: „Der Lohn der Sünde ist der Tod." Wegen unserer Sünden verdienen wir das ewige Verderben; aber Gott bietet uns an, die Sünden zu tilgen und uns seine „Gnadengabe" zu geben: das ewige Leben (Römer 6,23).

Wie kann Gott das tun? Sein eigener Sohn ist am Kreuz für uns in den Tod gegangen: „Gott erweist seine Liebe zu uns darin, dass Christus, da wir noch Sünder waren, für uns gestorben ist." Christus hat sein sühnendes Blut gegeben, das alle unsere Sünden tilgen kann: „Das Blut Jesu Christi, seines Sohnes, reinigt uns von aller Sünde" (Römer 5,8; 1. Johannes 1,7).

Durch die Kraft des Blutes Jesu will Gott auch Ihre Sünden tilgen, damit Sie eine „wolkenlose" Ewigkeit bei Ihm verbringen können! Er wird es tun, wenn Sie zu Ihm umkehren und Ihm Ihre Sünden bekennen! „Wenn wir unsere Sünden bekennen, so ist er treu und gerecht, dass er uns die Sünden vergibt und uns reinigt von aller Ungerechtigkeit" (1. Johannes 1,9).

In meiner Bedrängnis rief ich zu dem HERRN, und ich schrie zu meinem Gott; er hörte aus seinem Tempel meine Stimme, und mein Schreien vor ihm kam in seine Ohren.

Psalm 18,7

Was irgend mir Gewinn war, das habe ich um Christi willen für Verlust geachtet.

Philipper 3,7

In einem Eisenbahnabteil unterhielten sich einige Reisende über alles Mögliche – wie alles sein müsste und wie es nicht sein sollte. Eine alte Dame von kleiner Gestalt, mit faltigem Gesicht, hörte ihnen zu. Da sprach einer der Reisenden sie an: „Was denken Sie denn?"

„Wissen Sie", antwortete sie mit fremdländischem Akzent, „was mich betrifft: Ich habe alles verloren. Früher, in meinem Heimatland, war ich reich und lebte mit meiner Familie zusammen. Aber der Bürgerkrieg hat alles weggefegt. Seit Jahren bin ich allein in einem fremden Land. Ich musste ungewohnte Arbeit annehmen, um mein Auskommen zu haben. Doch ich sehne mich nach nichts zurück. In meiner Einsamkeit habe ich Gott gefunden. Jetzt kenne ich Jesus Christus. Als ich noch im Wohlstand lebte, war ich nie wirklich glücklich, nie innerlich befriedigt. Aber in Jesus habe ich wahres Glück gefunden."

Es war still geworden im Abteil, und das sehr zu Recht. Denn es ist der Mühe wert, einmal über die Wechselfälle des Lebens nachzudenken: heute Wohlstand, morgen vielleicht Leiden, Krankheit und Not. Aber äußeres Unglück muss nicht die Hoffnung zerstören, denn echtes Glück liegt nicht in den vergänglichen Gütern und auch nicht in der menschlichen Liebe, so wertvoll und wichtig sie auch ist. Wahres Glück ist nur in Jesus Christus zu finden. Er gibt Frieden, Freude und Trost und – ewiges Leben. „Rufe mich an am Tag der Bedrängnis: Ich will dich erretten, und du wirst mich verherrlichen!" (Psalm 50,15).

3. Mose 4,13-26
Psalm 50,1-15

 SA 05.06   SU 21.38

 MA 19.36   MU 04.00

Er kehre um zu dem HERRN, so wird er sich seiner erbarmen, und zu unserem Gott, denn er ist reich an Vergebung.

Jesaja 55,7

Neues Leben

Ach! So manchem Menschen-Bruder
lief das Leben aus dem Ruder,
dass er schließlich Schiffbruch litt.
Soll er ziellos weitertreiben?
Nein! Dabei darf es nicht bleiben!
Umkehr ist der erste Schritt.

Mancher kam auch, früher, später
unter dieses Lebens Räder,
denn ein Unfall lief so dumm!
Aber auch für solche Fälle
gibt's zur Hilfe eine Quelle:
in dem Evangelium!

Ja, nach solchen schlimmen Sachen
einen Neuanfang zu machen,
bietet Gott Gelegenheit.
Zwar wird es mit eignem Ringen
keinem Menschen je gelingen,
aber Jesus, Er befreit!

Gott will Sünd und Schuld vergeben,
und gar schenken neues Leben
dem, der Christus sich ergibt.
Dich auf Ihn, den Retter, stütze,
mache dir sein Heil zunütze,
sieh doch, wie der Herr dich liebt!

P. W.

So viele ihn aber aufnahmen, denen gab er das Recht, Kinder Gottes zu werden, denen, die an seinen Namen glauben.

Johannes 1,12

Das Angebot in Anspruch nehmen

Ein Theologe beobachtete einmal in London einen Mann, der als Plakatträger umherging, um die Leute in ein bestimmtes Restaurant einzuladen. In großen Buchstaben priesen die beiden Plakate die Speisekarte an. Dann aber entdeckte der Beobachter, dass der Plakatträger vor Hunger kaum noch weiterkonnte. Während er andere zum Essen einlud, litt er selber Hunger.

Da kam dem Theologen blitzartig die Einsicht, dass er es ähnlich machte wie der Plakatträger. Er verkündigte die Botschaft von Christus und seinem Heil, aber für sich persönlich hatte er es noch nicht in Anspruch genommen. Das wurde für ihn der Anlass, den Herrn Jesus in sein Leben aufzunehmen.

Wenn nicht einmal das Predigen des Evangeliums uns zu einem wahren Christen machen kann, dann genügt natürlich auch die bloße Teilnahme an Gottesdiensten nicht. Ein Christ ist nicht einfach jemand, der einer christlichen Glaubensgemeinschaft angehört. Mitgliedschaft in einer Kirche oder Freikirche ist ja möglich, ohne dass man eine echte persönliche Beziehung zu Gott hat.

Das Beispiel des Theologen zeigt uns, worauf es ankommt: Wir müssen das Angebot Gottes, die gute Botschaft, persönlich für uns in Anspruch nehmen. Das geschieht dadurch, dass wir Jesus Christus, den von Gott gesandten Retter, im Glauben in unser Leben aufnehmen. Wer sein Vertrauen auf Jesus Christus setzt und auf seinen Kreuzestod, der tritt in eine ewig gültige persönliche Beziehung zu Gott ein. Von diesem Augenblick an darf er Gott als seinen Vater kennen. – Stellen wir uns also die Frage: „Bin ich ein echter Christ?"

---

3. Mose 5,1-13
Psalm 51,1-11

 SA 05.06   SU 21.39

 MA 21.43   MU 05.38

Nicht von Brot allein soll der Mensch leben, sondern von jedem Wort, das durch den Mund Gottes ausgeht.

Matthäus 4,4

Der Mensch sorgt sich verständlicherweise um sein Leben; er möchte es sichern und erhalten. Das tägliche Brot ist dazu eine wichtige Voraussetzung. Erwerbsfähigkeit und eine Arbeitsstelle sind nötig sowie die Funktionsfähigkeit von Wirtschaft und Staat.

Einmal aber kommt ein Tag im Leben, wo die Gesundheit versagt und der Körper vielleicht kaum noch Nahrung aufnehmen kann. Spätestens dann überlegt man, ob das Leben nicht doch mehr umfasst als nur Nahrungsaufnahme und die übrigen Funktionen des Körpers. Der Mensch lebt eben nicht von Brot allein.

Wie soll es dann weitergehen? – Gibt es nicht noch mehr als bloß körperliches Wohlbefinden und materielle Befriedigung? Vielleicht sind die Gedanken bisher nie über das materielle Leben hinausgegangen. Man hat einfach das Geistige dem Materiellen untergeordnet.

Aber Gott hat mit dem Menschen weit mehr vor, als ihn bloß im Materiellen leben und sterben zu lassen. Gott möchte zu seinem Geschöpf reden und von ihm gehört und verstanden werden. Dazu hat Er dem Menschen sein Wort gegeben. Die Bibel ist Gottes Wort. Und Jesus Christus ist das Wort, das ewige Wort, das Mensch geworden ist. Wenn jemand das Wort Gottes glaubend in sich aufnimmt – ähnlich wie man Nahrung in sich aufnimmt –, empfängt er ein Leben, das von der Vergänglichkeit und vom Tod des menschlichen Körpers nicht angetastet werden kann. – Wer an den Sohn Gottes glaubt, hat ewiges Leben. Das ist Leben aus Gott, mit Gott und für Gott (vgl. Johannes 3,36).

Haben Sie diesen lebendigen Glauben an Jesus Christus, den Sohn Gottes? – Er ist ja „das Brot des Lebens" (Johannes 6,48).

---

3. Mose 5,14-26
Psalm 51,12-21

 SA 05.05 SU 21.39

 MA 22.34 MU 06.43

> *... weil sie, Gott kennend, ihn weder als Gott verherrlichen noch ihm Dank darbrachten, sondern in ihren Überlegungen in Torheit verfielen und ihr unverständiges Herz verfinstert wurde.*
>
> Römer 1,21

Gedanken zum Römerbrief

Kenntnis von Gott zu besitzen bringt für jedes Geschöpf die Verpflichtung mit sich, Gott als Gott zu *ehren* und Ihm zu *danken*. Der Mensch soll Gott in seinem Leben den Platz einräumen, der Ihm *als Gott* rechtmäßig zukommt.

Dann erkennt der Mensch an, dass Gott das Recht hat, über sein Geschöpf zu bestimmen. Dann fragt er als Geschöpf Gottes auch nach dem Willen Gottes. Dann steht er staunend vor der Herrlichkeit des Schöpfers und sucht in seinem Leben etwas von der Herrlichkeit Gottes widerzuspiegeln (vgl. 1. Mose 1,26. 27). Und schließlich wird er Gott auch für seine Güte danken. – Aber will der Mensch das überhaupt?

Nein, die ersten Kapitel des Römerbriefes zeigen, dass der Mensch Gott nicht den Platz einräumen will, der Ihm zusteht. Der Niedergang der Heidenvölker, der in diesen Versen beschrieben wird, nimmt gerade mit dieser ablehnenden Einstellung *Gott* gegenüber seinen Anfang.

Die Heiden beginnen damit, *Gott* die Ihm zustehende Ehre zu verweigern, und sie enden damit, dass sie sich *untereinander* entehren und schänden (V. 26-32). – Das ist immer so: Von der Beziehung eines Menschen zu Gott wird auch die Beziehung zu den Mitmenschen beeinflusst. Und wer Gott und seine Maßstäbe aufgibt, der hat auch keine Maßstäbe mehr, wenn es um die Ehre und Würde des Menschen als Geschöpf Gottes geht. Zumindest sind es keine *allgemeingültigen* Maßstäbe mehr.

Wer sich vom Gott der Bibel verabschiedet hat, wird auch für die aktuellen Fragen unserer Zeit und Gesellschaft keine gültigen Antworten mehr finden.

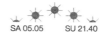

Wer sein Herz verhärtet, wird ins Unglück fallen.

Sprüche 28,14

Immer wieder einmal schrecken uns lärmende Auto-Alarmanlagen aus dem Schlaf auf. Manche Autobesitzer stellen den Alarm so empfindlich ein, dass schon das Vorübergehen von Fußgängern die Sirene auslösen kann.

Unangemessenen Umgang mit „Alarmanlagen" gibt es auch in anderen Bereichen. Und jetzt meinen wir nicht die Sicherung *materieller* Güter, sondern die Bewahrung *sittlicher* Werte. Das Problem dabei sind nicht zu scharf eingestellte Anlagen, sondern Wertanzeiger, deren Empfindlichkeit stark herabgesetzt ist – und das manchmal bis zur völligen Abstumpfung.

Die Stimme des von Gott gegebenen Gewissens ist ein solcher „Sensor" und alarmiert uns, wenn unser Denken, Reden oder Tun nicht mit dem Willen Gottes übereinstimmt. Natürlich ist nicht das Gewissen selbst der Maßstab für Gut und Böse; der Maßstab ist das, was Gott darüber denkt und uns in der Bibel mitgeteilt hat.

Und da können Menschen oder ganze Völker die Empfindsamkeit dieser „Alarmanlage" gewaltig herabsetzen: Die Einzelnen nehmen die Normen der Bibel gar nicht mehr zur Kenntnis; und die Gesellschaft streicht Wertvorstellungen, die von der Bibel geprägt waren, einfach aus dem kollektiven Gedächtnis. So will man unbequeme „Ruhestörungen" vermeiden. – Doch wer sein Herz verhärtet, bringt sich selbst um das wirkliche Glück und das ewige Heil.

Daher sollte sich jeder fragen: Empfinde ich, dass ich mit Gott nicht im Reinen bin? Beunruhigt mich das, raubt es mir vielleicht sogar den Schlaf? Dann wäre es gefährlich, die „störende" Stimme des Gewissens einfach zum Schweigen zu bringen. Jetzt gilt es, die Schuld des eigenen Lebens vor Gott zu bekennen, um durch Jesus Christus Vergebung und ein gereinigtes Gewissen zu empfangen.

Frohlocke laut, Tochter Zion; jauchze, Tochter Jerusalem! Siehe, dein König wird zu dir kommen: Gerecht und ein Retter ist er, demütig und auf einem Esel reitend.

Sacharja 9,9

Christus, der Retter (1)

Wer von Rettung und von einem Retter redet, setzt eine Notlage voraus, in der Hilfe und Befreiung nötig ist. Tatsächlich hat die Sünde dem Menschen eine Vielzahl von Nöten eingebracht: Entfremdung von Gott, Krankheit, Feindschaft, den Tod und das ewige Verderben.

Da stellt sich von jeher die Frage, wo es Hilfe und Rettung für den Menschen gibt. David, der Psalmdichter und König Israels, kannte die Antwort. In seiner Jugend hatte er viel Bedrängnis und Verfolgung zu erleiden, dabei aber immer wieder die Rettung Gottes erfahren.

In vielen Psalmen rühmt David Gott als den Retter: „Die Rettung der Gerechten ist von dem HERRN, der ihre Stärke ist zur Zeit der Bedrängnis; und der HERR wird ihnen helfen und sie erretten; er wird sie erretten von den Gottlosen und ihnen Rettung verschaffen, denn sie nehmen Zuflucht zu ihm" (Psalm 37,39.40).

Häufig hat Gott auch Menschen benutzt, um seinem ganzen Volk oder Einzelnen in einer Notlage zu helfen. Doch letzten Endes war Er selbst der Retter, Er allein: „Ich aber bin der HERR, dein Gott, vom Land Ägypten her; und du kennst keinen Gott außer mir, und da ist kein Retter als nur ich" (Hosea 13,4).

Doch die vielfältigen Rettungen, die Gott seinem Volk in der Zeit des Alten Testaments gewährt hat, waren in erster Linie Befreiungen aus irdischen Notlagen. Zur Rettung von den Sünden, also zur ewigen Errettung verlorener Menschen, musste der Sohn Gottes auf die Erde kommen. Sein Kommen als Retter wurde durch den Propheten Sacharja angekündigt, wie wir eingangs gelesen haben.

---

3. Mose 7,22-38
Psalm 54,1-9

 SA 05.05 SU 21.41

 MA 00.24 MU 10.31

Maria wird einen Sohn gebären, und du sollst seinen Namen Jesus nennen; denn er wird sein Volk erretten von ihren Sünden.

Matthäus 1,21

Christus, der Retter (2)

Schon bevor Jesus Christus auf die Erde kam, hatte Gott denen, die Ihm vertrauten, Rettung und Befreiung aus irdischen Nöten gebracht. Doch die entscheidende Rettungstat, die Rettung von den Sünden und das ewige Heil bringen sollte, stand noch aus. Dazu ist der Sohn Gottes auf die Erde gekommen.

Das war im Alten Testament längst vorhergesagt; und auch die erste Ankündigung im Neuen Testament weist darauf hin. Sein Name sollte Jesus sein, das heißt: Der HERR ist Rettung. Dieser Name gehört Ihm, weil Er „sein Volk erretten würde von ihren Sünden".

Dieses Angebot der Sündenvergebung und Rettung sollte sich auch nicht auf die Juden beschränken. Als die Samariter Jesus kennenlernen, kommen sie zu dem Ergebnis: „Wir wissen, dass dieser wahrhaftig der Heiland der Welt ist." – „Heiland" ist dabei nur ein anderes Wort für „Retter" (Lukas 1,77; Johannes 4,42).

Doch die Mehrheit damals wollte in Jesus nicht den Retter sehen. Und als Er dann am Kreuz hing, wurde Er verspottet: „Andere hat er gerettet, sich selbst kann er nicht retten." Die Spötter begriffen nicht, dass Er alle diese Leiden vonseiten der Menschen *freiwillig* auf sich nahm und in seinem Kreuzestod das Strafgericht Gottes erduldete, um die Grundlage zu unserer Errettung zu legen (Matthäus 27,42.45-50).

Nach seinem Tod, seiner Auferstehung und Himmelfahrt wird Jesus Christus dann als der Einzige verkündet, in dem Heil (Rettung) zu finden ist und „in dem wir errettet werden *müssen*". Nur so können wir dem gerechten und verdienten Strafgericht Gottes entfliehen und die ewige Seligkeit erlangen (Apostelgesch. 4,12).

---

3. Mose 8,1-21
Psalm 55,1-8

SA 05.05   SU 21.41

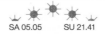

MA 00.52   MU 11.49

Donnerstag · 19 · Juni

*Denn durch die Gnade seid ihr errettet, mittels des Glaubens;
und das nicht aus euch, Gottes Gabe ist es; nicht aus Werken,
damit niemand sich rühme.*

Epheser 2,8.9

Christus, der Retter (3)

Gestern haben wir gesehen: Jesus Christus ist der Heiland oder Retter der Welt, „in dem wir errettet werden müssen". – Wie aber werden wir nun errettet? Wie kommen wir dahin, dass wir nicht nur sagen können, dass Christus *der* Retter ist, sondern dass Er *unser* Retter, ja *mein* Retter, ist?

Wir könnten die Frage auch so stellen: Wie erlange ich das Heil, die Rettung, die Seligkeit? – Diese drei Wörter sind nur unterschiedliche Übersetzungen ein und desselben Wortes im Grundtext der Bibel.

Die Antwort gibt unser Tagesvers. Wenn es um die ewige Errettung geht, kann ich gar keine eigene Leistung dazu beitragen, ich kann nichts *tun,* sondern bin völlig hilflos und ganz auf die *Gnade* Gottes in Jesus Christus angewiesen. Aber ich darf mich im *Glauben* an Christus klammern. Weil Er am Kreuz für uns gestorben ist, wird uns die Vergebung der Sünden umsonst angeboten. Diese muss ich im Glauben für mich in Anspruch nehmen. Nur der Glaube an den Sohn Gottes gewährt Zugang zur ewigen Seligkeit, jede eigene Leistung und jeder eigene Ruhm sind ausgeschlossen.

Doch wer wahrhaft an Christus glaubt, kann sagen: Jesus Christus ist *mein* Heiland und Retter. Er steht nun in einer ewig sicheren Beziehung zu Ihm. Den Gläubigen wird nämlich gesagt: „Denn durch die Gnade *seid* ihr errettet." Das ist eine Tatsache, die nie mehr infrage gestellt werden kann. Gläubige Christen besitzen „die Errettung der Seele", und die ewige Seligkeit ist ihnen zugesichert (1. Petrus 1,9; 1. Thessalonicher 5,9).

---

3. Mose 8,22-36
Psalm 55,9-16

 SA 05.05   SU 21.41

 MA -.-   MU 13.05

Der Herr stand mir bei und stärkte mich ...; und ich bin gerettet worden aus dem Rachen des Löwen. Der Herr wird mich retten von jedem bösen Werk und bewahren für sein himmlisches Reich.

2. Timotheus 4,17.18

Christus, der Retter (4)

Alle, die an Christus glauben, *sind* durch Ihn gerettet. *Sie haben das ewige Heil empfangen.* Doch es gibt Stellen im Neuen Testament, die von der Errettung auch in der Gegenwarts- und Zukunftsform reden. Das hat mehrere Gründe:

- Der Christ lebt noch in einer Welt, die unter dem feindlichen Einfluss Satans steht;
- die Tatsache steht noch aus, dass der Zorn Gottes die Erde treffen wird;
- der Körper des Gläubigen hat noch nicht teil an der Erlösung (Römer 8,23).

Das alles stellt jedoch die Sicherheit der vollständigen Errettung des Christen keineswegs infrage. So hatte der Apostel Paulus bei zahlreichen Anlässen die Feindschaft der Welt erfahren – aber auch die Rettung durch Christus. Und er wusste sicher, dass der Herr ihn auch künftig „retten wird" und „bewahren wird für sein himmlisches Reich".

Der Zorn Gottes kommt; Gott wird Vergeltung üben für alles Böse, was auf der Erde geschehen ist. Doch die Gläubigen wissen, dass sie „durch Christus gerettet werden vom Zorn" und das himmlische Ziel sicher erreichen werden (Römer 5,9; 1. Thessalonicher 1,10; 5,9).

Jesus Christus, unser Herr und Erretter, ist Mensch geworden, aber zugleich ist Er Gott, der Sohn. Deshalb „bleibt er in Ewigkeit", und „daher vermag er auch die *völlig* zu erretten, die durch ihn Gott nahen" (Hebräer 7,24.25).

Was für eine Ruhe und Sicherheit gibt das allen, die ihr Leben und ihre Zukunft Christus anvertrauen und die sagen können: „Er ist *mein* Retter"!

---

3. Mose 9,1-24
Psalm 55,17-24

 SA 05.05 SU 21.42

 MA 01.19 MU 14.19

Samstag **21** Juni

Wer an den Sohn Gottes *glaubt, hat ewiges Leben; wer aber dem Sohn nicht glaubt, wird das Leben nicht sehen, sondern der Zorn Gottes bleibt auf ihm.*

Johannes 3,36

Auf dem Promenadendeck eines Passagierschiffes gab eine Dame Evangeliumsflyer weiter. Ein Herr, der ein solches Faltblatt erhalten hatte, warf einen kurzen Blick darauf. Als er festgestellt hatte, worum es sich handelte, zerriss er es in kleine Stücke und warf sie über Bord. Befriedigt sah er, wie der Wind sie umherwirbelte und auf das Meer hinaustrug.

Als er sich am Abend in seiner Kabine auszog, um schlafen zu gehen, fiel ein kleiner Papierfetzen aus seiner Kleidung. Er stammte von dem zerrissenen Flyer. Nur zwei Wörter standen darauf: *„Gott"* und *„Ewigkeit"*.

Nur zwei Wörter, aber Wörter von unergründlich tiefer Bedeutung. – Der Mann legte sich zu Bett, aber er fand keinen Schlaf. Unaufhörlich kreisten seine Gedanken um diese beiden Wörter. Um sich zu beruhigen, griff er zu einem Cognac, aber auch das half nichts:

„Gott!" – mit Ihm muss man wohl rechnen, ob man will oder nicht.

„Ewigkeit!" – ein drohendes Wort! Wie kurz war die Zeit, die er noch zu leben hatte, im Vergleich zur Ewigkeit! Ob er nicht doch einmal gründlicher über diese Fragen nachdenken sollte?

Wir wissen nicht, wie lange diese beiden Wörter und der Gedanke an die Auferstehung und das gerechte Gericht Gottes das Gewissen dieses Mannes beunruhigten. Aber eines Tages hörte er das Evangelium vom Sohn Gottes, der auf die Erde gekommen ist, um durch seinen Sühnungstod schuldige Menschen mit dem heiligen Gott zu versöhnen. Er nahm die gute Botschaft im Glauben an und fand Frieden für Herz und Gewissen.

---

3. Mose 10,1-20
Psalm 56,1-7

 SA 05.06　SU 21.42

 MA 00.45　MU 15.32

... weil sie, Gott kennend, ihn weder als Gott verherrlichten noch ihm Dank darbrachten, sondern in ihren Überlegungen in Torheit verfielen und ihr unverständiges Herz verfinstert wurde. Indem sie sich für Weise ausgaben, sind sie zu Toren geworden.

Römer 1,21.22

Gedanken zum Römerbrief

Weil die Menschen Gott nicht als Gott anerkennen und Ihm nicht huldigen wollten, verfielen sie in ihren Überlegungen in „Torheit", man könnte auch übersetzen „Eitelkeit", „Nichtigkeit". In Jeremia 2,5 fragt Gott das Volk Israel: „Was haben eure Väter Unrechtes an mir gefunden, dass sie sich von mir entfernt haben und der Nichtigkeit [den nichtigen Götzen] nachgegangen und nichtig geworden sind?"

Die Abkehr vom lebendigen Gott führte also dazu, dass ihre Gedanken über die Gottheit „leer" oder „nichtig" wurden. Ihre Überlegungen führten nicht ans rechte Ziel. Wenn es um *die Wahrheit über Gott* geht, waren ihre Vorstellungen inhaltslos geworden, auch wenn sie umfangreiche Götterlehren entwickeln mochten.

Durch die Abkehr von Gott und die törichten Überlegungen wurde das unverständige Herz der Heiden weiter „verfinstert", denn nur im Licht Gottes kann man „das Licht sehen" (Psalm 36,10).

Das „Herz" ist im Sprachgebrauch der Bibel die Instanz für die tiefsten Überlegungen und Entscheidungen des Menschen, und zwar besonders in moralischen oder geistlichen Fragen (Hebräer 4,12; Sprüche 4,23).

Das Herz des Menschen war nicht mehr auf den lebendigen und wahren Gott ausgerichtet und wollte sich nicht mehr vor Ihm beugen. Die „Überlegungen des Herzens" schweiften stattdessen eigenmächtig und selbstherrlich umher. Wie konnte das Ergebnis dann ein anderes sein als ein „verfinstertes" Herz mit allen Folgen für das persönliche Leben des Einzelnen und für die Gesellschaft?

---

3. Mose 11,1-28
Psalm 56,8-14

 SA 05.06   SU 21.42

 MA 02.13   MU 16.42

Montag 23 Juni

Siehe, ich gebe euch die Gewalt, auf Schlangen und Skorpione zu treten, und Gewalt über die ganze Kraft des Feindes, und nichts soll euch irgendwie schaden.

Lukas 10,19

Ermüdet von einem Tagesmarsch kam ein kleiner Trupp Christen in einem indonesischen Dorf an, das für seine okkulten Praktiken bekannt war. Sie bekamen dort zu essen, aber sie stellten sich die Frage, ob die Speisen nicht vielleicht vergiftet waren. Die Atmosphäre war spannungsgeladen, und unsichtbare Mächte schienen nahe und bedrohend.

Die Christen sagten sich: „Jesus hat seinen Zeugen damals geboten, alles zu essen, was ihnen unterwegs angeboten wird. Also wollen wir Ihm vertrauen." (Vgl. Lukas 10,8.) Nach der Mahlzeit hielten sie eine Gebetsgemeinschaft. Da erschien plötzlich ein Dorfbewohner mit der Nachricht: „Eure Speisen sind von unserem Zauberer vergiftet worden. Er ist sicher, dass ihr bis Sonnenaufgang alle tot sein werdet!"

Da knieten die Christen noch einmal nieder. Sie legten ihr Leben in Gottes Hand. Und sie beteten dafür, dass Gott die Menschen in dieser Gegend, die durch Zauberer und Dämonen in Angst und Sklaverei gehalten wurden, von der Macht Satans befreien möge.

Gegen vier Uhr morgens tauchte plötzlich ein Mann aus der Dunkelheit auf. Voller Angst warf er sich den Boten Jesu zu Füßen und rief aufgeregt: „Rettet mich! Rettet mich! Ich bin der Zauberer. Und ich weiß, dass ihr bei Sonnenaufgang *nicht* tot sein werdet. Ich bin es, der sterben muss. Der Fluch wird sich gegen mich wenden. Habt Erbarmen! Sagt mir, was ich tun muss, um gerettet zu werden."

Die Christen antworteten ihm mit Apostelgeschichte 16,31: „Glaube an den Herrn Jesus, und du wirst errettet werden." – Heute leben in dieser Gegend Tausende von Christen.

---

3. Mose 11,29-47
Psalm 57,1-12

 SA 05.06 SU 21.42

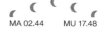 MA 02.44 MU 17.48

Nicht Menschen hast du belogen, sondern Gott. Als aber Ananias diese Worte hörte, fiel er hin und verschied.

Apostelgeschichte 5,4.5

Gott ist anders, als Menschen denken! Hier zum Beispiel trifft einen Mann augenblicklich der Tod, weil er Gott belogen hat. – Ist dieser Gott nicht sehr unnachsichtig, wenn Er von seiner Macht gegenüber einem schwachen Menschen so uneingeschränkt Gebrauch macht?

Lassen Sie uns kurz die Vorgeschichte untersuchen! Unter den ersten Christen am Anfang der Kirchengeschichte herrschte ein heiliger Eifer für den Herrn. Viele opferten ihr Hab und Gut für seine Sache. Der Grundbesitzer Ananias wollte da mit seiner Frau nicht zurückstehen. Auch er verkaufte ein Feld und erweckte den Anschein, dass er den gesamten Kaufpreis für das Werk Christi spendete. Es war aber nur ein Teil, den anderen behielt er für sich zurück. Das also war die Lüge vor Gott: Er wollte frommer erscheinen, als er war.

Meinen wir wirklich, das sei eine geringe Sache? Und tatsächlich, dieser Fall mag sich seitdem in der einen oder anderen Form millionenfach wiederholt haben. Aber Lüge bleibt Lüge, damals wie heute. Wenn der heilige Gott damals dieses Vergehen mit dem Tod ahndete, so lag das, wie wir glauben, an der Frische der Anfangszeit. Ananias wagte es als Erster, Unwahrheit und Heuchelei in die junge Christenheit einzuführen.

Nur, eins muss uns allen bewusst sein: Gott nimmt noch immer Kenntnis von jeder Lüge, auch wenn Er heute nicht sogleich sein Gericht vollstreckt. Menschen tasten seine Ehre an, wenn sie sich über seine Normen hinwegsetzen. Das ist Stoff zum Nachdenken! – Vor allem sollte uns auch durch diesen Bericht der Bibel klar sein: Gott ist heilig und kann deshalb nicht einfach über Sünden hinwegsehen.

... die allezeit lernen und niemals zur Erkenntnis der Wahrheit kommen können.

2. Timotheus 3,7

Wie man sich in einem Menschen täuschen kann! Der ältere Mann machte einen ungepflegten Eindruck, und das nicht nur in Bezug auf seine Kleidung. So erwartete ich weder tiefere Einsichten von ihm noch irgendwelche Ansprüche an das Leben. Aber mein Gesprächspartner kannte sich in der Bibel aus, jedenfalls in bestimmten Bereichen.

Ja, er sei ein Wahrheitssucher, bekannte er mir. Aber wo ist die Wahrheit? „In der Bibel", so hatte ich es ihm gerade bezeugt. Oder gibt es, wie der Dichter Lessing es in seiner „Ringparabel" darstellt, viele Wege, die Wahrheit zu finden? Und welche Bibelübersetzung ist überhaupt zuverlässig? Was ist mit den sogenannten Apokryphen? Gehören sie zu den Heiligen Schriften, sind sie Gottes Wort?

Fragen über Fragen. War die eine beantwortet, kam schon die nächste. Schließlich wurde mir klar, was meinem Gegenüber fehlte: Er *wollte nicht* glauben, er *wollte* sich *nicht* dafür entscheiden, Jesus verbindlich nachzufolgen. Ich empfahl ihm, ganz offen zu Gott zu beten: ob Er da ist und was Er von ihm wolle. Zu meiner Überraschung versprach er das sogar.

Wahrheitssuche ist überaus wichtig – gerade auch in einer Zeit der Meinungsvielfalt, wo man tausend Stimmen hört, die ihre Überzeugung anpreisen. Aber es wäre ein aussichtsloses Unterfangen, Meinung für Meinung prüfen zu wollen. Die Bibel allerdings erhebt den Anspruch, dass *Gott selbst* durch sie redet und sich uns offenbart. Deshalb sollten wir sie sorgfältig lesen, um diesen Anspruch zu prüfen. Und dann ist es eine Entscheidung des *Herzens,* ob wir bereit sind, den Willen Gottes anzuerkennen und zu tun! Bei meinem Gegenüber hakte es an dieser Stelle. Ich wünsche ihm, dass er es versteht.

---

3. Mose 13,9-28
Psalm 59,1-9

 SA 05.07   SU 21.42

 MA 03.59   MU 19.48

Durch Glauben brachte Abel Gott ein vorzüglicheres Opfer dar als Kain, durch das er Zeugnis erlangte, dass er gerecht war, wobei Gott Zeugnis gab zu seinen Gaben.

Hebräer 11,4

Sie kennen sicher den Bericht von Kain und Abel, den man auf den ersten Blättern der Bibel findet (1. Mose 4,1-10). Beide brachten Gott ein Opfer dar. Kain als Ackerbauer gab etwas von der Frucht seines Landes, und sein Bruder Abel, der Schafhirte, brachte ein Tier von den Erstlingen seiner Herde dar.

Ganz natürlich, denken wir da, jeder gab sein Bestes, der Ackerbauer und der Schafhirte. Gott verlangt doch nichts von uns, was wir nicht haben. Hauptsache, man ist aufrichtig. Ein Dichter hat es mit den Worten ausgedrückt: „Wer immer strebend sich bemüht, den können wir erlösen."

Sehen Sie, und das ist falsch! Da war ein Unterschied, den wir vielleicht gar nicht wahrnehmen. Aber Gott sah ihn, denn Er „blickte auf Abel und auf seine Opfergabe; aber auf Kain und auf seine Opfergabe blickte er nicht". Und das heutige Wort aus dem Hebräerbrief sagt uns, warum: Das Opfer Abels war „vorzüglicher". Er brachte es „aus Glauben" dar, und nicht etwa weil er ein Schafhirte war.

Aufrichtigkeit allein genügt eben nicht. Und zudem konnte Kain nicht einmal Aufrichtigkeit für sich in Anspruch nehmen. Hatte er nicht von seinen Eltern gehört, wie Gott sie nach ihrer Sünde mit Röcken von Fell bekleidet hatte? Hatte der Tod des Tieres, das damals für das Fellkleid sterben musste, ihm gar nichts zu sagen? – Aber auch in voller Aufrichtigkeit kann man grundfalsch handeln.

Abel dagegen hatte den „Glauben", sich auf das Opfertier zu verlassen, das stellvertretend für ihn starb. Ja, ohne Glauben kann man nicht mit Gott ins Reine kommen!

Glaube an den Herrn Jesus, und du wirst errettet werden.

Apostelgeschichte 16,31

Auf die konkrete Frage: „Bist du errettet?", antworten leider auch manche Christen, das könne niemand von sich wissen, das werde erst offenbar, wenn Gott die Menschen richtet.

Viele gerettete Sünder, die sich von Herzen zu Gott bekehrt haben, legen von der Gnade Gottes Zeugnis ab und bekennen, dass sie sich ihrer Errettung durch Christus völlig gewiss sind. Doch oft halten gerade religiöse Menschen, die ihr Heil in eigener Frömmigkeit suchen, eine solche Behauptung für Anmaßung und geistlichen Hochmut.

Niemand sollte sich durch solche Einwände beeindrucken lassen, sondern das hören, was Gottes Wort sagt! Als der Gefängnisaufseher in Philippi in seiner Sündennot fragte: „Was muss ich tun, um errettet zu werden?", wurde ihm die Antwort gegeben: „Glaube an den Herrn Jesus, und du *wirst* errettet werden!"

Weiter lesen wir in der Heiligen Schrift: „Diesem (dem Herrn Jesus Christus) geben alle Propheten Zeugnis, dass jeder, der an ihn glaubt, Vergebung der Sünden empfängt durch seinen Namen" (Apostelgesch. 10,43).

Und was sagt der HERR und Heiland selbst? „Wahrlich, wahrlich, ich sage euch: Wer mein Wort hört und dem glaubt, der mich gesandt hat, hat ewiges Leben und kommt nicht ins Gericht, sondern ist aus dem Tod in das Leben übergegangen" (Johannes 5,24).

Nein, es ist keine Vermessenheit, wenn einer, der von Herzen an den Sohn Gottes glaubt, demütig, aber mit Bestimmtheit sagt: „Ich weiß, dass *mein Erlöser* lebt." Er darf mit vollem Recht davon überzeugt sein: Ich bin durch Gottes Gnade errettet, weil „das Blut Jesu Christi, seines Sohnes, uns reinigt von aller Sünde" (Hiob 19,25; 1. Johannes 1,7).

---

3. Mose 13,45-59
Psalm 60,1-5

 SA 05.08   SU 21.42

 MA 05.36   MU 21.22

Samstag 28 Juni

Da ist ein Weg, der einem Menschen gerade erscheint, aber sein Ende sind Wege des Todes.

Sprüche 14,12

„Viele Wege führen nach Rom", sagt ein Sprichwort. Und wenn es um ein Ziel auf der Erde geht, trifft das zu. Selbst wenn ich nicht den besten Weg finde, werde ich irgendwann das Ziel erreichen, wenn auch vielleicht mit Verspätung. Geht es aber um das ewige Lebensziel, dann geben sich zahllose Menschen mit dem Gedanken zufrieden, sie wären alle auf dem Weg zu Gott und würden am Ende die himmlische Herrlichkeit schon irgendwie erreichen.

Viele gehen den *Weg des Gesetzes.* Das ist ein harter, steiniger Weg. Wer ihn einschlägt, sieht sich den gerechten Forderungen Gottes gegenüber: „Du sollst", und: „Du sollst nicht." So verlangen es die Zehn Gebote, die Mose aus Gottes Hand empfing. Doch obwohl der Fluch des Gesetzes allen droht, die die Gebote nicht vollständig halten – und wer könnte das wohl? –, ist es doch ein sehr beliebter Weg. Offenbar beruhigt der Gedanke, etwas zur ewigen Seligkeit beitragen zu können.

Andere gehen den *Weg der guten Vorsätze,* von denen ein anderes Sprichwort sagt, dass der Weg zur Hölle damit gepflastert sei. Das lässt uns ahnen, wie oft man auf diesem Weg scheitert, weil niemand die Kraft aufbringt, sich zu bessern. Anscheinend übersehen viele, die diesen Weg wählen, die Tatsache, dass selbst noch so viele gute Vorsätze eine sündige Vergangenheit nicht auslöschen können. Was wird aus den früheren Sünden?

Alle diese Wege sind also „Wege des Todes". Es gibt nur einen Weg zum Leben. Das ist der Glaube an Jesus Christus. Er hat gesagt:

> *„Ich bin der Weg und die Wahrheit und das Leben. Niemand kommt zum Vater als nur durch mich."*
>
> *Johannes 14,6*

---

3. Mose 14,1-13
Psalm 60,6-14

 SA 05.08   SU 21.42

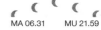 MA 06.31   MU 21.59

Indem sie sich für Weise ausgaben, sind sie zu Toren geworden und haben die Herrlichkeit des unverweslichen Gottes verwandelt in das Gleichnis eines Bildes von einem verweslichen Menschen und von Vögeln und von vierfüßigen und kriechenden Tieren.

Römer 1,22.23

Gedanken zum Römerbrief

Als die Heiden sich vom Schöpfer-Gott abwandten, gaben sie den Gedanken an eine Gottheit nicht vollständig auf. Doch sie wollten Gott nicht so anerkennen, wie Er sich selbst offenbart hatte und wie sie Ihn durch sein Handeln in der Geschichte kannten. Und so schufen sie sich Götter nach ihrem eigenen Gutdünken.

Sie gaben sich für Weise aus. Und tatsächlich geht die Abkehr vom lebendigen Gott auch heute noch häufig mit einem Anspruch auf Weisheit einher und wird mit logisch klingenden Argumenten begründet. Aber in Wirklichkeit wird nur die „Torheit" der Menschen offenbar, die so denken. Denn menschliche Weisheit kann niemals den Weg zu Gott und den Weg zur letztgültigen Wahrheit finden. Wir sind abhängig von der Offenbarung, die Gott von sich selbst gegeben hat.

Bei den Heiden wird diese „Torheit" besonders deutlich sichtbar. Sie nahmen einen Austausch vor: Die Kenntnis des einen Gottes, der über der Schöpfung steht und nicht der Vergänglichkeit unterworfen ist, gaben sie her. All die herrlichen Eigenschaften des ewigen, allmächtigen Gottes gaben sie preis. Stattdessen begannen sie, Bilder von Menschen und Tieren zu verehren. Nicht nur, dass sie Menschen vergöttlichten oder Tiere verehrten, sie machten sich auch Götzenbilder davon und beteten diese leblosen Bilder an.

Wird Gott es hinnehmen, dass die Offenbarung, die Er von sich als dem wahren Gott gegeben hat, so missachtet wird?

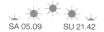

Der Sohn des Menschen ist gekommen, zu suchen und zu erretten, was verloren ist.

Lukas 19,10

Das ist eine Botschaft, die es in sich hat. Der ewige Sohn Gottes ist als Mensch auf die Erde gekommen, um Sünder zu retten!

Aber ist das überhaupt ein Thema für den Menschen von heute? Wozu brauchen wir Rettung? Haben wir unser Leben nicht bestens im Griff, und sind nicht viele andere Menschen noch schlechter als wir? Schließlich haben wir noch keinen umgebracht. Und wir stehlen und lügen auch nicht, jedenfalls normalerweise nicht.

Doch wie solide wir nach unserer Meinung auch sein mögen – glauben wir wirklich, nicht gesündigt zu haben? Brauchen wir Gottes Rettungsangebot denn gar nicht?

Die Bibel sagt: „Da ist kein Gerechter, auch nicht einer, ... da ist keiner, der Gutes tut, da ist auch nicht einer" (Römer 3,10.12). So sieht Gott den Menschen. Es ist also völlig ausgeschlossen, dass sich jemand aufgrund seines „tadellosen" Lebens die Gunst Gottes verdienen könnte. Und wenn wir ein wenig nachdenken, kommen wir nicht umhin, dem zuzustimmen.

Wie aber kann der Mensch aus diesem Dilemma herauskommen? – Es gibt einen Weg, einen einzigen! Dieser eine Weg ist Jesus Christus. Er ist auf die Erde gekommen, um hier für sündige Menschen zu sterben. Am Kreuz von Golgatha hat Er die Strafe für die Sünden getragen. Zu Ihm muss jeder mit seiner Sünde gehen, sie Ihm bekennen. Dann wird Gott vergeben! Allen, die von ihren eigenwilligen Wegen umkehren und an Jesus, den Herrn, glauben, kommt sein Sühnungswerk am Kreuz zugute.

Alle brauchen Rettung, und *jeder* ohne Ausnahme ist eingeladen! Jesus Christus sagt: „Wer zu mir kommt, den werde ich nicht hinausstoßen" (Johannes 6,37).

---

3. Mose 14,33-57
Psalm 62,1-13

 SA 05.09   SU 21.42

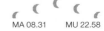 MA 08.31   MU 22.58

Jesus sprach: Ich bin die Tür; wenn jemand durch mich eingeht, so wird er errettet werden und wird ein- und ausgehen und Weide finden.

Johannes 10,9

Der Herr ist langmütig euch gegenüber, da er nicht will, dass irgendwelche verloren gehen, sondern dass alle zur Buße kommen.

2. Petrus 3,9

Die Tür des Palastes

Ein Mädchen von fünf Jahren geht zu Bett. Vorher betet die Kleine noch und denkt dabei auch an ihren Opa, der nicht an Christus glaubt: „Herr Jesus, bitte mach die Tür zu Deinem Palast nicht so schnell zu, damit mein Opa auch noch hineingehen kann."

Dieses Gebet erinnert uns an eine sehr wichtige Tatsache: Heute steht die Tür zum Himmel noch offen. Aber das wird nicht für immer so bleiben. Die Tür steht offen, weil Jesus Christus für Sünder gestorben ist. Und die Langmut Gottes bewirkt, dass sie heute noch geöffnet ist. Denn Gott „will, dass alle Menschen errettet werden und zur Erkenntnis der Wahrheit kommen" (1. Timotheus 2,4).

Die Kleine hat das verstanden und macht sich Sorgen um ihren Großvater. Vielleicht fühlt dieser nicht, dass er wegen seiner Sünden verloren ist und sich retten lassen muss. Vielleicht ist er ja ein ehrbarer Mann, der in seiner Umgebung große Achtung genießt. Sich vor Gott zu demütigen und die eigene Unwürdigkeit vor Ihm eingestehen zu müssen, das fällt uns stolzen Menschen so schwer. Viele nehmen auch Anstoß daran, dass sie selbst zu ihrer Rettung, zu ihrem ewigen Heil, nichts beitragen können.

Vielleicht wird auch für Sie regelmäßig gebetet – von Ihren Angehörigen, von einem Arbeitskollegen oder von Ihren Nachbarn. Und eins gilt in jedem Fall auch Ihnen: Jesus Christus ist für Sie gestorben! Er wartet auf Sie!

---

3. Mose 15,1-33
Psalm 63,1-12

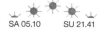 SA 05.10 SU 21.41

 MA 09.33 MU 23.23

Mittwoch 2 Juli

Um des Werkes willen ist er dem Tod nahegekommen, indem er sein Leben wagte.

Philipper 2,30

Ein alter Glaubenszeuge? – Ja, insoweit als der Bericht fast 2000 Jahre alt ist. Aber der Christ Epaphroditus, von dem hier die Rede ist, kann durchaus kein alter Mann gewesen sein.

Nachdenklich macht, dass dieser Diener Gottes sein Leben im Dienst seines Herrn aufs Spiel setzte. Darin steckt ein wichtiger Gedankenanstoß auch für den Menschen unserer Zeit. Ist nicht das gängige Bild heute oft der „stromlinienförmige" Mensch, der sich absolut angepasst verhält, der den Rückenwind im Voraus spürt und sich niemals querstellt?

Es fehlt an Menschen mit Rückgrat, die sich prinzipientreu für die einmal als richtig erkannte Sache einsetzen. Und dieser Mangel nimmt immer noch zu.

Da erscheint dieser Mazedonier Epaphroditus aus fernen Zeiten und hält uns eine Predigt ohne Worte. Es wäre zu wenig, nur anzunehmen, dass dieser Mann sich für eine *Sache* einsetzte. Vielmehr war er von einer *Person* eingenommen, die es auch verdiente: Jesus Christus! Der hatte sein Leben in völlig neue Bahnen gelenkt, ihm die Schuld abgenommen und ihm einen inneren Frieden vermittelt, von dem andere nur träumen können. Jesus Christus, Gottes Sohn, war Herr seines Lebens geworden. Für Ihn tat er alles – notfalls auch um den Preis seines Lebens.

Es ist wahr: Man kann sich auch an einen Unwürdigen verschenken. Genau das aber hatte Epaphroditus nicht getan. Jesus Christus war sein Retter, der Ihn kannte, der Ihn liebte, der seine Sache in die Hand genommen und zum Guten gewendet hatte.

> *Nun gehören unsre Herzen*
> *ganz dem Mann von Golgatha.*

---

3. Mose 16,1-22
Psalm 64,1-11

SA 05.11   SU 21.41   MA 10.35   MU 23.46

Wollt ihr etwa auch seine Jünger werden?

Johannes 9,27

Vom Spötter zum Evangelisten (1)

Vor vielen Jahren lernte ich in England Ralph Newman, den späteren Prediger des Evangeliums, kennen. Damals trieben wir es in unserer Freizeit recht bunt. Mit einer Anzahl Kameraden verbrachten wir die Abende in Tanzcafés, wobei Ralph meist der Anführer war. Wir lebten für unser Vergnügen und kümmerten uns nicht im Geringsten um Gott und seine Gebote.

Eines Abends wird in der Wirtschaft über den jungen Prediger des Dorfes gesprochen. „Er scheint ein prima Kerl zu sein", sagt Rendall, der Wagenbauer. – „Was, der ein prima Kerl?", ruft Ralph, „willst du etwa auch fromm werden?" – „Nimm dich nur in Acht, Newman, am Ende kriegt der dich auch noch rum!", entgegnet Rendall. – „Hört ihr das?", schreit Ralph. „Ralph Newman in der Kirche! Dass ich nicht lache!" – Dabei wird er immer aufgebrachter und sagt viel Böses über den Prediger. Doch der Wagenbauer meint gelassen: „Es ist keine Kunst, jemand hinter seinem Rücken zu beschimpfen. Wenn du wirklich ein ganzer Kerl bist, dann geh mal in die Kirche, und erzähl dem Prediger nach dem Gottesdienst, was du von ihm hältst!"

Ralph zögert. Soll er einen öffentlichen Angriff auf den Mann riskieren, der die Achtung des ganzen Dorfes besitzt? – „Du scheinst doch nicht so mutig zu sein, wie du tust, Ralph", spotten seine Freunde. Aber der lässt das nicht auf sich sitzen und ruft: „Wenn ihr am Sonntag alle mit in die Kirche geht, dann werde ich dem jungen Schnaufer ins Gesicht sagen, dass er nur fromm faselt und selber nicht glaubt, was er erzählt. Abgemacht, Kameraden?" Einige sind von diesem Vorschlag nicht begeistert, aber schließlich stimmen alle zu. *(Schluss folgt)*

---

3. Mose 16,23-34
Psalm 65,1-14

SA 05.11   SU 21.41   MA 12.38   MU 00.08

Der Tor spricht in seinem Herzen: Es ist kein Gott!

Psalm 14,1

Vom Spötter zum Evangelisten (2)

Das ganze Dorf hat von unserem Vorhaben gehört, und am Sonntag ist die Kirche übervoll. Der Prediger spricht über den Text: „Der Tor spricht in seinem Herzen: Es ist kein Gott!"

Am Ende der Predigt geht es um die Kreuzigung Jesu Christi: „Gottes Sohn wurde wie ein Missetäter ans Kreuz genagelt. Man verspottete Ihn. Und dann kam ein römischer Soldat und stieß seinen Speer in die Seite des Gekreuzigten. Blut und Wasser flossen aus der Wunde. Das ist für die Gläubigen aller Zeiten zu einem kostbaren Zeichen geworden. Das Blut, das aus der Wunde Jesu floss, zeigt uns: Christus ist für die Sünde gestorben – der Sünder kann gereinigt werden durch das Blut!"

Die Predigt ist aus. Alle blicken zu Ralph Newman hin. Doch der bewegt sich nicht. Gerade will der Prediger das Schlusslied angeben, als Newman mit einem Ruck aufsteht und durch den Raum ruft: „O Gott, vergib mir! Dieser Soldat, dieser Sünder, bin ich! Ich habe Jesus Christus gekreuzigt, weil ich Ihn hasste!" Totenstille – dann setzt die Orgel ein. Später sehe ich, wie der Prediger sich mit Ralph unterhält.

Von diesem Sonntag an ist Ralph ein ganz anderer. Kurz darauf zieht er nach London. Beim Abschied frage ich ihn, was denn diese totale Veränderung bei ihm bewirkt habe. Ich erfahre, dass er in seinem Innern tief getroffen wurde, als der Prediger die Kreuzigung Jesu beschrieb. Als er von dem Soldaten sprach, der den Speer in seine Seite stieß, und von dem Blut des Herrn, das von Sünden reinigt, da standen Ralph auf einmal die Sünden seines Lebens vor Augen. Er beschönigte dann nichts, sondern bekannte Gott noch an diesem Tag seine ganze Schuld und nahm das Sühnungswerk Jesu im Glauben für sich in Anspruch.

---

3. Mose 17,1-16
Psalm 66,1-7

 SA 05.12   SU 21.40

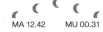 MA 12.42   MU 00.31

Samstag 5 Juli

Der Herr kennt die, die sein sind.

2. Timotheus 2,19

Nicht jeder, der zu mir sagt: „Herr, Herr!", wird in das Reich der Himmel eingehen, sondern wer den Willen meines Vaters tut, der in den Himmeln ist.

Matthäus 7,21

Wachsfiguren

Es regnet, und ich habe einen freien Tag. Um meine Pariser Enkelkinder zu beschäftigen, mache ich mit ihnen einen Besuch im Museum Grévin mit seinen berühmten Wachsfiguren. Ich erkläre ihnen, wer die berühmten Personen sind, die in ihrer Kleidung und ihrem zeitgemäßen Umfeld modelliert wurden.

Aber was die beiden Kleinen viel mehr interessiert als die Geschichte Frankreichs, sind die unechten Besucher und die unechten Wächter, die – ebenfalls aus Wachs – auf Bänken und vor Schaukästen zu entdecken sind.

Und dann beginnt das Spiel, das dadurch noch komplizierter wird, dass ein paar Spaßvögel diese Imitationen imitieren. – „Ich behaupte, der ist echt …" Und das Fingerchen bewegt sich vorsichtig, um es nachzuprüfen. Das gibt Überraschungen und Gelächter!

Während ich auf dem Gang auf meine kleinen Begleiter warte, denke ich an ein unechtes Christentum, das einem Menschen das Aussehen eines Lebenden geben kann. Die Ähnlichkeit ist perfekt: Nichts fehlt – außer dem Wichtigsten, dem Leben. Solche unechten Christen können sich selbst täuschen und auch ihre Umgebung, Gott aber täuschen sie nicht.

So stellt sich also die Frage, und das ist kein Spiel: Bin ich ein Christ „aus dem Museum" oder ein echter Christ, der neues Leben aus Gott hat? – Das Wort aus dem Matthäus-Evangelium hilft uns in dieser Frage: Es kommt darauf an, dass ich den Willen Gottes von Herzen tue und nicht nur ein Bekenntnis im Mund führe.

---

3. Mose 18,1-30
Psalm 66,8-20

 SA 05.13   SU 21.40

 MA 13.48   MU 00.55

Darum hat Gott sie hingegeben in den Begierden ihrer Herzen zur Unreinheit, ihre Leiber untereinander zu schänden.

Römer 1,24

Gedanken zum Römerbrief

Gott hat die Heiden, die die Gottesoffenbarung abgelehnt und zum Götzendienst übergegangen waren, „zur Unreinheit hingegeben". Die Verse 26 und 28 zeigen ebenfalls, wie Gott Menschen, die sich gegen Ihn auflehnen, ganz ihren sündigen Begierden und deren Folgen preisgibt.

Aber ist Gott dann nicht mitverantwortlich für die sittlichen Vergehen dieser Menschen? Nein, „die Begierden ihrer Herzen" sind schon vorhanden, als Gott sie der Unreinheit überlässt! Und Epheser 4,19 stellt die persönliche Verantwortung der Heidenvölker heraus: Sie haben „*sich selbst* der Ausschweifung *hingegeben,* um alle Unreinheit mit Gier auszuüben".

Gott ruft also die sündigen Begierden nicht hervor, aber Er lässt jetzt ungehindert ans Licht kommen und ausreifen, was schon längst in den Herzen der Menschen brütet. – Wenn also der Mensch den wahren Gott nicht ehren will, sondern Ihn entehrt, sich von Ihm abwendet und Götzen an seine Stelle setzt, dann überlässt Gott ihn sich selbst und den Begierden seines Herzens. Und dann zeigt sich, dass der Mensch auch sich selbst und seine Mitmenschen entehrt und schändet.

Das ist ein schreckliches Gericht, wenn Gott den Menschen so gehen lässt und seine Oberhoheit nicht mehr einsetzt, um das moralische Verderben aufzuhalten! – Wird heute nicht dieses Gerichtshandeln Gottes auch in den früher christlich geprägten Ländern sichtbar?

Doch das Evangelium ist immer noch *Gottes Kraft zum Heil* und kann den Menschen aus den Verstrickungen der Sünde befreien. Das erschütternde Bild in diesen Versen soll allen zeigen, wie dringend nötig die Umkehr zu Gott und die Errettung durch Jesus Christus sind.

Euer Meister ist nur einer, der Christus.
Gott ist einer, und einer ist Mittler zwischen Gott und Menschen,
der Mensch Christus Jesus, der sich selbst gab als Lösegeld für
alle.

Matthäus 23,10; 1. Timotheus 2,5.6

Was bringen Ihnen die Sekten?

Hin und wieder wird man von religiösen Menschen auf der Straße angesprochen oder zu Hause besucht. In solchen Augenblicken – und immer dann, wenn wir den Anspruch einer religiösen Gruppe nachprüfen wollen, die Wahrheit zu besitzen – sollten wir einige wichtige Fragen dazu stellen können:

In wessen Namen kommen Sie? – Allein im Namen Jesu Christi, des Sohnes Gottes, wie die Bibel Ihn vorstellt? Christus ist ewiger Gott, Er ist Schöpfer und nicht Geschöpf, Er ist Mensch geworden, gestorben und auferstanden (Römer 9,5; 1. Korinther 15,3.4).

Was bringen Sie mir? – Als Mensch habe ich ein Gewissen und ein Herz. Mein Gewissen braucht Wahrheit, Frieden und Gewissheit. Eines Tages werde ich mich für mein Leben verantworten müssen. Bringen Sie mir die Vergebung Gottes? – Mein Herz braucht Liebe. Können Sie mit mir über jemand sprechen, der mich liebt, so wie ich bin? Bringen Sie mir Jesus, den Sohn Gottes, „der mich geliebt und sich selbst für mich hingegeben hat"? (Galater 2,20).

Worauf berufen Sie sich? – Allein auf die Bibel? Sie ist das Wort, das Gott den Menschen gegeben hat: die einzige Grundlage des Glaubens und der Hoffnung des Christen.

Sind Sie eigentlich selbst glücklich? – Immer wieder berichten ehemalige Sektenmitglieder: „Die Sekte unterjocht; sie verlangt unseren Dienst oder unser Geld." Doch der Glaube an Jesus Christus befreit und macht glücklich für immer.

---

3. Mose 20,1-27
Psalm 68,1-9

SA 05.15 SU 21.39

MA 16.03 MU 01.23

Dienstag 8 Juli

Ich mache die Gnade Gottes nicht ungültig; denn wenn Gerechtigkeit durch Gesetz kommt, dann ist Christus umsonst gestorben.

Galater 2,21

Mit meiner Frau spaziere ich durch einen Kurpark. Auf einer Bank sitzen zwei alte Ordensschwestern. Ich gehe direkt auf sie zu. „Darf ich den Schwestern eine Frage stellen? – Wie kann ein Mensch in den Himmel kommen?" Überrascht blicken sich die beiden an. – „Wenn man ein anständiges Leben führt und Gutes tut", sagt die eine. „Durch das Halten der Gebote", ergänzt die andere.

„Genau das ist der verkehrte Weg!" – Die beiden sehen mich betroffen an. – „So kommt kein Mensch in den Himmel; niemand kann ja die Gebote Gottes vollständig halten. Deshalb gibt es nur einen einzigen Weg." – Da sagt eine von ihnen leise: „Durch die Erlösung in Jesus Christus." – „Genau das ist es. Der Glaube an den Herrn Jesus Christus und seinen Sühnungstod. Die Gnade Gottes allein rettet den Sünder und bringt ihn in den Himmel."

Wir stehen noch längere Zeit beisammen. Die beiden – sie sind auch leibliche Schwestern – werden immer fröhlicher. Freudig unterhalten wir uns über das Erlösungswerk des Herrn Jesus, über seine Gnade und seine Liebe, die für uns am Kreuz alles gutgemacht hat. Sie glauben an Ihn. Da sagt die eine: „Im Himmel wird es keine Katholiken, Protestanten, Baptisten mehr geben, nur begnadigte Sünder." –

„Der Herr kennt die, die sein sind", so heißt es in 2. Timotheus 2,19. Das ist sehr tröstlich für alle, die Ihm im Glauben angehören.

Jeder, der sich zu Christus bekennt, soll von allem Abstand nehmen, was diesen Glauben verdunkelt und nicht mit Gottes Wort übereinstimmt. Darum heißt es weiter: „Jeder, der den Namen des Herrn nennt, stehe ab von der Ungerechtigkeit."

Denn ihr kennt die Gnade unseres Herrn Jesus Christus, dass er, da er reich war, um euretwillen arm wurde, damit ihr durch seine Armut reich würdet.

2. Korinther 8,9

Arm geworden für euch (1)

Die Christen in Judäa wurden verfolgt, und viele hatten dabei ihren ganzen Besitz eingebüßt. Sie litten große Not. Der Apostel Paulus, der vor allem in der heutigen Türkei und in Griechenland für Christus wirkte, kannte ihre Lage. Deshalb bat er die durch seinen Dienst entstandenen Gemeinden, ihre Mitgläubigen in Judäa finanziell zu unterstützen.

Schon in seinem ersten Brief an die Korinther hatte Paulus diese zu regelmäßigen Geldsammlungen aufgefordert (1. Korinther 16,1-3). In diesem Brief gibt er ihnen erneut feinfühlig den Impuls, damit fortzufahren. Zu diesem Zweck stellt Paulus ihnen zunächst das Beispiel der Christen in Mazedonien vor, die eigentlich sogar über ihre Möglichkeiten hinaus für die Gläubigen in Judäa gespendet hatten (Kap. 8,3). Doch über alledem stellt er ihnen das höchste Vorbild der Hingabe vor, das es gibt: „unseren Herrn Jesus Christus".

Der Herr Jesus Christus ist ja von Ewigkeit her Gott der Sohn. Unser Tagesvers sagt in erster Linie aus, dass Er Mensch geworden ist und am Tiefpunkt seiner Erniedrigung für uns den Tod am Kreuz erduldet hat (Philipper 2,6-8). Nur durch seinen Sühnungstod können wir errettet werden und die großen geistlichen Reichtümer empfangen, die die Gläubigen für immer mit Ihm teilen sollen. Wenn „arm" in unserem Bibelwort also vor allem eine übertragene Bedeutung hat, so ist es doch wahr und bedeutsam, dass Jesus während seines Lebens auf der Erde auch im buchstäblichen und materiellen Sinn arm war. Darauf soll morgen der Blick gerichtet werden.

---

3. Mose 22,1-33
Psalm 68,20-27

SA 05.17   SU 21.37   MA 18.21   MU 02.34

Denn ihr kennt die Gnade unseres Herrn Jesus Christus, dass er, da er reich war, um euretwillen arm wurde, damit ihr durch seine Armut reich würdet.

2. Korinther 8,9

Arm geworden für euch (2)

Wenn Eltern heute ein Baby erwarten, kaufen sie schon im Voraus eine Wiege für ihr Kind. Maria aber legte ihren Sohn „in eine Krippe, weil in der Herberge kein Raum für sie war" (Lukas 2,7).

Als Jesus sein öffentliches Wirken begann, umdrängten Ihn die Volksmengen einmal so sehr, dass Er in ein Schiff stieg und von dort aus lehrte. Es ist bezeichnend, dass das Schiff nicht Ihm gehörte, sondern Simon Petrus (Lukas 5,3).

Einmal kam jemand zu Jesus und wollte Ihm nachfolgen. Doch der Herr machte ihm klar, was das bedeutete: „Die Füchse haben Höhlen und die Vögel des Himmels Nester, aber der Sohn des Menschen hat nicht, wo er das Haupt hinlege" (Lukas 9,58).

Bevor der Sohn Gottes zum letzten Mal in Jerusalem einzog, sandte Er zwei Jünger aus, die Ihm ein Eselsfohlen besorgen sollten. Dabei gab Er ihnen die Begründung mit: „Der Herr benötigt es" (Lukas 19,31). – Der Herr „benötigte" es, damit sich die Prophezeiung des Alten Testaments erfüllte (Sacharja 9,9). Er „benötigte" es aber auch deshalb, weil Er keins besaß.

Vor dem denkwürdigen letzten Passah mit seinen Jüngern lässt Jesus zwei von ihnen nach einem geeigneten Raum fragen: „Wo ist das Gastzimmer, wo ich mit meinen Jüngern das Passah essen kann?" (Lukas 22,11). Der Sohn Gottes selbst besaß kein Gastzimmer.

Von den Menschen verraten, verleugnet und verlassen, stirbt Jesus für uns und unsere Sünden und wird begraben – nicht in einer eigenen Gruft, sondern in der Gruft Josephs von Arimathia (Lukas 23,53). – Der Sohn Gottes wurde arm um unsertwillen. Dafür sei Ihm ewig gedankt!

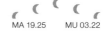

Er (der reiche Mann) **rief und sprach: ... ich leide Pein in dieser Flamme.**

Lukas 16,24

Der Schrotthändler kam mit dem LKW. Mit meinem Großvater verhandelte er über den Wert der Metalle, die er mitnehmen sollte. Als sie sich einig geworden waren und den Schrott aufgeladen hatten, fragte mein Großvater: „Haben Sie die Vergebung Ihrer Sünden?" Der Händler lachte nur.

„Aber wenn Sie nicht an den Sohn Gottes glauben wollen, sind Sie für ewig verloren." Jetzt kam die spöttische Antwort: „Dann werde ich eben mit meinem Lkw dem Teufel in der Hölle die Kohlen fahren."

Interessiert und schließlich erschrocken hatte ich den Gesprächsverlauf verfolgt und fragte mich: Denkt dieser Mann etwa, dass die Hölle ein Ort sei, an dem er später einfach weiter sündigen könne, „ungestört" von Gott und von den Boten des Evangeliums?

Noch ist die Hölle leer. Das Endgericht des Herrn Jesus Christus kommt erst noch. Der reiche Mann, von dem Jesus in unserem Bibelwort erzählt, befand sich noch im Zwischenzustand des Totenreichs. Doch schon dort litt er Pein. Was er in seinem Leben nicht wahrhaben wollte – dass Gott heilig und gerecht ist und ihn für seine Sünden richten würde –, das wusste er jetzt, und es lag unendlich schwer und quälend auf seiner Seele.

Das sind bedrückende Aussichten für jeden, der nicht an den Sohn Gottes glauben *will* und auf dem „der Zorn Gottes bleibt" (Johannes 3,36). Wer aber an Ihn glaubt, wer Ihn als Retter und Herrn annimmt, der darf wissen: Jesus Christus hat am Kreuz den Zorn Gottes, den ich verdient hatte, für mich erduldet.

Samstag 12 Juli

Der HERR sprach zu Noah: Geh in die Arche, du und dein ganzes Haus.
Und der HERR schloss hinter ihm zu.

1. Mose 7,1.16

Es gibt Christen, die Gott aufrichtig ihre Lebensschuld bekannt haben und an Jesus Christus glauben und die doch noch im Blick auf ihre Errettung beunruhigt sind. Sie fürchten, dass sie Gott vielleicht untreu werden und dann das Heil wieder verlieren könnten.

Anhand von Noah und seiner Arche illustriert uns Gott die absolute Sicherheit jedes Erlösten. So wie Er Noah aufforderte, in die Arche zu gehen, hat Er auch uns aufgefordert, zum Herrn Jesus zu kommen und unser Vertrauen auf Ihn zu setzen. Sobald Noah mit seiner Familie in der Arche war, schloss Gott selbst hinter ihm zu. Jetzt waren alle, die sich in der Arche befanden, in Sicherheit.

Wer hätte öffnen können, was Gott verschlossen hatte? „Wenn Gott für uns ist, wer gegen uns?" Keine Macht der Engel, der Menschen oder des Teufels konnte die Tür der Arche aufbrechen und das Wasser hineinlassen. Sie war von derselben Hand verschlossen worden, die auch das Gericht der Sintflut auslöste. Von Christus heißt es: „Der den Schlüssel des David hat, der da öffnet, und niemand wird schließen, und schließt, und niemand öffnet." Er hat „alle Gewalt im Himmel und auf Erden". Wer könnte folglich denjenigen antasten, der im Glauben seine Zuflucht zu Ihm genommen hat?

Der Tod des Herrn Jesus Christus ist die unerschütterliche Grundlage unseres Heils, und seine Auferstehung beweist, dass Gott völlig zufriedengestellt ist. Deshalb kann Er uns ein bedingungsloses, ewig sicheres Heil schenken. Es ist unverlierbar und erfordert keine Erprobung oder Läuterung, als ob es dadurch noch sicherer werden könnte.

---

3. Mose 24,1-23
Psalm 69,13-28

 SA 05.20   SU 21.35

 MA 21.10   MU 05.30

... die die Wahrheit Gottes mit der Lüge vertauscht und dem Geschöpf Verehrung und Dienst dargebracht haben anstatt dem Schöpfer, der gepriesen ist in Ewigkeit. Amen.

Römer 1,25

Gedanken zum Römerbrief

Vers 24 hat gezeigt, wie Gott die Heiden den Begierden ihrer Herzen überlassen hat und das Böse ungehindert zur vollen Reife kommen lässt.

Hier wird die Begründung vertieft. Die Menschen, die dieses ernste Gericht trifft, haben die von Gott offenbarte Wahrheit aufgegeben. Sie wollen dem Schöpfer nicht den Ihm zukommenden Platz in ihrem Leben einräumen. Wenn man sich aber von der Wahrheit Gottes abkehrt, wird nichts mehr im richtigen Licht und in seiner richtigen Beziehung gesehen. Alles wird verkehrt beurteilt, wird zur Lüge.

Das Elend des Menschen hat damit begonnen, dass er der Lüge des Teufels glaubte – der Lüge über Gott, der Lüge über den Menschen, der Lüge über die Beziehung des Menschen zu Gott und schließlich der Lüge über die Folgen ihres Ungehorsams. Der Teufel versprach dem Menschen Fortschritt, Höherentwicklung, doch das Gegenteil traf ein. Im Heidentum wie im Neu-Heidentum unserer Zeit zeigt sich nämlich durchaus kein stetiger moralischer Fortschritt, sondern galoppierender Niedergang. Dazu gehört dann auch, dass dem Geschöpf auf vielerlei Weise Verehrung dargebracht wird, während man achtlos an dem Schöpfer vorbeigeht, dem diese rechtmäßig zusteht.

Paulus aber kennt den Schöpfer-Gott. Er weiß, dass der Mensch nur sich selbst, nicht aber dem lebendigen Gott Schaden zufügen kann, wenn er nicht mehr nach Ihm fragt. Gott steht über allem; sein Thron ist unerschütterlich; Er ist „gepriesen in Ewigkeit". Mit einem „Amen" stimmt Paulus freudig in dieses Lob des Schöpfers und ewigen Gottes ein.

Einige dich schnell mit deinem Widersacher, während du mit ihm auf dem Weg bist; damit nicht etwa der Widersacher dich dem Richter überliefert ... und du ins Gefängnis geworfen wirst.

Matthäus 5,25

Hat der Top-Manager bei seinem Wechsel zur Konkurrenz auch Betriebsgeheimnisse mitgenommen? Mit dieser Frage beschäftigen sich die Gerichte. In Amerika droht die Verurteilung zu Schadenersatzleistungen in Milliardenhöhe, und auch der Image-Verlust ist gewaltig. Da beginnt der Aufsichtsrat des beschuldigten Konzerns Gespräche mit der Gegenpartei, um noch zu einer friedlichen Einigung zu kommen.

Auf friedliche Einigung mit der Gegenpartei hat schon Jesus Christus in der Bergpredigt gedrungen. – Ob sich der erwähnte Aufsichtsrat wohl auf die biblischen Maßstäbe und auf die Worte Jesu besonnen hat? Wie dem auch sei: Wer auf die Botschaft der Bibel hört, ist immer gut beraten.

Doch in den Worten des Herrn Jesus Christus ist ein noch tieferer Sinn enthalten. Sicherlich will Er auch sagen, dass wir unsere Sache mit Gott in Ordnung bringen müssen, und das rechtzeitig. Aber eine Einschränkung ist dabei zu beachten: Gott ist nicht unser Widersacher; *wir haben mit Ihm* etwas in Ordnung zu bringen, *nicht Er mit uns*. Denn Gott hasst zwar die Sünde, doch Er liebt den Menschen.

Die *Feindschaft* besteht nur auf unserer Seite. Deshalb hat Gott ja seinen geliebten Sohn für uns gegeben: Nicht um unsere Schuld einzuklagen, sondern um uns mit sich zu versöhnen; nicht um uns zu verurteilen, sondern um uns zu rechtfertigen. Nicht wir müssen „bezahlen", um mit Gott versöhnt zu werden, sondern der Sohn Gottes hat für unsere Schuld bezahlt – wenn wir das Angebot der Versöhnung annehmen. Das allerdings liegt in *unserer* Verantwortung.

Diesen Anfang der Zeichen machte Jesus in Kana in Galiläa und offenbarte seine Herrlichkeit; und seine Jünger glaubten an ihn.

Johannes 2,11

Eine orientalische Hochzeit ist sicher nicht so ganz mit unseren Feiern zu vergleichen, was die Zahl der Gäste und auch die Dauer angeht. In dem galiläischen Dörfchen Kana war das Fest in vollem Gang, als der bereitgestellte Wein zu Ende ging. Auch Jesus Christus war unter den Gästen, und seine Mutter berichtete Ihm von der großen Verlegenheit. Doch zunächst tat der Sohn Gottes nichts. Weisungen nahm Er nur von seinem himmlischen Vater an, nicht einmal von seiner irdischen Mutter.

Bis dahin war Jesus noch wenig öffentlich in Erscheinung getreten, und viele hatten noch gar keine Vorstellung davon, wer Er wirklich war. Unvermutet gibt der Herr nun den Auftrag, die vorhandenen sechs großen Wasserbehälter mit Wasser zu füllen, was zweifellos einige Zeit in Anspruch nahm. Ungefähr 500 bis 600 Liter Wasser mussten dazu herangeschafft werden; eine sehr große Wassermenge. Dann befahl Jesus, dem Festordner eine Probe aus den Gefäßen zu bringen – von dem Wasser, das auf unerklärliche Weise zu Wein geworden war.

Der Mann war von der Qualität des neuen Weines, dessen Herkunft er nicht kannte, sehr beeindruckt. Er bekundete dem gastgebenden Bräutigam sein Befremden darüber, dass dieser den guten Wein, wie er meinte, so lange zurückbehalten hatte – ein unfreiwilliges Zeugnis für das Weinwunder, wie es auch genannt wird. Doch die Heilige Schrift bezeichnet es vielmehr als ein „Zeichen", ein Zeichen für die Herrlichkeit Jesu, des Sohnes Gottes. Dieses Zeichen war – in Verbindung mit der Botschaft, die Jesus verkündigte – so überzeugend, dass viele an Ihn glaubten. Das können auch wir heute – aufgrund des zuverlässigen Zeugnisses der Bibel.

Und Gott sah alles, was er gemacht hatte, und siehe, es war sehr gut.

1. Mose 1,31

Bionik

Die Bionik ist ein recht neuer Wissenschaftszweig. Das Wort wurde aus *Bio*logie und Tech*nik* zusammengesetzt. Aufgabe der Bionik ist es, die Strukturen und Funktionen von Lebewesen daraufhin zu untersuchen, ob sie hilfreiche Anregungen für die Lösung technischer Probleme bieten. Ingenieure und Techniker sind ja stets auf der Suche danach, wie sie die Konstruktionen optimieren und so zu noch zweckmäßigeren, stabileren oder preisgünstigeren Ergebnissen kommen können.

Hier bietet uns die belebte Natur zwar keine Blaupausen, die „1 zu 1" übernommen werden könnten, aber doch eine Fülle nützlicher Anregungen. Einige Beispiele dafür sind:

- die Optimierung von Schiffsrümpfen entsprechend dem Körperbau von Delfinen;
- die Beschichtung von Flugzeug-Tragflächen mit einer Folie, die Reibungsverluste minimiert und deren Struktur man der Haifischhaut abgeschaut hat;
- die Entwicklung von hydraulisch gesteuerten Greifarmen für Roboter, angeregt durch das Studium von Spinnenbeinen;
- Farben, die sich den Selbstreinigungseffekt zunutze machen, den man in der Struktur der Lotusblüte entdeckt hat.

All diese perfekten Strukturen und Funktionen weisen auf einen intelligenten Schöpfer hin – auf den lebendigen Gott, dessen „ewige Kraft und Göttlichkeit in dem Gemachten wahrgenommen werden" (Römer 1,20). Und es ist sehr interessant und lehrreich, seiner Weisheit in der Schöpfung nachzuspüren. Aber Gott bietet uns noch mehr an: Wir können Ihn *persönlich* kennenlernen – durch seinen Sohn Jesus Christus. Durch den Glauben an Ihn, den Herrn und Erlöser, können wir Kinder des großen Gottes werden.

Ringt danach, durch die enge Tür einzugehen; denn viele, sage ich euch, werden einzugehen suchen und es nicht vermögen.

Lukas 13,24

Mit diesen Worten antwortete der Herr Jesus Christus einem Fragesteller. „Herr, sind es wenige, die errettet werden?", hatte dieser wissen wollen. Der Herr möchte ihm zeigen, dass die wichtigere Frage die ist, ob man selbst zu denen gehört, die errettet werden. Ihm ist der Herzenszustand des Fragenden wichtiger als die gestellte Frage, die oft nur ein Vorwand ist.

An anderer Stelle, im Gleichnis vom schmalen und breiten Weg, zeigt der Herr übrigens deutlich, dass die Zahl der Erretteten klein ist im Vergleich zu der großen Masse derer, die gleichgültig dahingehen, und auch dort fügt Er die Aufforderung hinzu, durch die enge Pforte einzugehen (Matthäus 7,13.14).

Was bedeutet nun dieses „Ringen"? – Es bedeutet, dass man sich losreißen muss von dem bisherigen Leben der Gleichgültigkeit, dass man alle Vorurteile überwinden und etwas sehr Unpopuläres tun muss: die dargebotene Retterhand des Herrn ergreifen. Ja, es gehört viel Mut dazu, sich darüber hinwegzusetzen, was andere sagen, aber „ringt danach", sagt der Herr, „viele werden ... es nicht vermögen". Tatsächlich, die meisten Menschen ringen sich nicht dazu durch. Aber tun Sie es! In der Ewigkeit, vor dem „Richter aller", wird Ihnen keiner von denen helfen, die Sie heute daran hindern.

Die Errettung selbst aber ist ein Werk der freien Gnade Gottes; dazu kann niemand etwas durch eigenes Ringen beitragen. „Dem aber, der nicht wirkt [d. h. nicht mit eigenen Leistungen vor Gott bestehen will], sondern an den glaubt, der den Gottlosen rechtfertigt, wird sein Glaube zur Gerechtigkeit gerechnet" (Römer 4,5).

---

3. Mose 26,14-33
Psalm 71,17-24

SA 05.25   SU 21.30   MA 23.51   MU 12.05

Freitag **18** Juli

Wenn wir unsere Sünden bekennen, so ist Gott treu und gerecht, dass er uns die Sünden vergibt und uns reinigt von aller Ungerechtigkeit.
Das Blut Jesu Christi, seines Sohnes, reinigt uns von aller Sünde.

1. Johannes 1,9.7

Neubeginn

Hast du im Leben vieles falsch gemacht
und stehst vor einem Scherbenhaufen?
Willst du, voll Schuld, so weiterlaufen
nachdem die Sünde es so weit gebracht?

Bekenne ehrlich deine Schuld vor Gott,
denn sonst wird sie noch immer größer.
Oh, geh zu Jesus, dem Erlöser,
dann räumt Gott weg den ganzen Berg von Schrott.

Weil Christus auf dem Kreuze Sühnung tat,
den Tod für Sünder dort erlitten,
lässt Gott – voll Gnade! – sich erbitten,
bereit, zu tilgen jede Missetat.

Gott bietet einen Neubeginn dir an.
Sich selbst zu bessern geht daneben!
Gott schenkt ein völlig neues Leben,
die Neugeburt, die Er nur wirken kann.

Oh, mach von Gottes Angebot Gebrauch.
Du wirst es nie, ja nie bereuen,
vielmehr des Heils dich dann erfreuen,
wie viele andre Menschen vor dir auch!

P. W.

---

3. Mose 26,34-46
Psalm 72,1-7

 SA 05.27   SU 21.29

 MA 00.19   MU 13.20

Wenn ich anschaue deine Himmel, deiner Finger Werk, den Mond und die Sterne, die du bereitet hast: Was ist der Mensch, dass du seiner gedenkst, und des Menschen Sohn, dass du auf ihn achthast?

Psalm 8,4.5

Der wahre Sinn des Lebens

Seit den 1990er Jahren kann die Bibel wieder ungehindert nach Russland eingeführt werden. Zahlreiche Russen haben sich seitdem vom Atheismus abgekehrt und zu Gott hingewendet. Ein ehemals atheistischer Universitätsprofessor steht mit seinem Zeugnis stellvertretend für viele andere:

„Ich habe versucht, meinem Leben durch wissenschaftliche Arbeit einen Sinn zu geben; aber nichts hat mich befriedigt. Auch andere Wissenschaftler fühlen dieses Vakuum. Wenn ich bei meinen astronomischen Forschungen die Größe des Universums vor Augen hatte, verspürte ich stets diese Leere in meiner Seele. – Dann begann ich, die Bibel zu lesen, und sie hat nach und nach die große Leere in meinem Herzen ausgefüllt. Sie ist die einzige Quelle der Zuversicht für mich. Als ich Jesus Christus als meinen Retter annahm, habe ich Frieden und Glück gefunden."

Christen sind glücklich darüber, dass sie Gott als ihren Vater kennen. Sie wissen, dass nur Er die Antwort hat auf die tiefsten Bedürfnisse des Herzens und wirklichen Sinn in ihr Leben bringt. Der allmächtige Gott, der das Universum geplant und geschaffen hat, will eine enge persönliche Beziehung zu jedem Menschen haben. Unserem Schöpfer liegt an uns. Deshalb hat Er seinen Sohn Jesus Christus auf diese Erde gesandt, um uns zu erretten.

Er interessiert sich für Sie – als ob Sie das einzige Wesen wären, das Er geschaffen hat. Deshalb ruft Er auch Ihnen zu: „Du denn, kehre um zu deinem Gott" (Hosea 12,7).

---

3. Mose 27,1-15
Psalm 72,8-14

 SA 05.28   SU 21.28

 MA 00.49   MU 14.32

Deswegen hat Gott sie hingegeben in schändliche Leiden-schaften; denn ihre Frauen haben den natürlichen Verkehr mit dem widernatürlichen vertauscht; und ebenso haben auch die Männer den natürlichen Verkehr mit der Frau verlassend und sind in ihrer Wollust zueinander entbrannt, indem sie, Männer mit Männern, Schande trieben und den gebührenden Lohn ih-rer Verirrung an sich selbst empfingen.

Römer 1,26.27

Gedanken zum Römerbrief

Zum zweiten Mal heißt es hier, dass Gott die Völker, die sich von Ihm abgewandt haben, ihren sündigen Leidenschaften überlässt. Sie hatten „die Wahrheit Gottes mit der Lüge vertauscht" und unter dem Gericht Gottes „vertauschen" sie nun die „natürliche" Ausübung der Sexualität mit der „widernatürlichen".

Wenn eine Kultur sich dahin verirrt, den Schöpfer aufzugeben, dann ist grobe sittliche Verirrung die konsequente Folge. Dann gibt sie bald auch Gottes Ordnung in der Schöpfung auf – das „Natürli-che". Was Gott dem Menschen zu seinem Glück gegeben hat in der Ehe von Mann und Frau, wird zur Quelle des Unglücks. Schließlich bleibt auch die Familie als Keimzelle der Gesellschaft auf der Stre-cke, mitsamt ihrer natürlichen Funktion, Geborgenheit und Schutz zu vermitteln. Die Sünde der Abkehr von Gott mit ihren Folgesünden empfängt schon auf der Erde „gebührenden Lohn".

Es gilt das Prinzip von Saat und Ernte: „Irrt euch nicht, Gott lässt sich nicht spotten! Denn was irgend ein Mensch sät, das wird er auch ernten" (Galater 6,7). Auf diese Weise sind die Heidenvölker Stufe für Stufe ins Verderben abgeglitten; und so sind auch früher christ-lich geprägte Kulturen in den sündigen Strudel geraten, aus dem es kein *gesamthaftes* Entrinnen gibt. Gottes Gnade ruft aber immer noch *den Einzelnen*, um ihn aus dem Verderben zu reißen.

---

3. Mose 27,16-34
Psalm 72,15-20

 SA 05.29 SU 21.27

 MA -.- MU 15.40

Denn so hat Gott die Welt geliebt, dass er seinen eingeborenen Sohn gab, damit jeder, der an ihn glaubt, nicht verloren gehe, sondern ewiges Leben habe.

Johannes 3,16

Jetzt lebe ich durch den Glauben an den Sohn Gottes, der mich geliebt und sich selbst für mich hingegeben hat.

Galater 2,20

In einem Gefängnis in Amerika. Der Gefängnisgeistliche sitzt dem Häftling zum ersten Mal gegenüber. Bisher hat der Mann nie ein Gespräch gewünscht. Jetzt erzählt er seine schreckliche Geschichte, während der Geistliche still zu Gott betet, Er möge ihm doch den Schlüssel zu diesem Herzen geben. Als der Gefangene geendet hat, gibt der Besucher ihm ein Neues Testament und verspricht, bald wiederzukommen. Zum Abschied – umarmt er ihn.

Ganz überrascht ruft der Mann aus: „Es gibt doch einen, der mich liebt?", und seine Augen werden feucht. „Ja", sagte der Geistliche, „es gibt Einen, der Sie liebt." Und dann erzählt er ihm von der unergründlichen Liebe Gottes. Er berichtet von dem einen Übeltäter, der auf Golgatha ganz kurz vor seinem Tod umkehrte. Er erzählt von der Ehebrecherin, der vergeben wurde. Und er liest ihm das Wort Jesu vor, dass Er gekommen ist, um gerade solche zu suchen und zu erretten, die verloren sind. Voller Spannung hört der Mann die gute Botschaft von der Liebe Gottes.

Diese Liebe überwältigt ihn. Er kommt zum Glauben an Jesus Christus und nimmt Ihn als seinen Erretter an. Kurz darauf bekennt er öffentlich, dass diese Liebe ihn errettet hat. Durch die Strafe, die er verbüßen muss, bezahlt er seine Schuld gegenüber der menschlichen Gesellschaft. Doch unendlich viel wichtiger ist ihm jetzt, dass Christus seine Schuld *vor Gott* bezahlt hat.

... der große Drache, die alte Schlange, welcher Teufel und Satan genannt wird, der den ganzen Erdkreis verführt.

Offenbarung 12,9

„Glauben Sie im Ernst noch an den Teufel?" Diese erstaunte oder spöttische Frage müssen sich Christen von Zeit zu Zeit gefallen lassen. Ich möchte darauf dreierlei zu bedenken geben:

1. Wenn man einmal darauf achtet, welchen Einfluss in unserer Zeit Okkultismus und Esoterik mit ihren schrecklichen Folgen haben, dann kann man wohl kaum noch die Existenz dämonischer und teuflischer Wesen leugnen.

2. Dabei denke ich jedoch nicht an die Existenz eines Teufels, wie ihn manche Bilder und Volkslegenden beschreiben. Dieses gruseliglächerliche Wesen mit Pferdefuß, Schwanz und Dreizack, das in der Hölle mit einem Heer von „Unterteufeln" die Menschen peinigt, ist reine Fantasie. Das ist nicht der Teufel, wie die Bibel ihn beschreibt.

3. Ich glaube aber daran, dass dieser große Widersacher Gottes existiert, weil Gott es in seinem Wort so sagt. In der Bibel wird er manchmal mit symbolischen Namen benannt: der große Drache – er ist grausam; die alte Schlange – sie ist listig; aber dann auch mit Namen, die deutlich machen, dass es sich um eine konkrete Person handelt: der Teufel (d. h. Durcheinanderbringer); der Satan (d. h. Widersacher). An anderen Stellen wird er noch „der Gott dieser Welt" genannt.

Aber da ist der Eine, der den Teufel besiegt und ihm die Macht genommen hat: Jesus Christus. Er hat alle, die an Ihn glauben, aus der Macht des Teufels befreit. Dafür gebührt Ihm ewig Dank!

Mittwoch 23 Juli

Wer den Sohn hat, hat das Leben. Wer den Sohn Gottes nicht hat, hat das Leben nicht.

1. Johannes 5,12

Eine schwerstkranke Frau sitzt im Rollstuhl. Die einzige ihr verbliebene Aktivität besteht im leichten Heben der Hände, die Ja und Nein signalisieren. Keine Nahrungsaufnahme auf normalem Weg, nicht mehr sprechen können – eins nach dem andern ist ausgefallen. Zum Lesen reicht es nicht mehr, aber ansonsten arbeiten Sinnesorgane und Verstand wie gewohnt.

Zur Abwechslung empfängt sie seit über drei Jahren an einem Nachmittag der Woche ihre gläubige Vorleserin. Aus deren Buchauswahl entschied sie sich immer wieder für christliche Erzählungen. Das ist ein für sie völlig fremder Lesestoff, darunter viele spannende und zum Nachdenken anregende Handlungen, aber auch manche sehr klare Bekehrungsgeschichte. Während der Lesestunden ist reichlich Zeit, das alles im Zusammenhang aufzunehmen.

Wie verarbeitet die Frau das Gehörte? Hat sie Fragen zum Inhalt? Will sie mehr wissen? Häufige Bibelzitate in den Büchern veranlassen die Vorleserin zu dem Angebot, ihr auch aus der Bibel vorzulesen, dann hätte sie den „Quellentext". Eine leichte Bewegung der linken Hand bedeutet Nein. Auch der Gesichtsausdruck lässt Ablehnung erkennen.

Bei einer anderen Gelegenheit ergibt sich die Frage: „Glaubst du, dass es Gott gibt?" Und die positive Antwort ließ auf mehr hoffen. „Ist Jesus Christus für dich Gottes Sohn?" Da hebt sich die linke Hand, und das Mienenspiel sagt Nein.

Immer wieder lesen wir von dem Sohn Gottes, dass Er „innerlich bewegt" war über die Leiden der Menschen. Er ist „voller Mitgefühl und barmherzig". Was für einen Trost und was für eine Kraft würde Er auch in das Leben dieser Kranken bringen – wenn sie Ihn einließe!

Glückselig die Armen im Geist, denn ihrer ist das Reich der Himmel.

Matthäus 5,3

Was sind das für Leute, diese „Armen im Geist", von denen hier die Rede ist? Sind das Menschen mit beschränkten geistigen Fähigkeiten, „geistig Minderbemittelte"? Nein, keineswegs: Das sind Menschen, die die Antworten auf die großen Fragen des Lebens nicht in sich selbst suchen, sondern erkannt haben, dass nur Gott diese Fragen beantworten kann.

Das Ausmaß der geistigen Fähigkeiten ist dabei nicht entscheidend. Ein großer Wissenschaftler und tiefsinniger Denker, der vor Gott demütig geblieben ist, kann eher zu diesen gerechnet werden als ein kleiner Geist, dem seine wenigen, zurechtgelegten Gedanken über Gott mehr bedeuten als Gottes Wort. Auf das Herz kommt es an.

Der Apostel Paulus schreibt an die Korinther: „Denn ich hielt nicht dafür, etwas unter euch zu wissen, als nur Jesus Christus, und ihn als gekreuzigt"; und das, obwohl er kurz darauf sagen kann: „Was kein Auge gesehen und kein Ohr gehört hat und in keines Menschen Herz aufgekommen ist …; uns aber hat Gott es offenbart durch seinen Geist" (1. Korinther 2,2.9.10).

Paulus wusste so viel wie kaum einer, aber er ging nicht im Vertrauen auf sein Wissen auf die Menschen zu. Er wollte die Aufmerksamkeit einzig und allein auf Jesus Christus lenken. Nur weil der *Mensch* Paulus nichts aus sich machte, konnte Gott in so hervorragender Weise durch den *Apostel* Paulus wirken.

Lassen wir uns nicht irremachen durch Spötter, die meinen, mitleidig lächeln zu müssen über die „Armen", die weise genug sind, zu wissen, dass sie in sich selbst nichts besitzen. Solchen Spöttern gilt: „… indem sie sich für Weise ausgaben, sind sie zu Toren geworden" (Römer 1,22).

Erkenne und sieh, dass es schlimm und bitter ist, dass du den HERRN, deinen Gott, verlässt und dass meine Furcht nicht bei dir ist, spricht der Herr, der HERR der Heerscharen.

Jeremia 2,19

„Wachsende Verrohung der Gesellschaft", „zerfallene Familien", „Kältetod der Menschlichkeit". So lauten einige Kommentare der Presse angesichts der zunehmenden Gewalt unter Jugendlichen und Kindern. In Diskussionsrunden rauchen die Köpfe. Seelendeuter, Politiker und Erzieher fragen: Was für eine Generation wächst da heran? Dass Kinder andere Kinder töten, zerstört eine Illusion: den Glauben, dass materielle Versorgung, soziale Sicherheit und Lustbefriedigung genügen, um eine Gesellschaft stabil zu erhalten.

Eine schamlose Gesellschaft wird zur unverschämten, ja mordenden Gesellschaft. Dass Mord, Kinderschändung oder Gewalt an Wehrlosen schreiendes Unrecht und zutiefst böse sind, da wird fast jeder zustimmen. – Aber wo liegen die Ursachen, und woher nehmen wir die Kraft, nach dem Urteil unseres Gewissens zu handeln? „Die Furcht des HERRN ist der Anfang der Erkenntnis", so lehrt uns Gottes Wort. Aber es lässt uns auch wissen, dass im Herzen des Menschen von Natur aus keine Gottesfurcht vorhanden ist (Sprüche 1,7; Römer 3,9-18).

Wenn aber die Ehrfurcht vor Gott fehlt, ist die wichtigste Hemmschwelle beseitigt. Dann kann die Sünde die Gedankenwelt des Menschen beherrschen und ihn dazu bringen, das Böse bedenkenlos und rücksichtslos auszuüben.

Da hilft nur die Umkehr zu Gott! Gott will uns ein „neues Herz" und einen „neuen Geist" geben und damit verbunden auch die Kraft zu einem neuen Leben (Hesekiel 36,26.27).

Josua 3,14-4,8
1. Korinther 2,6-16

 SA 05.36 SU 21.20

 MA 04.25 MU 20.00

Als aber der Pharisäer es sah, der Jesus geladen hatte, sprach er bei sich selbst und sagte: Wenn dieser ein Prophet wäre, so würde er erkennen, wer und was für eine Frau es ist, die ihn anrührt; denn sie ist eine Sünderin.

Lukas 7,39

Der Pharisäer Simon hat Jesus zum Essen eingeladen. Sein Motiv dafür kennen wir nicht. Jedenfalls ist er unschlüssig, was er von Jesus halten soll. – Ist Er nur ein begabter Redner? Ein Prophet? Oder noch mehr als das?

Da kommt eine Frau ins Haus, die einen üblen Ruf hat. Aber ihre Schuld treibt sie zum Herrn Jesus, der nach der damaligen Sitte auf einem Liegepolster zu Tisch liegt. Die Frau tritt weinend hinter Ihn und salbt seine Füße mit Salböl. Jesus lässt sie gewähren. Das scheint Simon die Antwort auf seine Frage zu geben: „Wenn Jesus ein Prophet wäre, müsste er doch wissen, was für eine Frau das ist!", denkt er.

Jesus erkennt die Gedanken des Pharisäers und stellt ihm eine Frage: Ein Gläubiger hat zwei Schuldner, die unterschiedlich hoch bei ihm verschuldet sind. Wenn er beiden die Rückzahlung der Darlehen erlässt, wer von ihnen wird ihn dann am meisten lieben? – Völlig richtig antwortet Simon: Der, dem das meiste erlassen wird.

Der Zusammenhang wird klar, als der Herr auf diese Frau hinweist: Sie hat Ihm die Ehre erwiesen, die sein Gastgeber Ihm vorenthalten hat. Voll Reue über ihre Sünden hat sie sich Hilfe suchend an den Sohn Gottes gewandt. Simon dagegen fühlt keine Schuld. Er braucht keine Vergebung – so meint er offenbar.

Und dann sagt der Herr über die Frau: „Ihre vielen Sünden sind vergeben, denn sie hat viel geliebt." Spätestens jetzt muss allen klar sein, wer dieser Gast ist: Jesus ist nicht nur Lehrer und Prophet, sondern der Sohn Gottes. Er sieht ins Herz – bei Simon und bei dieser Frau. Und Er hat die Vollmacht, Sünden zu vergeben.

Und weil sie es nicht für gut befanden, Gott in Erkenntnis zu haben, hat Gott sie hingegeben in einen verworfenen Sinn, zu tun, was sich nicht geziemt; erfüllt mit aller Ungerechtigkeit, Bosheit, Habsucht, Schlechtigkeit; voll von Neid, Mord, Streit, List, Tücke; Ohrenbläser, Verleumder, Gott Hassende, Gewalttäter, Hochmütige, Prahler, Erfinder böser Dinge, den Eltern Ungehorsame, Unverständige, Treulose, ohne natürliche Liebe, Unbarmherzige; die, obwohl sie Gottes gerechtes Urteil erkennen, dass die, die so etwas tun, des Todes würdig sind, es nicht allein ausüben, sondern auch Wohlgefallen an denen haben, die es tun.

Römer 1,28-32

Gedanken zum Römerbrief

Die Heiden hatten einst Kenntnis von Gott, aber sie hatten diese Kenntnis verworfen. Deshalb gibt Gott sie in seinem vergeltenden Gerichtshandeln nun einem „verworfenen Sinn" hin. Ihr Sinn ist „wertlos" oder „nutzlos" geworden; er kann seine eigentliche moralische Funktion nicht mehr ausüben. Das Ergebnis davon ist dieser Katalog von Lastern, die damals die Heidenvölker kennzeichneten.

Diese Liste trifft aber auch auf unsere Situation heute zu! Viele Einzelpersonen mögen sich grober Sünden enthalten, aber unsere Kultur als solche ist dadurch geprägt. Täglich liefern die Medien den Beweis dafür ins Haus. Denn „von ihrer Sünde sprechen sie offen wie Sodom, sie verhehlen sie nicht" (Jesaja 3,9). Und der Tiefpunkt ist erreicht, wenn man diese Sünden nicht nur selbst begeht, „sondern auch Wohlgefallen an denen hat, die es tun".

Da ist also nicht nur an die schrecklichen „Spiele" im Kolosseum in Rom zu denken, wo die Menge den Grausamkeiten zuschaute und applaudierte, sondern auch an die ganze Bandbreite dessen, was uns heute an Bösem dargeboten und im Allgemeinen auch akzeptiert wird.

Josua 5,1-15
1. Korinther 3,11-23

SA 05.39   SU 21.17

MA 06.23   MU 21.02

Montag 28 Juli

Gott, du bist mein Gott! Früh suche ich dich. Es dürstet nach dir meine Seele, nach dir schmachtet mein Fleisch in einem dürren und lechzenden Land ohne Wasser.

Psalm 63,2

„Mein Gott!"

„Mein Gott, was regnet das!" Diesen und ähnliche Ausrufe können wir täglich um uns her hören. Bei allen möglichen und meistens ganz unpassenden Gelegenheiten wird der Name Gottes als Ausdruck des Erschreckens, des Erstaunens und des Ärgers gebraucht. Vermutlich sind sich nur wenige dessen bewusst, was sie da sagen. Sie haben auch gar nicht die Absicht, Gott tatsächlich in ihr persönliches Leben einzubeziehen.

Aber was für eine Veränderung würde dies bei dem bewirken, der das heute wirklich täte: Nicht leichthin den Namen Gottes im Mund führen, sondern echten Kontakt mit dem lebendigen Gott suchen!

David, der Dichter des 63. Psalms, praktizierte das. Er suchte Gott, den er persönlich als seinen Gott kennengelernt hatte, mit einem Verlangen, das aus tiefstem Herzen kam. Das war für ihn der Weg zur Freude. Er wandte sich von seinen Lebensumständen ab und richtete seinen Blick vertrauensvoll auf Gott. – Wenn wir so zu Gott kommen, gerät das Herz in Bewegung. Da wird uns auch bewusst, wer der große und allmächtige Gott eigentlich ist.

Auf diese Weise kann jedes Leben – und mag es noch so schwer oder auch farblos sein – einen reichen Inhalt bekommen. Suchen Sie Gott noch heute! Beten Sie zu Ihm. Durch Jesus Christus will Er auch Ihr Gott werden. Christus, der Erlöser, hat den Weg zu Ihm gebahnt. „Ich bin der Weg und die Wahrheit und das Leben. Niemand kommt zum Vater als nur durch mich", so hat Er gesagt (Johannes 14,6).

Josua 6,1-14
1. Korinther 4,1-10

SA 05.40　　SU 21.16　　MA 07.24　　MU 21.28

Dienstag 29 Juli

Als es nun Abend war an jenem Tag, dem ersten der Woche, und die Türen da, wo die Jünger waren, aus Furcht vor den Juden verschlossen waren, kam Jesus und stand in der Mitte und spricht zu ihnen: Friede euch!

Johannes 20,19

Durch verschlossene Türen

Versetzen wir uns einmal in die Gefühle der Jünger am Abend des Auferstehungstags, bevor der Herr Jesus Christus erschien! Ihr Herr war gestorben. Und nun hatten sie Angst, dass die Feindschaft der Juden sich auch gegen sie wenden würde. Als sie sich im Geheimen trafen, schlossen sie daher sorgfältig hinter sich zu. Und dann, trotz verschlossener Türen, kam Jesus plötzlich und stand vor ihnen. Seine ersten Worte waren: „Friede euch!"

Manche unter uns halten auch in ihrem Leben „die Türen verschlossen". Dabei kann es sich um einen Groll handeln, den wir seit Langem gegen jemand hegen, um eine Beleidigung oder eine tiefe Verletzung, die wir seit Jahren mit uns herumtragen, oder um eine böse, unvergessene Kindheitserfahrung, die unsere Beziehungen zu unserer Umgebung stört. Es kann auch ein Hadern mit Gott sein wegen eines Erlebnisses, das schon lange Zeit zurückliegt.

Diese „Türen" halten uns in unserer kleinen Welt der Furcht eingesperrt. Sie hindern uns daran, innerlich Fortschritte zu machen und wahres Glück zu erfahren. Aber verschlossene Türen haben den Herrn damals nicht gehindert und hindern Ihn auch heute nicht. Er will bei uns eintreten und alle Hindernisse wegräumen, die dem geistlichen Leben im Weg stehen.

Wer auf Ihn hört, wird Vergebung, Heilung und Glück empfangen und die Bedeutung seiner segensreichen Worte „Friede euch!" erfahren.

Josua 6,15-27
1. Korinther 4,11-21

 SA 05.42   SU 21.14

 MA 08.26   MU 21.52

Wer den Sohn hat, hat das Leben; wer den Sohn Gottes nicht hat, hat das Leben nicht.

1. Johannes 5,12

Vor dem Gebäudekomplex eines großen Altenheims werden gerade Vorbereitungen für Filmaufnahmen getroffen. Der verantwortliche Mann erklärt mir, dass hier eine Szene für einen neunzigminütigen Fernsehfilm „Die zweite Chance" gedreht wird.

„Darf ich Ihnen diese Schrift zu lesen geben?" Ich überreiche ihm ein Faltblatt mit der Aufschrift „Kennen Sie Jesus Christus?". – „Hier geht es auch um eine Chance", füge ich hinzu. „Jesus Christus ist die einzige Chance für verlorene Menschen, vor der Hölle gerettet zu werden und in den Himmel zu kommen." Der Mann schaut mich erstaunt an. Aber er und auch seine Mitarbeiter nehmen die Blätter an.

Ja, es gibt keine andere Chance, zu Gott zu kommen, als nur durch Christus, der von sich selbst sagen konnte: „Ich bin der Weg." Dieses Angebot muss in diesem Leben angenommen werden. Und Gott gibt jedem Menschen genügend Zeit. Er wartet, Er redet zu uns durch die Bibel und seine Boten, durch Krankheit oder ernste, oft erschütternde Erlebnisse. „Siehe, das alles tut Gott zwei-, dreimal mit dem Mann, um seine Seele abzuwenden von der Grube, dass sie erleuchtet werde vom Licht der Lebendigen" (Hiob 33,29.30).

Aber wer diese Chancen verpasst, hat danach keine mehr. Der Mensch stirbt bekanntlich nur einmal, und drüben auf der anderen Seite kommt nur noch das Gericht Gottes – kein zweites Leben, keine „zweite Chance", die Sache mit Gott noch in Ordnung zu bringen. Jesus Christus sagt: „Wer mein Wort hört und dem glaubt, der mich gesandt hat, hat ewiges Leben und kommt nicht ins Gericht." Noch steht die Gnadentür also jedem offen; aber mit dem Tod ist sie zugefallen – für immer (Hebräer 9,27; Johannes 5,24).

Josua 7,1-15
1. Korinther 5,1-13

 SA 05.43   SU 21.13

 MA 09.29   MU 22.15

Donnerstag 31 Juli

Und er spricht zu ihm: Freund, wie bist du hier hereingekommen, da du kein Hochzeitskleid anhast? Er aber verstummte.

Matthäus 22,12

Dieses Gleichnis spricht davon, dass ein König das Hochzeitsmahl für seinen Sohn vorbereitet. Als alles fertig ist, lässt er die geladenen Gäste rufen. Das sind sicher alles ehrwürdige Menschen. Doch keiner von ihnen folgt der Einladung. Jeder ist so sehr mit seinen eigenen Aufgaben und Interessen beschäftigt, dass ihm der Ruf des Königs nicht wichtig genug ist.

Da lässt der König die einfachen Leute von den Landstraßen rufen, um mit ihnen die Hochzeit seines Sohnes zu feiern. Doch als er den Festsaal betritt, findet er einen Mann vor, der das bereitgestellte Hochzeitskleid nicht trägt. Wir lesen nichts davon, warum er es nicht angezogen hatte. Es genügt, dass er es nicht trägt. Und auf die Frage des Königs findet er kein Wort der Rechtfertigung. „Er aber verstummte."

Schon viele Menschen haben lauthals verkündet, was sie alles sagen wollen, wenn sie einmal vor Gott erscheinen werden. Die einen wollen Ihn dann für das Elend zur Rechenschaft ziehen, das durch die Kriege der Menschen verursacht wurde. Andere erheben schon hier Anklage gegen Gott wegen der Krankheiten geliebter Menschen oder wegen der vielen Naturkatastrophen. Wie vieles wissen sie jetzt zu sagen!

Aber sie alle übersehen, dass nicht *wir* Gott zur Rechenschaft ziehen werden, sondern *Er* uns. Wenn wir vor dem Richterstuhl Christi offenbar werden, wird sich zeigen, was unsere Taten hier auf der Erde wert sind. Dann zählt nur, ob wir die „Feierkleider" des Heils tragen, ob wir Zuflucht zu Christus und seinem Sühnopfer genommen haben oder nicht (Sacharja 3,4; Offenbarung 22,14). Wer meint, sich auf eigene Werke berufen zu können, wird wie der Mann im Gleichnis „verstummen".

Josua 7,16-26
1. Korinther 6,1-11

 SA 05.45   SU 21.11

 MA 10.32   MU 22.37

Freitag — 1 — August

Rufe mich an am Tag der Bedrängnis: Ich will dich erretten ...!

Psalm 50,15

Fürst Leopold I. von Anhalt-Dessau, der preußische Feldmarschall, stand am Krankenbett seiner sterbenden Tochter Louise. In dem Gebet, das er dort sprach, kommt etwas von seiner Draufgängernatur zum Vorschein: „Herr! Ich bin kein solcher Lump, der Dir um jeden Bettel mit Bitten und Betteln beschwerlich fällt. Ich komme nicht oft, werde auch nicht so bald wiederkommen. So lass mir denn auch jetzt meine Tochter gesund werden."

Offensichtlich huldigte „der Alte Dessauer" im Allgemeinen dem Grundsatz: „Hilf dir selbst, so hilft dir Gott!" – Aber ist denn der ein „Lump", der die Schwachheit und Sündhaftigkeit des menschlichen Daseins erkennt und dann seine Zuflucht zu dem Erlöser nimmt? Fallen wir denn dem Herrn Jesus Christus beschwerlich, wenn wir täglich zu Ihm beten, um uns von Ihm leiten zu lassen? – Fehlte es dem großen Feldherrn vielleicht an Selbsterkenntnis und auch an der rechten Gotteserkenntnis?

Gott fordert uns tatsächlich dazu auf, Ihn *am Tag der Not* anzurufen. Aber damit meint Er nicht, dass Er nur den „Lückenbüßer" für uns spielen will, wenn wir einmal nicht mehr weiter wissen. In dem Vers, der unserem Bibelwort vorausgeht, heißt es vielmehr: „Opfere Gott Lob, und bezahle dem Höchsten deine Gelübde" (V. 14), und Vers 15 endet mit den Worten: „... und du wirst mich verherrlichen!"

Ja, Gott will uns in der Not helfen. Aber Er lässt sich keine Statistenrolle in unserem Leben zuweisen. Er bietet uns vielmehr eine ganz enge, dauerhafte Beziehung an durch die Erlösung in Jesus Christus. In dieser Beziehung erfährt der Glaubende täglich die Liebe und Fürsorge Gottes und beantwortet sie mit Dankbarkeit und bereitwilligem Gehorsam.

Um sich zu belustigen, hält man Mahlzeiten, und Wein erheitert das Leben, und das Geld gewährt alles.

Prediger 10,19

Das Kreditkartenunternehmen weiß: „Es gibt Dinge, die man nicht kaufen kann." Aber: „Für alles andere gibt es …" eben diese Karte.

Die Werbung sagt zwar, dass man den Leuten nicht das geben kann, was sie im tiefsten Grund haben wollen: die „Momente des Erfolgs, des Glücks, der Freude". Aber sie nennt geschickt die Preise für einige Waren und Dienstleistungen, die mit der Karte bezahlt werden, und zeigt dann, wie es im Anschluss an den Kauf zu „unbezahlbaren Momenten" kommt. So hat ein Ehemann gerade per Karte eine Reise gebucht. Der „unbezahlbare Moment" kommt, als er seine Frau damit überrascht. – Aber der Zugang dazu war die Zahlung mit dem Plastikgeld.

König Salomo, der „Prediger" im Alten Testament, hat dieses Prinzip schon vor 3000 Jahren angedeutet: Der Mensch strebt nach Erfolg, nach Glück, nach Freude. Das ganze Buch „Prediger" spricht davon. In unserem heutigen Bibelvers feiern die Menschen gesellig miteinander. Und alles, was sie benötigen, um eine heitere Stimmung, diese „unbezahlbaren Momente", zu erzeugen, können sie mit Geld kaufen.

Salomo weiß, wovon er spricht! Und er zeigt auf, dass letzten Endes alles „Eitelkeit und ein Haschen nach Wind" ist, wenn man nur im Diesseits nach *„Momenten"* des Glücks sucht. *Bleibende* Freude gehört nämlich zu den Dingen, „die man nicht kaufen kann" und zu denen Salomos Gold und unsere Kreditkarten auch keinen indirekten Zugang öffnen können.

Gott hat den Menschen „die *Ewigkeit* in ihr Herz gelegt" (Kap. 3,11). Deshalb werden sie durch „Momente des Glücks" nicht wirklich zufriedengestellt. Diese „Momente" machen uns nur noch durstiger nach dem Unvergänglichen. Und diesen Durst kann nur Jesus Christus stillen.

Sonntag 3 August

Und weil sie es nicht für gut befanden, Gott in Erkenntnis zu haben, hat Gott sie hingegeben in einen verworfenen Sinn, zu tun, was sich nicht geziemt; ... die, obwohl sie Gottes gerechtes Urteil erkennen, dass die, die so etwas tun, des Todes würdig sind, es nicht allein ausüben, sondern auch Wohlgefallen an denen haben, die es tun.

Römer 1,28.32

Gedanken zum Römerbrief

Tatsächlich – es gibt keine Entschuldigung für die Heidenvölker, die sich bewusst vom lebendigen Gott abgewandt haben. Auch was Gottes Urteil über ihre Sünden betrifft, können sie keine Unkenntnis vorgeben. Daher stehen die Heiden und mit ihnen die Neu-Heiden unserer Zeit unter „Gottes Zorn" (V. 18.21).

Diese Verse sprechen noch nicht das endgültige Gerichtsurteil über den einzelnen Menschen. Sie zeigen aber auf, dass der Mensch verloren ist und Christus, den Retter, nötig hat. Und das Evangelium ist „Gottes Kraft zum Heil". Die gute Botschaft von Christus und seinem Kreuzestod hat die Kraft, Menschen zu erretten, selbst wenn sie in die gröbsten Sünden gefallen sind. In 1. Korinther 6, wo ebenfalls eine Reihe schwerer Sünden aufgezählt wird, heißt es dann:

„Und solches sind einige von euch *gewesen;* aber ihr seid *abgewaschen,* aber ihr seid *geheiligt,* aber ihr seid *gerechtfertigt* worden in dem Namen des Herrn Jesus und durch den Geist unseres Gottes" (Vers 11).

- *Gewesen* – eine grundlegende Änderung ist eingetreten.
- *Abgewaschen* – das bedeutet Reinigung von dem Schmutz der Sünde.
- *Geheiligt* – jetzt sind sie Gott geweiht.
- *Gerechtfertigt* – Gott sieht keine Schuld mehr bei denen, die zu Ihm umgekehrt sind und an Christus als ihren Retter glauben. So völlig neu kann Jesus Christus jedes Leben machen.

Josua 8,24-35
1. Korinther 7,12-24

 SA 05.49 SU 21.07

 MA 13.48 MU 23.55

Wisst ihr nicht, dass die, die in der Rennbahn laufen, zwar alle laufen, aber einer den Preis empfängt?

1. Korinther 9,24

Was für Anstrengungen nehmen Sportler schon beim Training auf sich; wie energisch kämpfen sie um den Sieg! Auf viele Annehmlichkeiten des täglichen Lebens verzichten sie und üben Enthaltsamkeit, um am Tag des Wettkampfs „fit" zu sein und den Sieg zu erringen. – Das ist die eine Seite.

Auf der anderen Seite: Wie schnell verwelkt der Siegeslorbeer! Wie schnell schlägt die Gunst der Zuschauermassen um und wendet sich neuen Publikumslieblingen zu, die noch schneller, noch weiter, kurz, noch besser sind – bis auch die wieder in Vergessenheit geraten! Das alles ist nur irdischer, vergänglicher Ruhm.

Es gibt noch einen anderen Kampf. Da ist zwar kein lautstarker Beifall der Menge zu erwarten; aber dafür etwas viel Größeres – die Zustimmung Gottes! Es ist der Glaubenskampf des Christen. Er wird in der Bibel beschrieben, auch seine Regeln.

Dieser Kampf stählt nicht den Körper, obwohl Christen sich auch für ihren Körper vor Gott verantwortlich wissen. Er stärkt den inneren Menschen und hilft ihm, verkehrten Einflüssen zu widerstehen.

Will man diesen Kampf erfolgreich führen und den „Preis" der Anerkennung Gottes empfangen, dann genügt es nicht, sich Christ zu *nennen;* dann muss man Christus wirklich *angehören.* Wer Ihm durch Umkehr und Glauben angehört, hat das ewige Leben empfangen. Und der Heilige Geist wohnt in ihm; Er ist die Kraft des neuen Lebens für den siegreichen Kampf des Glaubens.

Dienstag 5 August

Jesus aber blickte ihn an, liebte ihn und sprach zu ihm: Eins fehlt dir.

Markus 10,21

Wenn wir in einem Gespräch mit einer Person bewusst Blickkontakt suchen, signalisieren wir ein besonderes Interesse. In solchen „Augenblicken" blenden wir alles andere aus und wenden uns ganz dem Gegenüber zu. Durch die Intensität und die Dauer unseres Blickes können wir zudem die Wichtigkeit unserer Aussage unterstreichen. Unser Gesprächspartner wird das gewiss spüren und aufmerksam zuhören.

Ohne Zweifel spürte der Mann, der in unserer Begebenheit zu Jesus gekommen war, wie inhaltsreich der freundliche Blick des Herrn war. Diesem Blick konnte er nicht ausweichen. Wie deutlich nahm er das tiefe Interesse und die Liebe des Sohnes Gottes wahr! Und wie sehr fühlte er sich davon angezogen!

Dieser Mann war mit einer Frage zum Herrn Jesus gekommen, die ihn wohl schon länger beschäftigte: „Was soll ich tun, um ewiges Leben zu erben?" In seinem Leben war er sehr bemüht, die Gebote Gottes gewissenhaft zu beachten. Aber inneren Frieden hatte er dadurch nicht bekommen. Ob er irgendetwas übersehen hatte? Vielleicht konnte der „Lehrer" Jesus ihm einen hilfreichen Hinweis geben.

Jesus nimmt sein Anliegen ernst. Er hat das aufrichtige Suchen im Herzen dieses Mannes erkannt und will ihm helfen. Voll Liebe blickt Er ihn direkt an und sagt ihm sinngemäß: „Ich weiß, wie aufrichtig du dich bisher bemüht hast. Aber ich weiß auch, dass dir das Entscheidende noch fehlt. Vertraue nicht länger auf dich selbst, nicht auf das, was du selbst tun kannst. Baue auch nicht auf deine Besitztümer. Lass das alles los, setze dein Vertrauen ganz auf *mich* und folge *mir* nach." – Da steht der Mann vor der wichtigsten Entscheidung seines Lebens. Wie tragisch, dass er traurig von Jesus weggeht!

Freut euch mit mir, denn ich habe mein Schaf gefunden, das verloren war. Ich sage euch: Ebenso wird Freude im Himmel sein über einen Sünder, der Buße tut, mehr als über neunundneunzig Gerechte, die die Buße nicht nötig haben.

Lukas 15,6.7

Auf dem Dorffriedhof wird ein alter Mann zu Grabe getragen. Die Witwe folgt unter großer Mühe nach. Der Verstorbene hatte gewünscht, dass es keinerlei religiöse Handlungen geben sollte. So senkt man also den Sarg ins Grab, und eine schmerzliche Stille breitet sich aus. Es scheint unmöglich, diesen Ort zu verlassen ohne ein Wort des Trostes oder des Abschieds und ohne ein Gebet. Das Schweigen wird beklemmend.

Da fragt ein Freund der Familie die Witwe, ob er einige Worte sagen darf. Er öffnet seine Bibel und liest: „So hat Gott die Welt geliebt, dass er seinen eingeborenen Sohn gab, damit jeder, der an ihn glaubt, nicht verloren gehe, sondern ewiges Leben habe" (Johannes 3,16). Er fügt noch einige Worte hinzu und betet dann. Er befiehlt die Familie und alle Anwesenden der Barmherzigkeit Gottes an.

Später geht der Friedhofsgärtner auf diesen Christen zu und spricht ihn an: „Entschuldigung, Sie sind sicher Priester oder Pastor?" – „Nein, keins von beiden. Ich bin einfach ein gläubiger Christ, der durch den Kreuzestod Jesu Christi erlöst ist." Als er sieht, wie dem Gärtner die Tränen in die Augen treten, fährt er fort: „Weinen Sie nicht. Christus ist auch für Sie gestorben." – „Ja, ich weiß es – seit vorhin", antwortet der Gärtner leise.

An einem offenen Grab hat Gottes Wort ein weiteres Mal seine lebendige Kraft erwiesen. Ein Mensch ist von neuem geboren worden. Was für ein Grund zur Freude im Himmel auch über diesen einen!

Donnerstag 7 August

*Und das ganze Haus Israel wehklagte dem H*ERRN *nach. Da sprach Samuel zum ganzen Haus Israel und sagte: Wenn ihr mit eurem ganzen Herzen zu dem H*ERRN *umkehrt, so tut die fremden Götter ... aus eurer Mitte weg, und richtet euer Herz auf den H*ERRN *und dient ihm allein.*

1. Samuel 7,2.3

„Dem HERRN nach wehklagen", das lässt erkennen, dass man die Nähe Gottes und die Freude an Ihm nicht mehr empfindet. Und in diesem bedauernswerten Zustand war das Volk Israel damals. Sie waren das Volk Gottes und hätten allen Grund gehabt, dankbar und glücklich zu sein. Aber in ihren Herzen war trotzdem keine Freude. – Was war die Ursache? Es gab verborgene Hindernisse für den Segen Gottes.

Schon lange hatten sie sich kaum noch um die Bundeslade gekümmert, dieses Symbol der Gegenwart Gottes in seinem Volk. Zudem hatte sich Götzendienst eingeschlichen – sie dienten nicht mehr *allein* dem wahren Gott. Doch Gott teilt seine Ehre nicht mit den Götzen. Da konnte bloßes Wehklagen nicht helfen. Deshalb forderte Samuel das Volk auf, *von ganzem Herzen* zu Gott *umzukehren* und *Ihm allein* zu dienen.

Das war eine klare Botschaft. Gott hatten sie nicht täuschen können, Er wusste um ihr geteiltes Herz. Und wenn keine Freude im Herzen ist, kennt Er längst die Ursache.

Wenn heute in unserem Herzen die Freude fehlt, müssen wir unsere Beziehung zu Gott überprüfen. Die Bibel ist der Maßstab Gottes, an dem wir unser Tun messen müssen. Und dann kommt es darauf an, Gott zu gehorchen. Mit dem Herzen umkehren bedeutet, falsche Taten, Worte und Gedanken zu erkennen und vor Gott einzugestehen. Da hilft kein Verbergen; Gott kennt uns ganz und gar. – Weder Konfession noch Tradition führen zu wirklicher Freude im Herzen. Eine persönliche Umkehr *von ganzem Herzen* ist dringend nötig.

> *Und der Herr wandte sich um und blickte Petrus an; und Petrus erinnerte sich an das Wort des Herrn, wie er zu ihm gesagt hatte: Ehe der Hahn heute kräht, wirst du mich dreimal verleugnen. Und er ging hinaus und weinte bitterlich.*
>
> Lukas 22,61.62

Ein Blick ohne Worte

Mehr noch als das gesprochene Wort können unsere Augen in besonderen Situationen das ausdrücken, was wir denken und fühlen. Sie können dem Anderen einen tiefen *Einblick* in unsere Seele gewähren. Ja, unsere Augen sind der Spiegel der Seele. Und was sie ausdrücken, lässt sich nicht imitieren, nicht nachbilden.

Zu der ergreifenden Szene in unserem Bibelwort kam es im Hof des Hohenpriesters nach der Gefangennahme Jesu. Hier spricht der Herr Jesus kein Wort zu Petrus. Und doch „redet" Er mit seinem Blick so eindringlich zum Herzen seines Jüngers, dass dieser „hinausgeht und bitterlich weint". Was Petrus hier bis ins Mark erschüttert, ist das, was er in diesem Blick seines Herrn „lesen" kann: Unendliche Liebe, aber auch tiefe Traurigkeit und das Wissen um den Fall seines Jüngers. Schließlich kennt der Herr Petrus besser, als dieser sich selbst.

Hatte der Herr ihn nicht gewarnt? Aber Petrus hatte sich so stark gefühlt; er wollte sogar sein Leben für Jesus hingeben (Johannes 13,37). Aber jetzt war genau das passiert, was er nie für möglich gehalten hätte: Er hatte seinen Meister dreimal verleugnet. Ganz deutlich erinnerte sich Petrus jetzt an die mahnenden Worte des Herrn, und sein Gewissen klagte ihn an.

„Nur" ein Blick, doch was für eine tief greifende Wirkung! Er leitete die Wende ein, die Petrus auf den rechten Weg und in die Gemeinschaft mit Christus zurückführte. Später, nach der Auferstehung Jesu, hat der Herr dann auch in aller Ruhe mit Petrus *gesprochen*. Aber von diesem Gespräch ist uns kein Wort mitgeteilt.

Das Wort vom Kreuz ist denen, die verloren gehen, Torheit; uns aber, die wir errettet werden, ist es Gottes Kraft.

1. Korinther 1,18

Während eines einstündigen Spaziergangs um einen kleinen See haben wir drei verschiedene Begegnungen. Zuerst treffen wir ein Ehepaar. Schnell erfahren wir zu unserer Freude, dass sie gläubige Christen sind. Sie lieben den Herrn Jesus Christus als ihren Heiland und Herrn. Sehr ermutigt verabschieden wir uns.

Bald darauf kommt ein alter Mann des Weges. Als ich ihm eine christliche Schrift anbiete, winkt er entschieden ab. Das kenne er schon. Er habe viele Jahre in einer frommen Gegend gearbeitet, da hätten immer solche Traktate in der Lohntüte gelegen. Mit Jesus Christus habe er längst abgeschlossen, damit wolle er nichts zu tun haben. Er war in seiner Ablehnung total verhärtet.

Dann treffen wir einen jungen Mann, der ein Stück des Weges mit uns geht. Er ist sich darüber klar, dass er seine Sache mit Gott nicht in Ordnung hat. Das macht ihn unruhig, und er sucht inneren Frieden. Jemand hat ihm gesagt, er müsse ein frommes Leben führen; dann würde es schon gut werden. Ich weise diese suchende Seele auf den Friedefürsten hin, auf den Erlöser Jesus Christus. Gern nimmt er den angebotenen Lesestoff an.

Wer aufrichtig Gott sucht, für den ist Er zu finden. Es geht darum, auf sein Wort zu hören, wie es uns in der Bibel mitgeteilt ist, und nicht auf Menschen und ihre Meinungen. Die Weisheit Gottes spricht: „Wer mich findet, hat das Leben gefunden" (Sprüche 8,35). Viele haben zwar noch einen religiösen Anstrich, sind aber in Wirklichkeit gleichgültig gegenüber den Ansprüchen Gottes und gegenüber seinem Sohn Jesus Christus. Aber für die Ewigkeit gibt es nur zwei Wege: der breite Weg des Unglaubens, der zum Verderben führt, und der schmale Weg des Glaubens, der zum ewigen Leben führt.

> *Deshalb bist du nicht zu entschuldigen, o Mensch, jeder, der da richtet; denn worin du den anderen richtest, verurteilst du dich selbst; denn du, der du richtest, tust dasselbe.*
>
> Römer 2,1

Gedanken zum Römerbrief

Römer 1,18 spricht vom Zorn Gottes, der mit dem Evangelium offenbart wird. Bis zum Ende des Kapitels wird dann der religiöse und sittliche Niedergang der *Heidenvölker* beschrieben.

Ab Kapitel 2,17 werden *die Juden* angeredet. Ihnen war ja im Gesetz Moses eine besondere Offenbarung Gottes anvertraut worden.

In Kapitel 2,1 aber werden zunächst die „Anständigen" angesprochen, die meinen, sie stünden über solch götzendienerischen und sittenlosen „Barbaren" (Kap. 1,14), und ein fertiges Urteil über sie haben. Das mögen selbst Heiden sein, Philosophen oder Sittenlehrer, wie es sie im Altertum gab. Es mögen auch Juden sein, die gleichsam zu Paulus sagen: Ja, diese Heiden stehen zu Recht unter dem Zorn Gottes. – Wie dem auch sei, Gottes Zorn richtet sich gegen *alle* Ungerechtigkeit der Menschen.

Da bleiben auch für die Selbstgerechten keine Verteidigungsgründe übrig. Wenn sie vielleicht äußerlich nicht in allen *Einzelheiten* „dasselbe tun", so tun sie es doch der *Kategorie* nach. Denn *alle Arten* von Sünden lassen sich auch in ihrem Herzen und Leben aufzeigen. Der Herr Jesus hat das in der „Bergpredigt" gezeigt (Matthäus 5,20-48; 7,1-5).

Die Worte, mit denen jemand andere „richtet", fallen als „Verurteilung" auf ihn selbst zurück. Daher darf die Beschreibung der Sünden der Heiden auch uns nicht zu selbstgerechtem Richten veranlassen. Wir haben ja genau wie diese den Retter nötig! Wir können keine eigene Gerechtigkeit aufweisen, sondern brauchen die Gerechtigkeit Gottes! Das ist es, was die ersten Kapitel des Römerbriefes uns lehren wollen.

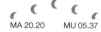

Montag 11 August

Wahrlich, wahrlich, ich sage euch: Wer mein Wort hört und dem glaubt, der mich gesandt hat, hat ewiges Leben und kommt nicht ins Gericht, sondern ist aus dem Tod in das Leben übergegangen.

Johannes 5,24

Dieses „Wahrlich, wahrlich" kündigt eine wichtige Aussage an. Hier geht es darum, wie man ewiges Leben empfängt. Der Herr Jesus Christus bringt es auf einen recht einfachen Nenner: Wir müssen sein Wort hören und Gott glauben, denn es waren die Worte Gottes, die Er redete. Aber das Hören des Wortes beschränkt sich nicht auf das Ohr; man muss das Wort auch mit dem Herzen „hören" und aufnehmen.

Das Ergebnis ist dann dreierlei: als Erstes ewiges Leben. Jesus Christus, der Sohn Gottes, „ist der wahrhaftige Gott und das ewige Leben". So sagt es Gottes Wort. Deshalb gilt von allen, die an Ihn glauben: „Wer den Sohn hat, hat das Leben" (1. Johannes 5,12.20).

Der zweite Punkt ist die Rettung vor dem Gericht. Im großen Endgericht der Toten werden die Menschen gerichtet „nach ihren Werken"; und da kann keiner bestehen. Ihr Los ist der ewige Tod. Aber für alle, die an Christus glauben, hat Er die Strafe für die Sünden stellvertretend am Kreuz getragen. Deshalb kommen die Kinder Gottes überhaupt nicht mehr ins Gericht und sind dem ewigen Tod entflohen.

Daran knüpft der dritte Punkt an: Der Übergang vom Tod zum Leben ist schon vollzogen. Im Epheserbrief heißt es nach der Feststellung, dass Gott durch sein machtvolles Wirken Christus aus den Toten auferweckte, weiter: „… auch euch, die ihr tot wart in euren Vergehungen und Sünden …" Menschen, die einst für Gott tot waren, hat Gott jetzt „mit dem Christus lebendig gemacht und mitauferweckt" (Epheser 1,20; 2,1.5.6). Das tut Gott auch heute noch bei jedem, der zu Christus kommt.

Josua 12,1-24
1. Korinther 10,23-33

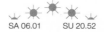

SA 06.01   SU 20.52   MA 20.53   MU 06.59

> *Und wenn ein Baum nach Süden oder nach Norden fällt: An dem Ort, wo der Baum fällt, da bleibt er liegen.*
>
> Prediger 11,3

Auf der Urlaubsreise nach Dänemark: Nach langer Fahrt sind wir kurz vor dem Ziel. Nur noch die Fähre von Puttgarden nach Rödby, dann haben wir Dänemark erreicht. Beim Einchecken zögert die Dame am Schalter. „Nein, so kann ich Sie nicht aufs Schiff lassen, Sie haben die andere Richtung gebucht!" – Dem Bearbeiter im Reisebüro war offenbar ein Irrtum unterlaufen. Was nun?

Geht es nicht vielen in übertragenem Sinn ähnlich? Sie haben einen Taufschein von ihrer Kirche und meinen, der genüge, um in den Himmel zu kommen. Dann aber würden sie sich auf etwas verlassen, was im entscheidenden Moment versagt. Taufe und Kirchenzugehörigkeit können niemand das Tor zum Himmel öffnen. Dazu ist vielmehr die Einsicht nötig, dass wir vor Gott Sünder sind, und dann die Umkehr zu Ihm und der rettende Glaube an Christus. Deshalb verkündigten die Apostel „die Buße zu Gott und den Glauben an unseren Herrn Jesus Christus" (Apostelgesch. 20,21).

Bei unserer Urlaubsreise wurde das Problem schnell gelöst. Ein Mitarbeiter der Reederei änderte die Daten des Tickets, und weiter ging es. Doch in Bezug auf die Ewigkeit müssen wir bedenken, dass die Entscheidung mit dem Tod eines Menschen endgültig gefallen ist. Entweder geht seine Seele zu Gott in die ewige Freude oder an den Ort der Qual. Eine Änderung ist nicht mehr möglich. – „An dem Ort, wo der Baum fällt, da bleibt er liegen."

Nur wenn wir zu Lebzeiten auf der Erde durch Jesus Christus die Lösung des Sündenproblems und Frieden mit Gott gefunden haben, haben wir die richtige Richtung gebucht.

Ich danke Gott, dem ich von meinen Voreltern her mit reinem Gewissen diene.

2. Timotheus 1,3

Das ist ein erstaunliches Wort aus der Feder des Apostels Paulus. Schließlich hatte er als junger Mann die Christen heftig verfolgt. Aber damals war sein Gewissen irregeleitet. Das Gewissen kann also kein absoluter Maßstab sein. Es gibt uns zwar ein Bewusstsein von Gut und Böse in unserem Handeln, aber es funktioniert wie ein Zeiger an einer Skala. Die Skala selbst entspricht den Werten, durch die wir geprägt sind – zum Beispiel durch unsere Erziehung, durch unsere Umwelt, durch die öffentliche Meinung.

Im Allgemeinen kann man sagen, dass es nicht gut ist, wenn wir *gegen* unser Gewissen handeln. In diesem Sinn hat das Gewissen einen hohen Stellenwert in der Bibel und auch in der Gesetzgebung. Andererseits aber ist es – wie das Beispiel von Paulus zeigt – oft nicht ausreichend, wenn wir ein „reines Gewissen" haben. Es kommt darauf an, dass unser Gewissen richtig „geeicht" ist, dass wir also durch gute Werte geprägt sind.

Ein Problem unserer Zeit ist, dass heute vieles, was von früheren Generationen als Böse angesehen wurde, nun in der Gesellschaft akzeptiert ist. Es wird durch die Gesetzgebung vieler moderner Staaten geduldet und in den Schulen als gut oder wertneutral gelehrt. Stichwörter sind z. B. Abtreibung, Sterbehilfe, Freizügigkeit in der Sexualität. Die öffentliche Meinung und die Gesetze haben sich geändert, so dass sich das Gewissen in vielen Fällen gar nicht mehr rührt, wenn die Menschen etwas tun, was nach *Gottes* Maßstäben böse ist.

Es genügt also nicht, wenn wir uns auf ein „reines Gewissen" berufen. Es ist nötig, dass wir uns nach *Gottes* Werten ausrichten. Er wird unser Leben einmal nach *seinen ewig gültigen* Maßstäben beurteilen.

> *Kann sich jemand in Schlupfwinkeln verbergen, und ich sähe ihn nicht?, spricht der HERR. Erfülle ich nicht den Himmel und die Erde?, spricht der HERR.*
>
> Jeremia 23,24

In diesem Bibelvers macht Gott eine gewaltige Aussage über sich selbst: Seinen Augen entgeht nichts auf der Erde. Was von keinem Geschöpf, ob Mensch oder Engel, gesagt werden kann, ist wahr von Gott. Er ist *allwissend* und auch *allgegenwärtig*. Es gelingt nicht, vor Gott zu fliehen oder sich vor Ihm zu verstecken.

Im Herzen *des sündigen Menschen* kann der Gedanke an den allwissenden Gott nur Furcht auslösen. Deshalb versucht er, sich vor Ihm zu verbergen – wie schon Adam und Eva es nach ihrem Ungehorsam im Garten Eden getan hatten (1. Mose 3,8).

Doch es gibt auf der Erde, ja im ganzen Weltall keinen Ort, an dem Gott uns nicht sieht und an dem Er nicht auch gegenwärtig ist. David hat das in einem Psalm so ausgedrückt: „Wohin sollte ich gehen vor deinem Geist und wohin fliehen vor deinem Angesicht? Führe ich auf zum Himmel: Du bist da; und bettete ich mir im Scheol: Siehe, du bist da" (Psalm 139,7.8).

Für *Kinder Gottes* hingegen bedeutet die Allwissenheit und Allgegenwart Gottes nichts Erschreckendes mehr. Sie wissen, dass ihre Sünden aufgrund des Erlösungswerkes Jesu am Kreuz vergeben sind. Die Tatsache, dass Gott sie sieht, ist für sie ein gewaltiger Trost. Denn Gott ist durch Jesus Christus ihr Vater geworden, der sie nie „aus dem Auge verliert". Kinder Gottes freuen sich darüber, dass „Gottes Augen die ganze Erde durchlaufen", weil Er sich an ihnen „mächtig erweisen" will. Er will seine unumschränkte göttliche Macht zu ihren Gunsten einsetzen (2. Chronika 16,9).

Josua 14,1-15
1. Korinther 12,1-13

SA 06.06   SU 20.46   MA 22.21   MU 11.01

Wenn jemand nicht von neuem geboren wird, so kann er das Reich Gottes nicht sehen.

Johannes 3,3

Der volkstümliche englische Bischof John Taylor Smith (1860–1937) predigte einmal in einer großen Kirche über die Notwendigkeit der neuen Geburt. Um diesen Punkt ganz deutlich zu machen, sagte er: „Mein lieber Freund! Setze nichts, aber auch gar nichts an die Stelle der Wiedergeburt. Du kannst Mitglied einer Kirche sein, sogar einer solch großen Kirche wie der Kirche von England, der auch ich angehöre. Aber Mitgliedschaft in einer Kirche bedeutet noch nicht, ‚von neuem geboren‘ zu sein."

Dann wies er auf den neben ihm sitzenden Pfarrer und fuhr fort: „Du kannst auch Pfarrer sein, wie mein Freund hier neben mir, und trotzdem nicht wiedergeboren sein; denn Jesus sagt: ‚Wenn jemand nicht von neuem geboren wird, so kann er das Reich Gottes nicht sehen.'"

Dann deutete er auf den Erzdiakon des Bistums und auf sich selbst, den Bischof, um zu zeigen, dass Ämter und Würden kein Ersatz sein können für die neue Geburt durch die Umkehr zu Gott und den Glauben an Christus.

Kurze Zeit später erhielt der Bischof einen Brief des Erzdiakons: „Sehr verehrter Bischof! Sie haben mich durchschaut. Seit über dreißig Jahren bekleide ich kirchliche Ämter. Aber ich habe nie etwas von der Freude gekannt, von der gläubige Christen sprechen. … Als Sie direkt auf mich zeigten, wurde mir augenblicklich klar, wo bei mir das Grundübel liegt: Ich habe nie eine Wiedergeburt erlebt."

„Am nächsten Tag", so erzählt Bischof Smith, „trafen wir uns und haben einige Stunden miteinander über das Wort Gottes gesprochen. Dann knieten wir nieder, und der Kirchenvorstand bekannte vor Gott, dass er ein verlorener Sünder war. Er übergab sein Leben Jesus, dem Herrn, und vertraute Ihm als seinem Erretter."

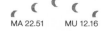

Samstag **16** August

Es kamen aber seine Mutter und seine Brüder zu Jesus; und sie konnten wegen der Volksmenge nicht zu ihm gelangen. Es wurde ihm aber berichtet: Deine Mutter und deine Brüder stehen draußen und wollen dich sehen. Er aber antwortete und sprach zu ihnen: Meine Mutter und meine Brüder sind diese, die das Wort Gottes hören und tun.

Lukas 8,19-21

Nachdem Maria den Erlöser Jesus Christus geboren hatte, bekam sie noch vier weitere Söhne und mehrere Töchter. Als Jesus seinen öffentlichen Dienst begann, glaubten seine Brüder zunächst nicht an Ihn als den Sohn Gottes. Doch später – nach dem Tod, der Auferstehung und der Himmelfahrt Jesu – sollten sie zu seinen Jüngern zählen (Matthäus 13,55; Johannes 7,5; Apostelgesch. 1,14).

Warum kommen sie nun hier zu Jesus? Sind sie um Ihn besorgt, weil Er unter kritischer Beobachtung der Führer des Volkes steht? – Der Herr stellt heraus, dass das Wort Gottes für Ihn den zentralen Platz hatte. Er würde sich nicht davon abhalten lassen, das Wort Gottes zu predigen. Mehr noch, Jesus betont, dass es eine Beziehung gibt, die tiefer geht als jedes natürliche Verwandtschaftsverhältnis: Wer das Wort Gottes hört, es in sein Herz aufnimmt und danach handelt, der ist auf das Engste mit dem Sohn Gottes verbunden.

In diesen Worten Jesu liegt keinerlei *Zurück*weisung, sicherlich aber eine *Zurecht*weisung für Maria. Sie hatte das Wort Gottes über ihren Sohn mit gläubigem Herzen angenommen. Und am Kreuz können wir die liebende Fürsorge Jesu für seine Mutter erkennen (Lukas 1,38; 2,19; Johannes 19,25-27). Doch für die Volksscharen und für seine Brüder musste der Herr den Punkt herausstellen, der für eine Lebensbeziehung zu Ihm entscheidend ist: *das Wort Gottes hören und in die Tat umsetzen!*

Sonntag 17 August

Deshalb bist du nicht zu entschuldigen, o Mensch, jeder, der da richtet; denn worin du den anderen richtest, verurteilst du dich selbst; denn du, der du richtest, tust dasselbe. Wir wissen aber, dass das Gericht Gottes nach der Wahrheit ist über die, die so etwas tun.

Römer 2,1.2

Gedanken zum Römerbrief

Wie kommt es zu dieser Bereitwilligkeit, andere Menschen wegen religiöser und sittlicher Abweichungen zu verurteilen, zugleich aber die eigene Sündhaftigkeit zu übersehen?

Wie kommt es, dass hochzivilisierte Staaten Völkermord ablehnen und bekämpfen, zugleich aber dem ungeborenen Leben, das am meisten des Schutzes bedarf, diesen Schutz versagen? Wie kommt es, dass sie sich den Kriegsverbrechern dennoch moralisch überlegen fühlen?

Und auch aus persönlichem Erleben wird jeder Beispiele für schnelles, selbstgerechtes Urteilen kennen. – Wie kommt es dazu?

Denkt jemand vielleicht, allein durch Herkunft oder Kirchenzugehörigkeit vor Gott besser dazustehen als die Heiden oder als „große Sünder"? – Oder legt man zwar Wert auf die rechte Moral, aber richtet das eigene Leben nicht danach ein? Hat man sich mit dem Gegensatz zwischen Lehre und Leben einfach abgefunden? – Oder macht man einen großen, aber ungerechtfertigten Unterschied, ob das Böse öffentlich oder im Verborgenen geschieht?

Was liegt letzten Endes dieser Bereitschaft zugrunde, andere zu verurteilen, obwohl wir selbst vor Gott schuldig sind? Es ist die Tatsache, dass die Sünde das Herz verhärtet, dass sie den Menschen blind macht für seine Schuld vor Gott und für sein Verlorensein.

Deshalb der Hinweis auf das unbestechliche Urteil Gottes über jede Sünde des Menschen; deshalb die Mahnung in unserem Bibelwort. – Hören wir darauf!

Josua 17,1-18
1. Korinther 14,1-12

 SA 06.11 SU 20.40

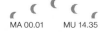 MA 00.01 MU 14.35

Herrlichkeit Gott in der Höhe und Friede auf der Erde, an den Menschen ein Wohlgefallen!

Lukas 2,14

„Krieg und Frieden" war das Thema im Unterricht. Der Lehrer verstand es, seine Schüler für die Sache des Friedens zu begeistern. Man diskutierte lange darüber, wie es wohl möglich wäre, Kriege zu vermeiden. Die Frage kam auf, warum man nicht einfach alle Waffen ganz abschafft. „Frieden schaffen ohne Waffen" wäre doch ein erstrebenswertes Ziel.

Ein Schüler warf die Bemerkung ein, dass doch Kain seinen Bruder Abel getötet habe, als es noch gar keine Waffen gab. Zu diesem Vorgang hatte der Lehrer allerdings keine passende Erklärung. Man blieb dabei, die Waffen müssten weg.

Was sagt die Bibel zu diesem Thema? Sie zeigt, dass die eigentliche Ursache aller Kriege im Herzen des Menschen liegt. Weil Adam und Eva gesündigt hatten, wurde das Herz des Menschen eine Quelle, aus der das Böse hervorkommt. Neid, Hass und Feindschaft kann jeder bei sich selbst entdecken, wenn er aufrichtig ist. Schon bei dem ersten Brüderpaar Kain und Abel zeigte sich, dass Neid und Feindschaft die tiefere Ursache für den ersten Mord waren. Und das ist oft auch bei Kriegen so.

Bei der Geburt des Heilands verkündeten die Engel den Hirten von Bethlehem: „Friede auf Erden!" Aber die Menschen verwarfen den „Friedefürsten", den Herrn Jesus Christus, und damit auch den Frieden auf der Erde. Frieden wird es auf der Erde erst dann geben, wenn Christus zum zweiten Mal erscheint und nach dem Gericht über alles Böse sein Reich des Friedens aufrichten wird.

Schon heute aber empfängt jeder, der Christus als Herrn und Erlöser annimmt, ein „neues Herz" und Frieden für sein Gewissen.

Josua 18,1-28
1. Korinther 14,13-25

 SA 06.12   SU 20.38

 MA 00.43   MU 15.36

Dienstag **19** August

Männer von Ninive werden aufstehen im Gericht mit diesem Geschlecht und werden es verdammen, denn sie taten Buße auf die Predigt Jonas hin.

Matthäus 12,41

Was heißt Buße? Wir können die Antwort aus dem Verhalten der Leute von Ninive lernen. Als der Prophet Jona in ihre Stadt kam und ankündigte: „Noch vierzig Tage, so ist Ninive umgekehrt!", da bildeten sie keinen Krisenstab, der die Angelegenheit untersuchen und Empfehlungen geben sollte. Sie sandten auch keine Delegation aus, um nachzuforschen, ob Jona wirklich drei Tage im Bauch des großen Fisches zugebracht habe. Sie begannen auch nicht, ihre Schriften zu studieren, um die Botschaft Jonas mit ihrer eigenen Religion zu vergleichen. *Sie taten einfach Buße.*

Sie glaubten Gott – aber nicht so, wie das moderne Menschen oft tun. Heute redet man leicht vom Glauben an Gott, lebt aber so, als ob einen das, was Er sagt, nichts anginge.

Ganz anders die Bewohner von Ninive! Sie nahmen Gottes Wort ernst. Ninive sollte wegen ihrer Bosheit untergehen. Sie hatten den Schöpfer beleidigt. Und weil man mit Gott nicht verhandeln kann, blieb ihnen nur, sich vor Ihm zu demütigen. Und das taten sie. Sie riefen ein Fasten aus; und vom König bis zum Bettler demütigten sie sich vor Gott. Sie taten Buße, indem sie ihre Sünden eingestanden und von ihren bösen Wegen zu Gott umkehrten. Sie erkannten an, dass sie sein Gericht verdient hatten, und suchten seine Barmherzigkeit (Jona 3,5-9).

Viele heute mögen dieses Verhalten seltsam oder altmodisch finden. Eins aber ist sicher: Die Leute von Ninive wurden freigesprochen vom Gericht Gottes. Ebenso steht auch heute die Errettung vor dem ewigen Gericht jedem offen, der Buße tut und Jesus Christus als Retter und Herrn in sein Leben aufnimmt.

Josua 19,1-51
1. Korinther 14,26-40

 SA 06.14 SU 20.36

 MA -.- MU 16.31

Da schrien sie zu dem HERRN in ihrer Bedrängnis, und aus ihren Drangsalen errettete er sie.

Psalm 107,6

Einige Freunde unternahmen mit einem Bergführer eine schwierige Hochgebirgswanderung. Beim Abstieg bemerkten sie hinter sich zwei Männer, die ohne Führer unterwegs waren. Als sie eine kurze Pause einlegten, wurden sie von den beiden überholt und sahen, wie diese sich ihren Weg selbst suchten. Sie wählten eine Spur, die die Strecke abzukürzen schien, und gerieten dabei auf einen von vielen Spalten durchzogenen Gletscher.

Plötzlich hörten die Freunde einen Schrei und sahen einen der beiden Männer lang hingestreckt im Schnee liegen, direkt an einer Gletscherspalte. Sie erkannten, was geschehen war, und eilten zu Hilfe. Der andere Bergsteiger, den sie nicht mehr sehen konnten, hatte offensichtlich eine Gletscherspalte übersprungen und war in eine Nebenspalte gefallen, die er übersehen hatte. Nun zog er seinen Kameraden am anderen Seilende durch das Gewicht seines Körpers ganz allmählich, aber stetig in die Gefahr hinein. Der Bergführer eilte hinzu und befreite die beiden aus ihrer gefährlichen Lage.

Der Lebensweg des Menschen gleicht einem Pfad über Gletscherspalten. Wie nötig ist da ein guter Führer! Manche wollen ihren Weg gern allein, auf eigene Faust, gehen und glauben, keinen Führer nötig zu haben. Doch wenn es auch gelingen mag, viele „Spalten" und „Hindernisse" zu überwinden, schließlich kommt jeder zur letzten Spalte, dem Tod, mit dem das ewige Schicksal des Menschen besiegelt ist.

Wie gut, dass Gott uns in Jesus Christus einen zuverlässigen Führer gegeben hat! Er will jeden, der sich seiner Führung anvertraut, sicher über alle Hindernisse und Schwierigkeiten des Lebens bringen – auch über die „Todesspalte".

Jesus fragte die Jünger und sprach: Wer sagen die Volksmengen, dass ich sei? Sie aber antworteten und sprachen: Johannes der Täufer; andere aber: Elia; andere aber, dass einer der alten Propheten auferstanden sei. Er sprach aber zu ihnen: Ihr aber, wer sagt ihr, dass ich sei? Petrus aber antwortete und sprach: Der Christus Gottes.

Lukas 9,18-20

Hier stehen wir an einem Wendepunkt in der Geschichte des Wirkens Jesu. – Zuerst verkündigte Johannes der Täufer das Kommen des Erlösers und seines Reiches. Als Jesus kam und sich von ihm taufen ließ, machte Johannes die Menschen auf Ihn, den Sohn Gottes, aufmerksam (Johannes 1,29-36).

Dann verkündigte der Herr selbst das Reich Gottes. Und die großen Wunder, die Er tat, bestätigten Ihn als den Christus, als den Messias, der im Alten Testament verheißen war.

Umso enttäuschender war es dann, dass die allermeisten in Jesus dennoch nur einen bedeutenden Menschen sahen, etwa einen Propheten. Aber als den Sohn Gottes erkannten sie Ihn nicht. Petrus hingegen zeigte echten Glauben. Auf die Frage des Herrn, für wen denn die Jünger Ihn hielten, legte er ein deutliches Bekenntnis zum „Christus Gottes" ab.

Dieses Bekenntnis der Jünger zu *Christus, dem König Israels,* sollte zunächst nicht mehr Inhalt ihrer Verkündigung sein. Jesus bereitete seine Jünger nun darauf vor, dass Er *ans Kreuz* gehen würde, um dort für die Sünden vieler zu leiden und zu sterben (V. 21.22).

Das bedeutete: Das Reich Gottes konnte damals noch nicht in äußerer Macht und Herrlichkeit aufgerichtet werden. – Aber Jesus würde am dritten Tag auferweckt werden. Das würde deutlich zeigen, dass Er wirklich der Christus ist und der Anbruch seines Reiches gewiss kommen wird (Apostelgesch. 2,32-36).

Josua 21,27-22,10
1. Korinther 15,12-19

 SA 06.17 SU 20.32

 MA 02.21 MU 18.00

Glückselig der, dessen Übertretung vergeben ist.

Psalm 32,1

„Was gibt's Neues, Willi?"

Willi war ein alter Hausierer, der überall gern gesehen war, nicht nur wegen der Waren, die er verkaufte, sondern auch wegen der Neuigkeiten, die er mitbrachte. Die Leute begrüßten ihn immer ganz vertraut: „Was gibt's Neues, Willi?"

Dann aber kam eine Zeit, in der Willi sehr unruhig wurde. Da spürte er nicht nur den schweren Rucksack auf den Schultern, sondern eine noch schwerere Last auf dem Gewissen. Er kannte nicht viel von der Bibel, aber er spürte: Das würde Gott ihm einmal nicht durchgehen lassen. – Was sollte er tun?

Willi dachte längere Zeit immer wieder besorgt über diese Frage nach. Aber dann hörte er einmal beim Betreten eines Hauses, wie jemand laut in der Bibel las. Er vernahm die Worte: „Also ist jetzt *keine* Verdammnis für die, die in Christus Jesus sind" (Römer 8,1).

Willi trat näher und fragte, ob das für alle gelte. „Ja", antwortete der Bibelleser, „es gilt allen, die an den Herrn Jesus glauben." – „Können wir dafür beten, dass auch ich zu denen gehöre?", fragte Willi. – Und dann gab es diese wichtigen Augenblicke des Gebets eines Sünders, der zu Gott umkehrt. An diesem Tag hörte Willi staunend zu, wie Ihm die gute Botschaft von Christus erklärt wurde. Dankbar und froh nahm er Ihn als seinen Erlöser an.

Wenn man ihm danach die gewohnte Frage stellte: „Was gibt's Neues, Willi?", antwortete er: „Ich habe eine großartige Nachricht: Es gibt keine Verdammnis mehr für die, die an den Herrn Jesus glauben." Die Leute fragten überrascht, was er damit sagen wolle. Und dann erzählte er ihnen die alte und doch immer wieder neue Botschaft von Jesus, der in die Welt gekommen ist, um Sünder zu erretten.

Andere hat er gerettet, sich selbst kann er nicht retten. Er ist Israels König; so steige er jetzt vom Kreuz herab, und wir wollen an ihn glauben.

Matthäus 27,42

Mit diesen Worten verspotteten die Hohenpriester, Schriftgelehrten und Ältesten in Jerusalem Jesus Christus, den Gekreuzigten. Waren die körperlichen Schmerzen am Kreuz nicht schlimm genug, dass sie Ihn auch noch mit ihren höhnischen Worten tief verletzten? Und es waren keine Lügen, die sie aussprachen, sondern die Wahrheit – das, was sie in seinem Leben beobachtet hatten.

„Andere hat er gerettet" – das gestehen hier seine Feinde ein! Wie vielen Kranken hatte der Herr geholfen, wie viele hatte Er aus der Macht Satans befreit; wie vielen schuldbeladenen Seelen Ruhe und Frieden gebracht! – Und jetzt?

Scheinbar hilflos hängt Er am Kreuz, in furchtbaren Qualen. Mit lästernden Worten fordern seine Feinde Ihn heraus: „Wenn du Gottes Sohn bist, so steige herab vom Kreuz!" Sollte Er doch jetzt beweisen, dass Er der wäre, für den Er sich ausgab. – „Sich selbst kann er nicht retten", so lautet ihr spöttisches Urteil.

Doch sie irrten sich. Glaubten sie wirklich, Jesus habe nicht die Macht, vom Kreuz herabzusteigen? War dieses „kann nicht" Unvermögen? Nein, Er konnte sich selbst nicht retten, weil Er es nicht wollte! Das Werk der Erlösung sollte vollbracht werden. Weil Gott den Sünder liebt und ihm Rettung bringen wollte, deshalb blieb der Herr Jesus Christus stumm, deshalb gab es keine Antwort auf die Herausforderung der Spötter.

Herr Jesus, Du hast den Hohn, den Spott, die Lästerworte ertragen und bist nicht vom Kreuz herabgestiegen. Du hast die Leiden am Kreuz erduldet, um uns Menschen zu retten. Dafür danken wir Dir!

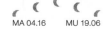

Wir wissen aber, dass das Gericht Gottes nach der Wahrheit ist über die, die so etwas tun. Denkst du aber dies, o Mensch, der du die richtest, die so etwas tun, und verübst dasselbe, dass du dem Gericht Gottes entfliehen wirst?

Römer 2,2.3

Gedanken zum Römerbrief

Das Gerichtsurteil Gottes über den Menschen ist „nach der Wahrheit". Das ist unbestreitbar, denn Gott ist „wahrhaftig". – Sein Urteil entspricht genau den Tatsachen, der Wirklichkeit im Leben des Menschen. Äußerer Schein und Unwirklichkeit haben keinen Bestand, denn Gott sieht das Herz. – Gottes Urteilskraft ist vollkommen und unparteilich; und seine Maßstäbe verändern sich nicht, denn bei Ihm gibt es keine Veränderung (Römer 3,4; Hebräer 4,12.13; Jakobus 1,17).

Gott ist unbestechlich in seinem Strafgericht. Gottesdienstliche Zeremonien, Opfer oder andere „Geschenke" machen Ihn nicht nachsichtiger gegenüber dem Eigenwillen des Menschen. Er muss *jeden* Eigenwillen, *jedes* von Ihm unabhängige Handeln als „grobe" Sünde verurteilen (1. Samuel 15,22.23).

Gottes Gerichtsurteil ist also völlig unfehlbar und unanfechtbar. Warum aber meinen einige, im Gericht Gottes trotz ihrer Sünden doch noch irgendwie davonzukommen? Sie selbst verurteilen das Böse *bei anderen* – mit welchem Recht denken sie dann, dass Gott *bei ihnen* eine Ausnahme machen würde?

Es gibt nur *eine* Möglichkeit, dem gerechten Gericht Gottes zu entgehen: Wenn das Strafgericht nicht mich selbst, sondern einen *geeigneten Stellvertreter* trifft. – Und dieses Wunder ist geschehen, im Kreuzestod Jesu Christi! Wenn jemand seinen Eigenwillen aufgibt, zu Gott umkehrt und an den Retter Jesus Christus glaubt, dann sichert Gottes Wort ihm zu: *„Die Strafe zu unserem Frieden lag auf ihm"* (Jesaja 53,5).

Und Gott schuf den Menschen in seinem Bild.

1. Mose 1,27

„Ich glaube nicht an einen Gott, der ein so schlechtes Produkt geliefert hat", sagte jemand zu mir. – „Aber Gott hat gar kein schlechtes Produkt geliefert! Am Ende seines Schöpfungswerkes konnte Er sogar sagen, dass alles _sehr gut_ war (1. Mose 1,31). Der Mensch hat sich gegen Gott aufgelehnt. Erst dadurch ist all das Schlechte in die Welt gekommen."

Der Mann gab sich mit dieser Antwort nicht zufrieden und fuhr fort: „Was ist denn das für ein Gott, der die Menschen so schafft, dass sie sündigen können? Da ist Ihm doch ein Fehler unterlaufen!"

„Gott hat den Menschen nach seinem Bild und seinem Gleichnis geschaffen, und das umfasst, dass er der Vertreter Gottes auf der Erde wurde. Das war eine Stellung mit höchster Eigenverantwortlichkeit. Aber darin musste und konnte er gehorchen, denn er war ein Geschöpf und nicht Gott. Das bedeutete für ihn Leben, Glück und Freude. Kraft seiner Eigenverantwortlichkeit konnte er aber auch ungehorsam sein, und das führt zu Tod, Gericht und Mühsal. Gott hat den Menschen nicht geschaffen nach Art eines Waschautomaten: Schalter auf die gewünschte Temperatur einstellen, Knopf drücken – und die Maschine läuft nach Programm. Gott wollte nicht, dass die Menschen Ihm automatisch und gezwungen dienen sollten."

„Trotzdem finde ich das eigenartig", warf der Mann ein. – „Auch ich behaupte nicht, dass ich das in vollem Umfang begreife. Dazu müsste ich Gott sein. Eins aber weiß ich: dass Gott den rebellischen und gefallenen Menschen nicht seinem Los überlassen hat. Er hat Christus, seinen Sohn, auf die Erde gesandt. Und ich darf wissen, dass Er für mich am Kreuz von Golgatha gestorben ist. Durch den Glauben an Ihn bin ich errettet. Diese Rettung ist auch für Sie bereit."

Euch, die ihr tot wart in euren Vergehungen und Sünden ...

Gott aber ... hat auch uns, als wir in den Vergehungen tot waren, mit dem Christus lebendig gemacht – durch Gnade seid ihr errettet.

Epheser 2,1.4.5

Viele Menschen, die wir als quicklebendig ansehen, sind aus der Sicht Gottes moralisch tot, „tot in Vergehungen und Sünden", wie unser Bibelvers hinzufügt. Das kann eigentlich auch nicht anders sein.

Was soll Gott mit Menschen anfangen, die sich gar nicht um Ihn kümmern, weder in ihrem Tun noch in ihrem Denken! Was hat Gott für einen Nutzen an Menschen, die Ihn im Grunde verleugnen oder sich in verstecktem oder gar offenem Aufstand gegen Ihn befinden! Und selbst die sogenannten guten Menschen fragen ja oft gar nicht nach Gottes Willen, und damit sündigen sie, auch wenn sie sich dessen nicht bewusst sind.

Weil jeder Mensch zahllose Vergehungen und Sünden gegen Gott aufzuweisen hat, ist selbst der beste von ihnen ein Sünder und damit tot, nutzlos für Gott. Diese Diagnose kann uns nicht gefallen, und es ist glücklicherweise auch nicht das Letzte, was uns die Bibel zu diesem Thema zu sagen hat.

Auch wenn der Mensch in diesem Sinn tot ist für Gott, ist er trotzdem nicht unwichtig für Ihn. Und das ist wirklich nicht leicht zu verstehen. Es gehört zu den großen und wunderbaren Geheimnissen über Gott, dass Er sich dennoch um uns kümmert. Gott sucht solche toten, verlorenen Menschen und will sie lebendig machen, damit sie als seine Kinder ungetrübte Gemeinschaft mit Ihm haben.

Nur Gott ist fähig, dieses Wunder zu vollbringen und Leben aus dem Tod hervorkommen zu lassen, und Er tut es durch Jesus Christus – heute noch.

Wer zu mir kommt, den werde ich nicht hinausstoßen.

Johannes 6,37

Eine Krankenschwester erzählt: Ich hatte die Aufgabe, mich um einen bestimmten Kranken zu kümmern. Während ich diesem Auftrag nachkam, erzählte ich dem Patienten auch von Jesus und seiner Liebe.

„Oh", sagte er, „Jesus wird mich so nicht haben wollen. Ich bin zu böse gewesen. – Aber vielleicht muss ich ja noch nicht sterben."

„In jedem Fall ist es sehr wichtig, darüber nachzudenken und mit Gott ins Reine zu kommen", antwortete ich. „Sagten Sie eben, Jesus wolle Sie nicht? Kennen Sie nicht die Geschichte von dem Räuber, der neben dem Herrn gekreuzigt worden war?"

In diesem Augenblick kam seine Frau herein. Als sie die Unruhe ihres Mannes sah, sagte sie mir: „Es ist besser, Sie gehen jetzt. Ich habe Ihnen doch schon gesagt, dass Sie nicht von Religion reden sollen. Ich will nicht, dass Sie den armen Mann belästigen."

Drei Tage später starb der Kranke. Kurz darauf begegnete ich seinem Sohn, und der erzählte mir Folgendes: „Mein Vater hätte Sie so gern noch gesehen. Doch meine Mutter wollte nicht, dass Sie ihm von Religion redeten. Sie dachte, das würde ihn quälen. Aber ich habe ihm wiederholt die Geschichte von diesem Räuber am Kreuz vorlesen müssen. Er wurde nicht müde, sie zu hören. Am Sonntagmorgen sagte er mir: ‚Mein Sohn, jetzt ist alles gut. Jesus hat auch meine Sünden getragen. Danken wir Ihm doch gemeinsam dafür.' Dann setzte er sich im Bett auf und betete mit mir. Kurz darauf ist er ohne weitere Leiden friedlich entschlafen."

Die gute Botschaft von Christus ist eine Botschaft für Lebende wie für Sterbende. Sie gilt allen, und wir dürfen sie niemand vorenthalten. Nur wer Ihn als seinen Retter kennt, kann dem Tod in Ruhe entgegensehen.

Donnerstag 28 August

Der HERR spricht und bestellt einen Sturmwind, der hoch erhebt seine Wellen. Sie fahren hinauf zum Himmel, sinken hinab in die Tiefen; es zerschmilzt in der Not ihre Seele.
Dann schreien sie zu dem HERRN in ihrer Bedrängnis, und er führt sie heraus aus ihren Drangsalen.

Psalm 107,25.26.28

Heutzutage ist eine Seereise ein herrliches Erlebnis, besonders bei ruhiger See und wolkenlosem Himmel. Als „Landratte" genießt man eine solche Schiffsreise ganz besonders. Zur Zeit der Segelschifffahrt jedoch, als die Schiffe noch kleiner und nicht mit der heutigen Technik ausgestattet waren, war die Seefahrt recht gefahrvoll, besonders wenn es Sturm und hohen Seegang gab. Da konnte auch einem erfahrenen Seemann leicht „das Herz in die Hose rutschen".

Wie mancher dieser abgehärteten Männer hat dann in der Not zu Gott um Hilfe gerufen! Gott, der die Stürme sendet, kann sie auch wieder stillen und uns aus allen Gefahren erretten.

Unser Leben gleicht einer solchen Reise über den Ozean. Und da erleben wir nicht nur sonniges Wetter, sondern auch so manche Stürme. Da ergeht es uns manchmal so, wie der Psalmdichter es in unserem heutigen Spruch sagt: „Es zerschmilzt in der Not ihre Seele."

Menschen können uns meist nicht helfen, und mit unseren eigenen Möglichkeiten sind wir auch am Ende. Wir sehen keinen Ausweg mehr. – Gibt es wirklich keinen? – Doch, da ist jemand, der „den Sturm bestellt" hat, um uns zum Nachdenken zu bringen! Gott will, dass wir endlich unsere Zuflucht zu Ihm nehmen, zu dem allmächtigen Gott. Besonders wenn jemand in ruhigen Tagen nicht auf Ihn gehört hat, redet Er vielleicht durch einen „Sturm" zu ihm – nicht weil Er uns schaden will, sondern weil Er uns liebt. Er will uns retten aus unserer Not und retten für die ewige Herrlichkeit des Himmels.

Richter 1,16-26
2. Korinther 1,8-14

 SA 06.28 SU 20.17

 MA 09.28 MU 21.07

Freitag 29 August

Wer Vater oder Mutter mehr lieb hat als mich, ist meiner nicht würdig; und wer Sohn oder Tochter mehr lieb hat als mich, ist meiner nicht würdig.

Matthäus 10,37

Ist das nicht ein hartes Wort aus dem Mund des Sohnes Gottes? Verlangt Er nicht reichlich viel von denen, die Ihm folgen wollen? – Ja, Er verlangt viel, nämlich den ersten Platz in unserer Zuneigung und in unserem Leben. Aber für Christus ist das keineswegs *zu* viel. Denn nur eine eindeutige Glaubensentscheidung für Ihn bringt uns in Verbindung mit Ihm, dem Retter. Er ist „der Weg und die Wahrheit und das Leben". Niemand kommt zu Gott, dem Vater, als nur durch Ihn (Johannes 14,6).

Wir sollten Gott dankbar sein für unsere verwandtschaftlichen Beziehungen, und das um so mehr, wenn in unseren Familien noch Liebe und Treue zu finden sind – Eigenschaften, die in unserer Zeit immer seltener werden. Allerdings dürfen die familiären Bindungen uns nicht daran hindern, mit der Nachfolge Jesu Ernst zu machen. Der Ausspruch des Herrn fordert niemand auf, seine Angehörigen zu vernachlässigen. Aber wenn sich in unserem Leben jemand der Entscheidung für Christus in den Weg stellt – und sei es der Mensch, dem unsere innigste und tiefste Liebe gilt –, dann müssen wir ihn zurücktreten lassen hinter den Sohn Gottes.

Jesus Christus hat aus Liebe sein Leben gegeben, damit Sünder durch den Glauben an Ihn zu Kindern Gottes werden können. Er hat Anspruch darauf, dass wir seine Liebe erwidern. Ihm gehört der erste Platz im Leben eines Christen. An diesem Punkt scheiden sich die Geister: entweder für Ihn oder gegen Ihn. Einen Mittelweg gibt es hier nicht. Was für ein wichtiger und dringender Appell an jeden, sich heute zu entscheiden: für Jesus Christus, den Herrn und Heiland!

Samstag · 30 · August

Und wenn sie zu euch sprechen werden: Befragt die Totenbeschwörer und die Wahrsager ..., so sprecht: Soll ein Volk nicht seinen Gott befragen?

Jesaja 8,19

Auf der Terrasse eines Gebirgshotels in Kanada saßen mehrere Touristen fröhlich beisammen. Als eine Indianerin in der Nähe auftauchte, rief man sie heran und fragte sie, ob sie wahrsagen könne. „Ja", sagte sie, „aber dazu brauche ich ein Buch, das ich gleich holen werde. Daraus sage ich Ihnen dann mit unfehlbarer Genauigkeit Ihre Zukunft voraus."

Als sie zurückkam, sagte die Indianerin: „Zunächst werde ich Ihnen sagen, wer und was Sie sind." Dann las sie: „Da ist kein Gerechter, auch nicht einer ... Alle sind abgewichen, sie sind allesamt untauglich geworden; da ist keiner, der Gutes tut, da ist auch nicht einer. Ihr Schlund ist ein offenes Grab; mit ihren Zungen handelten sie trügerisch ... Es ist keine Furcht Gottes vor ihren Augen" (Römer 3,10-18).

„Das ist Ihr jetziger Zustand", erklärte die Frau. „Was die Zukunft betrifft, gibt es zwei Möglichkeiten; die eine heißt: ‚Der Sohn des Menschen wird seine Engel aussenden, und sie werden aus seinem Reich alle Ärgernisse zusammenlesen und die, welche die Gesetzlosigkeit tun; und sie werden sie in den Feuerofen werfen: Dort wird das Weinen und das Zähneknirschen sein.' Die andere ist: ‚Dann werden die Gerechten leuchten wie die Sonne in dem Reich ihres Vaters' (Matthäus 13,41-43). – Dieses Buch sagt Ihnen aber auch, wie Sie dem ewigen Gericht entrinnen können."

Dann las sie: „So hat Gott die Welt geliebt, dass er seinen eingeborenen Sohn gab, damit jeder, der an ihn glaubt, nicht verloren gehe, sondern ewiges Leben habe" (Johannes 3,16).

Niemand hatte die Frau unterbrochen, und mit kurzem Gruß entfernte sie sich.

Oder verachtest du den Reichtum seiner Güte und Geduld und Langmut und weißt nicht, dass die Güte Gottes dich zur Buße leitet?

Römer 2,4

Gedanken zum Römerbrief

Noch immer sind es die „Anständigen", die „Moralisten", die hier angesprochen werden. Solche Menschen sehen auf andere herab, die „noch schlechter" sind als sie selbst. Und sie begehen noch einen weiteren Irrtum. Sie sprechen zwar von der Güte und Geduld und Langmut Gottes, aber sie haben nie gründlich darüber nachgedacht, was Gott damit beabsichtigt.

Die Juden hatten die Güte und Geduld und Langmut Gottes in reichem Maß erfahren (siehe 2. Mose 34,6.7; Matthäus 5,45). Und den Heiden predigte Paulus, dass Gott ihnen „Gutes tat und euch vom Himmel Regen und fruchtbare Zeiten gab und eure Herzen mit Speise und Fröhlichkeit erfüllte" (Apostelgesch. 14,17).

Neben den äußeren Beweisen seiner Güte hatten die Menschen auch die Geduld und Langmut Gottes erfahren: Er war bereit, das Strafurteil für ihre Sünden noch auszusetzen, und hatte das eine lange Zeit getan. Aber daraus wird oft eine verkehrte Schlussfolgerung gezogen:

„Weil das Urteil über böse Taten nicht schnell vollzogen wird, darum ist das Herz der Menschenkinder in ihnen voll, Böses zu tun" (Prediger 8,11). Da verkennt der Mensch die Absicht Gottes, da geht er geringschätzig an der Güte Gottes vorbei. Dass er das Gericht Gottes noch nicht sieht, gibt ihm eine Unbekümmertheit im Sündigen, die erschreckend ist!

Auch der Apostel Petrus betont, dass Gott „langmütig ist, da er nicht will, dass irgendwelche verloren gehen, sondern dass alle zur Buße kommen". Doch auch er spricht von „Spöttern", die ganz bewusst an den Gerichten Gottes in der Geschichte vorbeigehen und behaupten, auch in der Zukunft käme kein Gericht (2. Petrus 3).

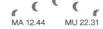

Ewige Freude wird über ihrem Haupt sein; sie werden Wonne und Freude erlangen, und Kummer und Seufzen werden entfliehen.

Jesaja 35,10

Dieses Wort aus dem Propheten Jesaja spricht von der Freude im kommenden Friedensreich Christi auf der Erde. Erst recht aber wird diese ewige Freude in der Herrlichkeit des Himmels herrschen. Alle Menschen, die Jesus Christus als ihren Erlöser und Herrn kennen, dürfen wissen: Ich werde einmal für immer bei Ihm in der Herrlichkeit sein. Kummer, Schmerzen, Angst, Sorgen, Probleme, Konflikte oder Unruhe wird es dort nicht mehr geben. Stattdessen erwartet mich „ewige Freude".

Die Grundlage dafür ist Gottes „ewige Liebe", mit der Er die Welt so sehr geliebt hat, dass Er seinen eingeborenen Sohn gab, „damit jeder, der an ihn glaubt, nicht verloren gehe, sondern ewiges Leben habe" (Jeremia 31,3; Johannes 3,16).

Für alle, die Christus im Glauben angenommen haben, hat Er durch sein Sühnopfer eine „ewige Erlösung" und ein „ewiges Heil" bewirkt. Es ist Gottes „ewige Gerechtigkeit", die dieses Opfer für die Sünden notwendig machte (Hebräer 9,12; 5,9; Psalm 119,142). Dieses Sühnopfer Christi kommt allen zugute, die es im Glauben für sich in Anspruch nehmen. Sie werden – ohne eigene Leistungen geltend machen zu können – aus Glauben gerechtfertigt (Römer 3,24-26; 5,1).

In allen guten oder schwierigen Lebensumständen wissen die Erlösten, dass unter ihnen Gottes „ewige Arme" sind. Gott ist durch Christus ihr Vater geworden und hat ihnen „ewigen Trost und gute Hoffnung gegeben durch die Gnade" (5. Mose 33,27; 2. Thessalonicher 2,16).

Völlige Sicherheit und Geborgenheit! – Ist das nicht ein Halt und eine Perspektive, für die es sich zu leben lohnt?

Es ist zu gering, dass du mein Knecht seist, um die Stämme Jakobs aufzurichten und die Bewahrten von Israel zurückzubringen. Ich habe dich auch zum Licht der Nationen gesetzt, um mein Heil zu sein bis an das Ende der Erde.

Jesaja 49,6

Und wir haben gesehen und bezeugen, dass der Vater den Sohn gesandt hat als Heiland der Welt.

1. Johannes 4,14

Vor der Halle eines großstädtischen Friedhofs sitzt ein alter Mann auf einer Bank. Auf seinen Knien liegt ein aufgeschlagenes Buch. Sein ganzes Erscheinungsbild kennzeichnet ihn als einen Mann aus dem Nahen Osten.

Ein Moslem, der im Koran liest? – Ich gehe näher heran: Das ist lateinische Schrift! Sollte der Mann in der Bibel lesen? „Entschuldigen Sie, lesen Sie in der Bibel?" – „Ja, ich lese die Bibel." Ich traue meinen Augen nicht, tatsächlich eine deutsche Gideonbibel. Er hat gerade das Johannes-Evangelium, Kapitel 17, aufgeschlagen.

Dann erzählt er mir in gebrochenem Deutsch, dass er Iraker ist und seit einigen Jahren in Deutschland lebt. Sein Sohn arbeitet hier. Er stammt aus einer christlichen Familie. Sein Vater und sein Großvater waren schon Christen. Er geht hier in eine christliche irakische Gemeinde. Im Irak haben viele Christen gelebt. – „Christen gibt es seit der Auferstehung des Herrn Jesus", erklärt er mir. „Ich glaube auch an Jesus Christus. Er ist für mich gestorben und auferstanden, ich bin auch Christ."

Da freuen wir uns gemeinsam von ganzem Herzen. Von neuem wird mir bewusst, was es bedeutet, dass Christus „durch sein Blut aus jedem Stamm und jeder Sprache und jedem Volk und jeder Nation" Menschen für Gott erkauft hat (Offenbarung 5,9).

Du kennst von Kind auf die heiligen Schriften, die imstande sind, dich weise zu machen zur Errettung durch den Glauben, der in Christus Jesus ist. Alle Schrift ist von Gott eingegeben und nützlich zur Lehre, zur Überführung, zur Zurechtweisung, zur Unterweisung in der Gerechtigkeit.

2. Timotheus 3,15.16

Der Himmel wendet sich an die Erde

Die besten wissenschaftlichen Werke sind oft nach wenigen Jahrzehnten überholt. Die Bibel aber veraltet nicht. Sie ist aktuell, weil Gott sich nicht verändert und weil auch die Bedürfnisse des Menschen dieselben geblieben sind.

Atheisten haben die Bibel leidenschaftlich bekämpft, ohne auch nur eine einzige Seite entkräften zu können. Man hat sie infrage gestellt, sie ins Lächerliche gezogen, sie verbrannt und verdammt, aber sie ist wie ein Amboss, der alle Hämmer zerschleißt.

Die Bibel verurteilt die Sünde, aber sie zeigt dem Sünder das Mittel zu seiner Rettung. Sie offenbart ihm Gott und stellt ihm den Herrn Jesus Christus vor. Durch die Bibel wendet sich der Himmel an die Erde, durch sie redet Gott zu den Menschen.

Lesen Sie die Bibel! Dann werden Sie den allmächtigen Gott kennenlernen, der sich nie verändert – unendlich in seiner Weisheit und Güte und in seinem Erbarmen. Er ist der heilige und gerechte Gott, der über allem steht und alles zu dem Ziel führt, das Er sich vorgesetzt hat. Sie werden erkennen, was der sündige Mensch in den Augen eines solchen Gottes ist, und Ihn mit Recht fürchten lernen. Aber Sie werden auch erfahren, dass Gott seinen Sohn Jesus Christus gegeben hat zu Ihrem Heil.

Die Bibel bringt uns nicht nur die gute Botschaft des Heils, sie enthüllt uns auch die Pläne und Absichten Gottes. Gott offenbart sich darin, damit wir Ihn selbst kennenlernen.

Richter 4,17-5,11
2. Korinther 4,7-18

 SA 06.38   SU 20.04

 MA 15.52   MU 00.51

Donnerstag 4 September

Und alle Brunnen, die die Knechte seines Vaters in den Tagen seines Vaters Abraham gegraben hatten, verstopften die Philister und füllten sie mit Erde.

1. Mose 26,15

Auf der Titelseite des populärwissenschaftlichen Magazins prangt in großen Lettern „Wo die Bibel irrt". Und darunter in kleinerer Schrift „Archäologische Entdeckungen im israelischen Askalon". Es geht um das historische Askalon, die Hafenstadt der Philister.

Und worin soll nun der Irrtum der Bibel bestehen? Im Inhaltsverzeichnis heißt es dazu: „Die Philister, von der Bibel als kulturlos gebrandmarkt, waren durchaus den Künsten zugetan." Doch wer in der Bibel nachliest, findet dort nirgendwo, dass die Philister als „kulturlos" dargestellt werden. Stattdessen enthält das Alte Testament in 1. Samuel 6 und 13 sogar Hinweise auf die Eisenbearbeitung und Goldschmiedekunst der Philister.

Tatsache ist allerdings, dass die Bibel überhaupt nur wenig über die Kultur der Philister und anderer Nachbarvölker Israels mitteilt, und das auch deshalb, weil diese Völker Götzen verehrten und dem Volk Gottes feindlich gegenüberstanden.

Wenn die Philister, wie unser Bibelwort sagt, die Wasserbrunnen für die Stammväter des Volkes Israel verstopften, dann fügten sie zwar ihren Feinden „kulturellen" Schaden zu, aber über ihre eigene Kultur wird dadurch nichts ausgesagt. Die Bibel „irrt" also keineswegs in der Beschreibung der Philister.

Ein Beispiel für viele – denn verkehrte Berichterstattung über die Bibel ist heute an der Tagesordnung. Das ist Grund genug, solche Behauptungen in der Bibel selbst nachzuprüfen. Sonst kann es leicht geschehen, dass die Bibel – der Brunnen der Erkenntnis Gottes – für uns „verstopft" wird.

Freitag   5   September

Und sie weigerten sich zu gehorchen ...; sie verhärteten ihren Nacken ... Du aber bist ein Gott der Vergebung, gnädig und barmherzig, langsam zum Zorn und groß an Güte, und du verließest sie nicht.

Nehemia 9,17

In aller Offenheit hatten die Sprecher des Volkes Israel vor Gott ihr Versagen in der langen Geschichte ihrer Nation bekannt. Dann wechseln sie das Thema und sprechen von der Treue Gottes, die trotz allem fortbestand. Der Schuld des Menschen steht Gottes Handeln in Gnade gegenüber. „Bei dir ist Vergebung" (Psalm 130,4) – das ist ein großes Wort. Die Bibel enthält so manche Aussage, die das bestätigt. Es sind Kostbarkeiten für den Glaubenden.

Das Erste ist die *Fülle* der Vergebung. Wenn Gott vergibt, dann vergibt er alles. „Er ist reich an Vergebung." – „Das Blut Jesu Christi, seines Sohnes, reinigt uns von aller Sünde" (Jesaja 55,7; 1. Johannes 1,7).

Das Zweite ist, dass Gott *umsonst* vergibt. „Ich bin es, der deine Übertretungen tilgt um meinetwillen; und deiner Sünden will ich nicht mehr gedenken" (Jesaja 43,25). Es ist die Liebe, die Gott veranlasst, einem Sünder zu vergeben.

Als Drittes ist die Vergebung *ewig*. Gott will nach der Vergebung nicht mehr auf die Sünden zurückkommen. „Du wirst alle ihre Sünden in die Tiefen des Meeres werfen" (Micha 7,19).

Viertens vergibt Gott *sofort*. „Wenn wir unsere Sünden bekennen, so ist er treu und gerecht, dass er uns die Sünden vergibt und uns reinigt von aller Ungerechtigkeit" (1. Johannes 1,9).

So kannte Nehemia seinen Gott, „gnädig und barmherzig, langsam zum Zorn und groß an Güte". Und so kann Ihn auch heute jeder kennenlernen. Und wer sich im Glauben der Vergebung seiner Sünden gewiss ist, wird gern der Aufforderung folgen: „Seid aber zueinander gütig, mitleidig, einander vergebend, wie auch Gott in Christus euch vergeben hat" (Epheser 4,32).

Richter 6,1-13
2. Korinther 5,10-21

 SA 06.41   SU 20.00

 MA 17.32   MU 01.56

Es hat ja Christus einmal für Sünden gelitten, der Gerechte für die Ungerechten, damit er uns zu Gott führe.

1. Petrus 3,18

Ich achte auch alles für Verlust wegen der Vortrefflichkeit der Erkenntnis Christi Jesu, meines HERRN.

Philipper 3,8

Ramon kommt aus einer Brahmanen-Familie, also aus der höchsten Gesellschaftsschicht in Indien. Er hat Yoga und hinduistische Meditation praktiziert, um in Beziehung zur Gottheit zu treten. Er hat die Götter in den Hindu-Tempeln verehrt, bis er sich zu fragen begann, ob er dadurch wirklich zu Gott finden könne.

Dann begann Ramon, die Bibel zu lesen. Er bewunderte Jesus wegen seiner Menschenfreundlichkeit. Ob er wirklich der Sohn Gottes war? Außerdem hatte er den Frieden bemerkt, den viele Christen ausstrahlten. Einen solchen Frieden konnten ihm viele Jahre Meditation nicht vermitteln. Dennoch war er entschlossen, die Wahrheit im Hinduismus zu suchen.

Als Ramon eines Tages einen Film über das Leben Jesu sah, wurde ihm klar, dass Christus als Mensch auf der Erde das Leiden kennengelernt hatte. Zuvor hatte er immer gedacht, dass Jesus sich seiner übernatürlichen Kräfte bedient habe, um allen Schmerzen zu entgehen.

Ramon prüfte das anhand der Bibel und fragte sich: „Wie konnte Jesus eine solche Strafe für Sünder erdulden?" Seine Leiden und sein Tod berührten ihn zutiefst. Durch diesen überwältigenden Beweis der Liebe Jesu wurde Ramon von seinem Zustand als Sünder wie auch von der Notwendigkeit des Sühnopfers Christi überzeugt. Da beschloss er, seinen herausragenden Status als Brahmane aufzugeben und sich Jesus, dem Retter, anzuvertrauen.

Später erklärte er: „Von da an hatte alles andere seine Anziehungskraft für mich verloren." Er hatte den Mittelpunkt des christlichen Glaubens entdeckt: Jesus, den Retter der Welt.

> *... weißt du nicht, dass die Güte Gottes dich zur Buße leitet? Nach deinem Starrsinn und deinem unbußfertigen Herzen aber häufst du dir selbst Zorn auf am Tag des Zorns und der Offenbarung des gerechten Gerichts Gottes.*
>
> *Römer 2,4.5*

Gedanken zum Römerbrief

Wenn Gott uns Beweise seiner Güte gibt, bedeutet das nicht, dass Er über unsere Sünden einfach hinwegsieht. Wenn Er das Böse nicht sofort bestraft, sondern Geduld und Langmut erweist, will das nicht sagen, dass gar kein Gericht kommen wird. Gott hat ein Ziel in diesem allen – uns „zur Buße" zu leiten.

Im Zusammenhang dieser Verse zeigt sich bei dem angesprochenen „anständigen" Menschen gerade das Gegenteil von „Buße". Er will sich selbst rechtfertigen. Wenn er sich mit anderen und deren Sünden vergleicht, meint er noch ganz gut dazustehen. Er erkennt das Urteil Gottes über sich nicht an, und er denkt nicht daran, sein Leben zu ändern. – Das aber ist „Starrsinn", gerade so reagiert ein „unbußfertiges Herz".

„Buße" im Sinn der Bibel ist genau das Gegenteil davon. Wenn ein Mensch Buße tut,

- hört er auf, seine Schuld zu beschönigen, sondern bereut sie und erkennt das Urteil Gottes darüber an;
- hält er sich selbst nicht mehr für gerecht, sondern gesteht ein, dass seine Sünden aus einem bösen Herzen hervorkommen;
- „rechtfertigt" er also nicht mehr sich selbst, sondern Gott (Kap. 3,4);
- ändert er seinen Sinn; und das wird in einem verwandelten Leben sichtbar.

Für Paulus ist die Buße daher ein unerlässlicher Bestandteil seiner Verkündigung: „... indem ich sowohl Juden als auch Griechen die Buße zu Gott und den Glauben an unseren Herrn Jesus Christus bezeugte" (Apostelgesch. 20,21).

Richter 6,28-40
2. Korinther 6,11-18

 SA 06.44 SU 19.55

 MA 18.48 MU 04.28

Geliebte, jetzt sind wir Kinder Gottes, und es ist noch nicht offenbar geworden, was wir sein werden; wir wissen, dass wir, wenn es offenbar wird, Christus gleich sein werden, denn wir werden ihn sehen, wie er ist.

1. Johannes 3,2

Der französische Staatsmann und Kardinal Richelieu (1585–1642) wurde im Alter einmal gefragt: „Bist du Richelieu?" Er soll geantwortet haben: *„Gestern* war ich Richelieu; *heute* bin ich ein armer Greis; und was ich *morgen* sein werde, das weiß ich nicht." Bei dieser Antwort ging er offenbar nur davon aus, was er in dieser Welt war und für die Welt bedeutete.

Wäre der Apostel Paulus gefragt worden: „Wer bist du?", so hätte er solche Antworten gegeben, wie wir sie in seinen Briefen finden: *„Gestern* war ich Saulus von Tarsus, der fanatische Verfolger Christi und seiner Jünger, *heute* bin ich durch die Gnade Gottes ein Kind Gottes, ein Knecht Jesu Christi und der Apostel der Völker, und *morgen* werde ich bei Christus sein, Ihm gleich, und mit Ihm die himmlische Herrlichkeit teilen" (Galater 1,13; 1. Timotheus 1,1.12.13; Philipper 1,23; 3,21).

Die Frage, wer er war, richtete sich für Paulus nicht nach seinem Gefühl oder nach der Wertschätzung anderer, sondern war durch seine Beziehung zu Jesus Christus bestimmt.

- Was er *gewesen* war, sein Leben als Christenverfolger, war bereinigt durch seine Umkehr zu Christus und den Glauben an Ihn.
- Was er *dann* war in seinem unermüdlichen Dienst als Apostel, vergleicht er mit einem Wettlauf, dessen Ziel Christus war. In diesem kraftvollen Lauf konnte ihn nicht einmal das Gefängnis entmutigen oder aufhalten.
- Was Paulus *nach seinem Tod und in der Ewigkeit* sein würde, darüber hatte er eine freudige und sichere Gewissheit. Er stützte sich auf die zuverlässigen Zusagen Gottes.

Dienstag 9 September

Ich weiß, dass mein Erlöser lebt.

Hiob 19,25

Fanny Crosby (1820–1915) gehört zu den bekanntesten christlichen Liederdichterinnen. Ihr Werk zeugt von ihrem tiefen Glauben an Jesus Christus und von dem Glück, das sie in Ihm gefunden hatte. Viele ihrer Gedichte sind vertont und auch ins Deutsche übersetzt worden.

Ihr erstes Lebensjahr wurde von zwei einschneidenden Ereignissen überschattet. Im Alter von 6 Wochen erblindete sie; und im selben Jahr starb ihr Vater. Während die Mutter für den Broterwerb der Familie sorgte, wuchs Fanny in der Obhut ihrer Großmutter auf. Von ihr lernte Fanny, auf Gottes Liebe zu vertrauen und Ihm alle Sorgen so selbstverständlich anzuvertrauen, wie ein Kind mit seinem Vater redet. Damals betete sie auch dafür, Unterricht zu erhalten.

Im Alter von 15 Jahren konnte Fanny in das neu gegründete Blindeninstitut in New York eintreten und dort die Blindenschrift erlernen. Nach acht Schuljahren blieb sie noch weitere 15 Jahre als Lehrerin an dieser Schule.

Als Fanny 30 Jahre alt war, kam eine Zeit, in der sie von Zweifeln geplagt war. Sie fühlte, dass ihr der wirkliche Frieden mit Gott noch fehlte. Im Anschluss an einen Evangeliumsabend übergab sie ihr Leben ganz dem Herrn Jesus Christus und wurde sich ihrer Rettung gewiss. Ihre Freude über das Heil wird unter anderem in folgender Liedstrophe erkennbar:

> *Seliges Wissen: Jesus ist mein!*
> *Köstlichen Frieden bringt es mir ein.*
> *Leben von oben, ewiges Heil,*
> *völlige Sühnung ward mir zuteil.*
> *Lasst mich's erzählen, Jesus zur Ehr;*
> *wo ist ein Heiland, größer als Er?*
> *Wer kann so segnen, wer so erfreun?*
> *Keiner als Jesus! Preis Ihm allein!*

Richter 7,9-25
2. Korinther 7,10-16

 SA 06.47 SU 19.51

 MA 19.50 MU 07.12

In der Wüste hast du gesehen, dass der HERR, dein Gott, dich getragen hat, wie ein Mann seinen Sohn trägt.

5. Mose 1,31

Ihr ganzes Leben, 95 Jahre lang, war Fanny Crosby blind. Doch gerade in diesen äußerlich unglücklichen Lebensumständen erlebte sie umso bewusster, dass Gott seine Kinder niemals im Stich lässt, sondern sie voller Liebe führt und trägt. In dem Lied „Gott wird dich tragen" gibt sie davon ein glaubwürdiges Zeugnis:

Gott wird dich tragen, drum sei nicht verzagt,
treu ist der Hüter, der über dir wacht.
Stark ist der Arm, der dein Leben gelenkt,
Gott ist ein Gott, der der Seinen gedenkt.

Gott wird dich tragen mit Händen so lind.
Er hat dich lieb wie ein Vater sein Kind.
Das steht dem Glauben wie Felsen so fest:
Gott ist ein Gott, der uns nimmer verlässt.

Gott wird dich tragen, wenn einsam du gehst;
Gott wird dich hören, wenn weinend du flehst.
Glaub es, wie bang dir der Morgen auch graut,
Gott ist ein Gott, dem man kühnlich vertraut.
Gott wird dich tragen mit Händen so lind.
Er hat dich lieb wie ein Vater sein Kind.
Das steht dem Glauben wie Felsen so fest:
Gott ist ein Gott, der uns nimmer verlässt.

Gott wird dich tragen durch Tage der Not;
Gott wird dir beistehn in Alter und Tod.
Fest steht das Wort, ob auch alles zerstäubt,
Gott ist ein Gott, der in Ewigkeit bleibt.
Gott wird dich tragen mit Händen so lind.
Er hat dich lieb wie ein Vater sein Kind.
Das steht dem Glauben wie Felsen so fest:
Gott ist ein Gott, der uns nimmer verlässt.

> *Wenn unser irdisches Haus, die Hütte, zerstört wird, haben wir einen Bau von Gott, ein Haus, nicht mit Händen gemacht, ein ewiges, in den Himmeln.*
>
> *2. Korinther 5,1*

Kurz nach dem Zweiten Weltkrieg ging mein Großvater mit einem Freund durch die zerbombte Innenstadt von London. Von einem Haus waren nur einige Mauerreste des Erdgeschosses mit dem Rahmen der Eingangstür stehen geblieben. Über der Tür hatte der Eigentümer beim Bau des Hauses unser heutiges Bibelwort anbringen lassen: „Wenn unser irdisches Haus, die Hütte, zerstört wird, haben wir einen Bau von Gott, ein Haus, nicht mit Händen gemacht, ein ewiges, in den Himmeln."

Was war aus den Bewohnern dieses Hauses geworden? Hatten sie sich noch rechtzeitig in Sicherheit bringen können, oder waren sie in den Trümmern umgekommen? Mein Großvater hat es nie erfahren, aber das Bibelwort über der Tür zeigte deutlich an, dass sie fest an Gott und seine Zusagen glaubten – auch über den Tod hinaus.

Die „Hütte", von welcher der Apostel Paulus hier spricht, ist nämlich unser Körper als „Hülle" unseres „inneren Menschen". Wenn ein gläubiger Christ stirbt, kehrt sein Körper „zur Erde zurück". Seine Seele, seine Persönlichkeit, aber wird von Jesus ins „Paradies" aufgenommen (vgl. Prediger 12,7; Lukas 23,43).

Im Paradies warten die entschlafenen Gläubigen in Ruhe bei Christus auf den herrlichen Tag, an dem Er seine Macht entfalten und sie aus den Toten auferwecken wird. Dann wird Er ihnen einen neuen, herrlichen Leib geben. Das wird keine zerbrechliche und gefährdete „Hütte" mehr sein, sondern ein „Bau" von ewigem Bestand. Auf diese Weise werden alle, die durch den Glauben an Jesus Christus errettet sind, für immer im „Haus des Vaters" wohnen (vgl. Philipper 1,23; 3,21; 1. Korinther 15,53-57).

Du, Herr, bist ein barmherziger und gnädiger Gott, langsam zum Zorn und groß an Güte und Wahrheit.

Psalm 86,15

David verbrachte seine ganze Freizeit damit, sein Motorrad zu pflegen und zu polieren – es war sein ganzer Stolz. Sein Fahrstil auf der Straße wurde immer professioneller. Eines Tages folgte ihm ein schwerer Pkw. Es war unmöglich, ihn auf Distanz zu halten. Schließlich hielt David an – und der andere Fahrer auch.

„Mit welcher Leichtigkeit Sie Ihre Maschine beherrschen!", sagte der Fremde bewundernd. „Es ist ein wahres Vergnügen, Ihnen zu folgen! Sie sind der Mann, den ich suche, der Rennen fahren kann mit der Marke, die ich vertrete." – In Gedanken malte David sich schon packende Rennen, Erfolge und Glück vor Augen. So nahm seine Rennleidenschaft ihren Anfang.

Später trat das Auto an die Stelle des Motorrads. David wurde für eine internationale Rallye engagiert und übte jeden Sonntag, um für den Wettbewerb fit zu sein.

„An einem Sonntag bin ich neunzehn Stunden am Stück gefahren", erzählte er später. „Dabei bin ich am Steuer eingeschlafen. Und dann hat man mich aus einem Haufen Schrott herausgezogen. Im Krankenhaus hatte ich nur ein Neues Testament als Lektüre. Es war ein Geschenk von meiner Tante, das ich noch nie geöffnet hatte, aber aus Zuneigung zu ihr in meiner Tasche verwahrte. Als ich es aufschlug, fielen meine Blicke auf das Wort: ‚Was ist euer Leben? Ein Dampf ist es ja, der für eine kurze Zeit sichtbar ist und dann verschwindet' (Jakobus 4,14).

Eine flüchtige Dampfwolke! – Ja, ich war dem Tod nur mit knapper Not entronnen. Gott hatte dadurch eindringlich zu mir geredet. Da kam mir mit einem Mal mein Größenwahn zu Bewusstsein und … die göttliche Barmherzigkeit!"

An diesem Tag fand David Frieden mit Gott und einen neuen Lebensinhalt.

Richter 9,1-25
2. Korinther 8,16-24

 SA 06.52 SU 19.44

 MA 21.23 MU 11.07

> *Denn so hat Gott die Welt geliebt, dass er seinen eingeborenen Sohn gab, damit jeder, der an ihn glaubt, nicht verloren gehe, sondern ewiges Leben habe.*
>
> *Johannes 3,16*

Welche Antwort geben wir auf diese Offenbarung der Liebe Gottes in seinem Sohn?

Als ich einmal in einer Millionenstadt vor einem Kaufhaus Flyer mit der frohen Botschaft von der Liebe Gottes verteilte, traf ich auch den Geschäftsführer des Hauses. Er grüßte freundlich. Sein Blick fiel auf den Titel des Blattes, das ich ihm reichte: „So sehr hat Gott die Welt geliebt …" Abwehrend gab er mir den Flyer zurück. „Das brauche ich nicht." – „Aber", sagte ich, „es ist eine Botschaft der Liebe." – „Ich brauche das nicht, nehmen Sie das Blatt wieder mit!" – Wir fragen uns: Konnte denn dieser Mann es sich wirklich leisten, die Liebe und Gnade Gottes abzulehnen? Und kann das überhaupt irgendein Mensch?

In einem Krankenhaus hatte ich dagegen ein erfreuliches Erlebnis beim Weitergeben christlicher Literatur. Ein junger, sehr kranker Mann war nicht mehr in der Lage, meine Broschüren zu lesen. „Der Arzt sagt, dass es keine Hoffnung mehr für mich gibt – aber", so fügte er hinzu, „ich bin in der Hand des Herrn."

Die letzten Worte kamen für mich so unerwartet, dass ich erst nach einigen Augenblicken antworten konnte. „Dann sind Sie in der allerbesten Hand, denn Er hat von allen, die auf Ihn vertrauen, gesagt: ‚Niemand wird sie aus meiner Hand rauben'" (Johannes 10,28).

„Ja", erwiderte der Kranke, „und der Herr hat auch gesagt, dass jeder, der an Ihn glaubt, nicht verloren geht, sondern ewiges Leben hat." – „Ewiges Leben … ewiges Leben", wiederholte er flüsternd. Die Botschaft der Liebe Gottes hatte einen Frieden in sein Herz gegeben, den der nahe Tod nicht wegnehmen konnte.

Nach deinem Starrsinn und deinem unbußfertigen Herzen aber häufst du dir selbst Zorn auf am Tag des Zorns und der Offenbarung des gerechten Gerichts Gottes, der jedem vergelten wird nach seinen Werken.

Römer 2,5.6

Gedanken zum Römerbrief

Der selbstgerechte Mensch geht an dem „Reichtum" der Güte und Geduld und Langmut Gottes vorbei; er lässt sich dadurch nicht „zur Buße leiten". Stattdessen sammelt er sich einen anderen „Reichtum" an – das Wort für „aufhäufen" wird im Grundtext in der Regel für das Ansammeln eines Schatzes und das Aufbewahren an einem sicheren Ort gebraucht.

Doch das, was der unbußfertige Mensch ansammelt, ist das Gegenteil von Güte, nämlich *Zorn*. Es geht um den Zorn *Gottes* (Kap. 1,18), aber es ist der Mensch selbst, der durch „seine Werke", durch seine einzelnen Sünden, Stück für Stück „Zorn aufhäuft".

Das zeigt sehr deutlich, worin der Zorn Gottes besteht – nicht etwa in Wut oder Groll, die Gott gegen seine Geschöpfe hegen würde, sondern in heiligem Unwillen, der die Sünden des Menschen nicht einfach hinnehmen kann. Der Zorn Gottes ist nichts anderes als die Antwort seiner Gerechtigkeit auf die Sünde.

Dieser Zorn wird jetzt „aufgehäuft". Doch jeder kann jetzt noch seine Zuflucht zu Christus nehmen, „der uns errettet von dem kommenden Zorn" (1. Thessalonicher 1,10). Wer sich aber nicht von Jesus retten lässt, den wird der Zorn treffen „am Tag des Zorns und der Offenbarung des gerechten Gerichts Gottes". Dann wird deutlich, dass es für jede Tat auf dieser Erde eine gerechte „Vergeltung" geben wird. Nichts ist in Vergessenheit geraten: „Und die Toten wurden gerichtet nach dem, was in den Büchern geschrieben war, nach ihren Werken" (Offenbarung 20,12).

Richter 10,1-18
2. Korinther 10,1-11

SA 06.55 SU 19.39 MA 22.40 MU 13.24

Kein Hausknecht kann zwei Herren dienen … Ihr könnt nicht Gott dienen und dem Mammon.

Lukas 16,13

Das 16. Kapitel des Evangeliums nach Lukas (V. 19-31) lässt uns einen kurzen Blick in das Jenseits tun. Da finden wir zwei Menschen, von denen der eine auf der Erde reich war und der andere arm. Was ist nun in der anderen Welt aus ihnen geworden?

Vorab sei gesagt, dass man aus dieser Schilderung nicht ableiten darf, dass alle, die in diesem Leben gelitten haben, dort getröstet werden, und dass alle, die im irdischen Leben mit Gütern reich versehen waren, die ewige Pein kennenlernen werden. Das wäre im Widerspruch zur klaren Belehrung der Bibel an vielen anderen Stellen.

Das Entscheidende ist, dass dieser Reiche seine Güter egoistisch verwendet hatte. Im Luxus und in seinem Überfluss hatte er für sich selbst gelebt und sich weder um Gott noch um seinen Nächsten gekümmert. „Er starb und wurde begraben."

Lazarus war arm gewesen. Aber als für ihn die Sterbestunde schlug, wurde er „von den Engeln in den Schoß Abrahams getragen"; damit ist das Glück des Paradieses gemeint, in das er aufgenommen wurde, weil er Gott kannte.

Der Fehler des Reichen war nicht, dass er Reichtümer besaß, sondern dass er darauf vertraute und nicht im Geringsten an Gott dachte, dem er das alles verdankte, und dass er auch den Armen nichts davon abgab. Ebenso war das Gute bei Lazarus nicht, dass er arm war, sondern dass er auf Gott vertraute.

Der Unterschied zwischen diesen beiden lag nicht in ihrem Vermögen, sondern in der Ausrichtung ihrer Herzen. Der eine liebte Gott, der andere sich selbst.

Jesus Christus machte durch den Tod den zunichte, der die Macht des Todes hat, das ist den Teufel.

Hebräer 2,14

Die Macht und die List Satans (1)

Eine Okkultistin, die mit ihren Schülerinnen magische Rituale in ihrem Garten durchführt, fragte einen Christen, ob ihn das beunruhigen würde, wenn er ihr Nachbar wäre: „Würdest du ausrasten? Oder könntest du ‚drüberstehen‘?"

Der Christ gab zur Antwort: „Nein, ich würde nicht ausrasten. Ich weiß, dass der Teufel – du kannst es auch schwarze oder weiße Magie nennen – nicht die geringste Macht über mich hat, wenn ich im Vertrauen zu Christus lebe. Daher habe ich wirklich keine Angst.

Aber ich stehe auch nicht ‚drüber‘. Ich weiß, dass der Teufel Macht hat, das unterschätze ich nicht. Und ich fühle mich auch nicht stark, was mich selbst betrifft. Der Unterschied liegt darin, dass ich *auf der Seite des Siegers* stehe.

Ich will dir das an einem Beispiel aus der Bibel erläutern. Ob du es lesen wirst? Wahrscheinlich wirst du Angst davor haben, dich damit auseinanderzusetzen. Ich meine die sehr interessanten Kapitel 22 bis 24 aus dem 4. Buch Mose.

Da hat ein König den berühmtesten und mächtigsten Okkultisten seiner Zeit angeheuert, um das Volk Israel mit einem Fluch zu belegen. Und das Auffallende ist: Gott war mächtiger! Dieser Okkultist Bileam war nicht in der Lage, seinen Fluch auszusprechen, stattdessen hat er das Volk Israel im Auftrag Gottes gesegnet – und das, obwohl auch im Volk Israel manches gar nicht so rosig aussah.

Vor der Macht der Magie brauche ich also keine Angst zu haben – und ich habe auch keine. Über alle, die im Vertrauen auf Christus leben, hat der Teufel nicht die geringste Macht mehr. Durch seinen Tod am Kreuz hat Christus dem Teufel die Macht genommen und alle, die an Ihn glauben, aus seinem Machtbereich befreit."

Zieht die ganze Waffenrüstung Gottes an, damit ihr zu bestehen vermögt gegen die Listen des Teufels.

Epheser 6,11

Die Macht und die List Satans (2)

Auf die Frage der Okkultistin hatte der Christ geantwortet, dass er keine Angst vor Magie oder vor der Macht Satans habe, weil Christus am Kreuz den Sieg über Satan errungen hat. Seine Antwort ging weiter:

„Aber Satan kann Christen durch seine List verführen, wenn sie nicht wirklich ernsthaft als Christen leben. Das hat leider dieser Okkultist Bileam damals bei den Israeliten auch geschafft. – Verstehst du, ich habe keine Angst vor den *Mächten,* mit denen du paktierst. Aber ich weiß, dass ich Christus treu nachfolgen muss, um nicht Satans *Listen* zum Opfer zu fallen.

Und noch etwas: *Du* hast Angst. Vielleicht keine akute Angst, aber ganz sicher bist du dir auch nicht. Wenn du nämlich wirklich mit diesen Mächten schon über längere Zeit paktierst und wenn du gut aufgepasst hast, dann wirst du schon lange festgestellt haben, dass sie nicht ehrlich sind, dass man ihnen nicht völlig vertrauen kann. – Am Anfang mag das zwar so scheinen. Aber wer genau beobachtet, kommt bald an den Punkt, wo er ins Fragen kommt, falls er objektiv genug ist und wenn er will. Dann stellt man fest, dass das, was zunächst so gut aussah – nämlich sich große Kräfte nutzbar zu machen – einen ganz bitteren Nebengeschmack hat. Dass man belogen wurde, dass man seine Freiheit eingebüßt hat, dass man abhängig ist und dass man sich nicht mehr gefahrlos davon befreien kann.

Weißt du, da vertraue ich lieber Christus, der seine Zuverlässigkeit und Liebe dadurch bewiesen hat, dass Er für mich gestorben ist. – Ich vertraue lieber Christus, der mich nicht ‚zwingt‘, sondern mich in die Freiheit geführt hat.“

Und ein Aussätziger kommt zu Jesus, bittet ihn und kniet vor ihm nieder und spricht zu ihm: Wenn du willst, kannst du mich reinigen. Und innerlich bewegt streckte Jesus seine Hand aus, rührte ihn an und spricht zu ihm: Ich will; werde gereinigt!

Markus 1,40.41

Versetzen wir uns einen Augenblick in diese Szene: Ein Mann, vom Aussatz gezeichnet, den sicheren Tod vor Augen, sieht nur noch eine Chance für sich: Jesus Christus kann heilen. Er hat es schon bei anderen getan. An Vertrauen auf die Macht Jesu, auch über Krankheiten, mangelt es diesem Mann nicht. Etwas anderes fehlt ihm aber: das Vertrauen auf den guten Willen des Sohnes Gottes.

Auf unsere Situation übertragen: Will der Herr mich retten? Wenn alle meine guten Vorsätze, aus dem alten Lebensstil auszubrechen, bisher fehlgeschlagen sind? Wenn meine Gebete bis heute scheinbar nichts bewirkt haben? – Auch jedes andere Problem, das Zweifel an der Person des Sohnes Gottes oder an seiner Gnade und Barmherzigkeit hervorruft, kann ich an dieser Stelle einsetzen.

Jesus Christus will! – Er sagt es bewusst zu dem aussätzigen Mann. An seiner Bereitwilligkeit kann kein Zweifel bestehen. Wir können natürlich nicht wissen, ob Er eine bestimmte *irdische* Schwierigkeit völlig wegnehmen wird. Letztlich geht es ja auch um viel mehr, um die Befreiung aus einer größeren Notlage, nämlich um die Vergebung der Schuld vor Gott.

Diese Schuld beschmutzt uns in höchstem Maß. Und davon ist der Aussatz ein treffendes Bild. Denn was würde die Heilung einer zeitlichen Krankheit nützen, wenn man die ewige Vergebung nicht hätte? Aber gerade diese dürfen Sie von Jesus Christus erwarten. Er will! – Wollen Sie auch?

Was ich jetzt lebe ..., lebe ich durch den Glauben an den Sohn Gottes, der mich geliebt und sich selbst für mich hingegeben hat.

Galater 2,20

Eine überwältigende Erfahrung

Mein Leben hat an sich nichts Außergewöhnliches aufzuweisen. Und doch möchte ich Sie an einer ganz besonderen Erfahrung teilhaben lassen. Vielleicht denken Sie nun an irgendein spektakuläres Ereignis, aber das ist es nicht. Ich meine vielmehr die Erfahrung, dass mir die Liebe Gottes immer mehr und tiefer bewusst geworden ist.

Christ bin ich schon lange; aber erst seit wenigen Jahren erfüllt mich der Gedanke an die Liebe Gottes mit tiefem Glück und immer wieder neuem Staunen. Was für eine Überraschung war es für mich oft so unbeständiges Geschöpf, als ich entdeckte, dass ich von Gott selbst zutiefst geliebt bin! Geliebt mit einer unwandelbaren, treuen Liebe, die – zartfühlend und stark – immer im richtigen Moment in Aktion tritt. Und das macht jetzt die Kraft meines Lebens aus und hat mich zu der Gewissheit geführt, dass ich nie mehr allein bin. Selbst wenn alles dunkel erscheint, wenn ich mich unverstanden und abgelehnt fühle, bin ich von Dem geliebt, der über allem steht.

Nun werden Sie fragen, wie ich zu dieser Erfahrung gekommen bin. – Ganz einfach durch aufmerksames Lesen der Bibel, insbesondere der Evangelien! In den Berichten über das Leben Jesu, des Sohnes Gottes, strahlt immer wieder die Liebe Gottes hervor. Und dann das Sühnopfer des Erlösers: Der höchste Beweis der göttlichen Liebe hat sich am Kreuz gezeigt, als Jesus sein Leben für mich gab.

Ja, Er hat *mich* geliebt und sich selbst für *mich* hingegeben!

Freigemacht aber von der Sünde, seid ihr Sklaven der Gerechtigkeit geworden.

Römer 6,18

Wie kann ein Mensch denn frei und gleichzeitig ein Sklave sein? Ist das nicht ein Widerspruch in sich selbst? Freiheit bedeutet doch, dass man alles tun kann, was man will, und niemand Gehorsam schuldig ist. So denken sicher viele.

Vielleicht überrascht es Sie, dass die Bibel ganz andere Aussagen über Freiheit und Gehorsam macht. Sie spricht davon, dass „der Eigenwille wie Abgötterei und Götzendienst" ist und dass der Mensch ohne Christus eigensinnig und selbstsüchtig ist (1. Samuel 15,23; vgl. Epheser 2,3).

Der Herr Jesus Christus hat gesagt: „Jeder, der die Sünde tut, ist der Sünde Knecht" (Johannes 8,34). Daher erweist sich die vermeintliche Freiheit und Unabhängigkeit des Menschen ohne Gott immer wieder nur als Knechtschaft. Er folgt, ohne nach Gottes Willen zu fragen, den Trieben seiner sündigen Natur und lebt unter der Herrschaft der Sünde.

Wer aber durch den Glauben an Christus von neuem geboren ist, hat ein ganz neues Leben empfangen. Er ist durch den stellvertretenden Tod Christi auch freigemacht worden von der Herrschaft der Sünde in seinem Leben. Das neue Leben findet kein Gefallen mehr an der Sünde, sondern hat seine Freude an allem, was dem Willen Gottes entspricht.

Wenn unser Bibelwort solche Menschen „Sklaven der Gerechtigkeit" nennt, dann will das sagen, dass sie mit Leib und Seele, mit ihrem ganzen Dasein, der göttlichen Gerechtigkeit gehören, so wie einst die Sklaven das Eigentum ihres Herrn waren. Niemand lebt moralisch gesehen in einem neutralen Raum. Entweder dient er der Sünde und ist ihr Knecht, oder er gehört völlig Gott an. Und ein Leben in Gerechtigkeit, das Gott gefällt und Ihn ehrt – das ist wahre Freiheit und wahre Freude.

Richter 14,1-13
2. Korinther 12,11-15

 SA 07.05 SU 19.25

 MA 03.09 MU 17.36

Gott wird jedem vergelten nach seinen Werken: denen, die mit Ausharren in gutem Werk Herrlichkeit und Ehre und Unvergänglichkeit suchen, ewiges Leben; denen aber, die streitsüchtig und der Wahrheit ungehorsam sind, der Ungerechtigkeit aber gehorsam, Zorn und Grimm.

Römer 2,6-8

Gedanken zum Römerbrief

Von der gerechten „Vergeltung" für alles, was der Mensch auf der Erde getan hat, ist keiner ausgenommen, sie betrifft jeden.

Auffallend ist, dass hier zwei Gruppen von Menschen deutlich voneinander unterschieden werden. In der Bibel finden wir sie oft unter den Bezeichnungen „die Gerechten" und „die Ungerechten" erwähnt. Sie erhalten „zur Vergeltung" für ihre „Werke" entweder „ewiges Leben" oder aber ewigen „Zorn und Grimm".

Gibt es denn – so könnte man fragen – nun doch „Gerechte", die aufgrund ihrer eigenen guten Taten vor Gott bestehen können? Hat nicht Kapitel 1 das Gegenteil gezeigt? Hat Paulus nicht betont, dass die Gerechtigkeit für verlorene Menschen nur von Gott kommen kann und dass sie dem *Glaubenden* geschenkt wird? – Ja, das ist schon dort sehr deutlich herausgestellt worden, und in Kapitel 3 wird es erneut sehr klar gezeigt. Dort heißt es sogar, dass kein Mensch von sich aus Gott sucht (V. 11).

Aber wenn jemand das Evangelium angenommen hat, wenn er Buße getan hat und an Jesus Christus glaubt, dann hat sich sein Leben grundlegend geändert; es trägt ganz andere moralische Kennzeichen als vorher. Das gilt, obwohl der „von neuem geborene" Christ noch nicht vollkommen ist.

Wie aber jemand errettet wird und *wie* Gott ein Leben ändern kann, das wird in diesen Versen des 2. Kapitels *nicht* erklärt. *Hier* geht es darum, dass sich Gottes Gerechtigkeit in einer gerechten Vergeltung erweisen wird.

Montag 22 September

Wenn eure Sünden wie Scharlach sind, wie Schnee sollen sie weiß werden; wenn sie rot sind wie Karmesin, wie Wolle sollen sie werden.

Jesaja 1,18

Ein junger Mann wollte sich einen vergnügten Abend machen und ging aus. Auf der Straße drückte ihm ein Vorübergehender einen Zettel in die Hand. Er nahm ihn an, und unter der nächsten Straßenlaterne las er: „Wenn eure Sünden wie Scharlach sind, wie Schnee sollen sie weiß werden." Mit einem spöttischen Lächeln zerknüllte er das Papier und warf es weg.

Der Wind wehte die geschriebene Botschaft weg, aber die Worte blieben in seinem Gedächtnis haften. Er sagte sich: „Die Worte sind nicht für mich, ich bin ja ungläubig." Aber er konnte die Botschaft nicht abschütteln und wehrte sich: „Ich glaube weder an die Bibel noch an den Gott der Bibel, und auch nicht an eine Zukunft nach dem Tod." – Doch eine innere Stimme sagte ihm: „Wenn eure Sünden wie Scharlach sind, wie Schnee sollen sie weiß werden."

Er wollte diese Stimme zum Schweigen bringen, wollte nicht mehr über die Worte nachdenken, aber er konnte sich nicht davon losreißen. Und gerade jetzt kam er an einem Gemeindesaal vorbei, wo Gottes Wort verkündigt wurde. Spontan kam ihm der Gedanke: „Ich könnte eigentlich hineingehen und einmal hören, was sie zu sagen haben."

Da las der Prediger genau die Worte, die er schon kannte und die ihn nicht losließen: „Wenn eure Sünden wie Scharlach sind, wie Schnee sollen sie weiß werden." Der junge Mann fühlte: „Diese Botschaft gilt mir; ich bin wirklich gemeint!" Sein Gewissen war getroffen. Er hörte aufmerksam zu, um zu erfahren, wie er von seinen Sünden rein und „weiß" werden konnte. Noch am selben Abend fand er zum Glauben an Christus und zum ewigen Heil.

Richter 15,9-20
2. Korinther 13,1-13

 SA 07.08 SU 19.21

 MA 05.13 MU 18.25

Dienstag 23 September

Während Paulus sie [seine Mitarbeiter Silas und Timotheus] *in Athen erwartete, wurde sein Geist in ihm erregt, da er die Stadt voll von Götzenbildern sah.*

Apostelgeschichte 17,16

Die Athener zur damaligen Zeit waren ganz moderne Leute. Sie ließen die Verehrung vieler Götter zu. Warum sollte man in religiösen Fragen auch so einseitig sein und sich auf eine bestimmte Richtung festlegen? Wer weiß denn schon, was wirklich wahr ist? Überlassen wir die Entscheidung der persönlichen Überzeugung des Einzelnen, so dachten sie. Wichtig ist nur die *Aufrichtigkeit,* mit der jemand seine Gottheit anruft. Und um ja keinen Gott zu vergessen und dadurch vielleicht zu erzürnen, hatten sie auch einen Altar für den „unbekannten Gott". Man weiß ja nie …

Ist das nicht die gleiche Haltung, die heute viele in Glaubensfragen einnehmen? Jeder müsse für sich selbst entscheiden, was er glaube. Hauptsache, man sei aufrichtig von „seinem Gott" überzeugt. – So tolerant sich das anhört, so gefährlich ist es. Denn die Aufrichtigkeit, mit der ich an eine Sache glaube, macht diese noch nicht *wahr.* Wenn ich die verkehrte Medizin einnehme, kann ich mich sogar damit vergiften, selbst wenn ich aufrichtig davon überzeugt bin, es sei die richtige.

Die Menschen in Athen waren aufrichtig in ihrem Glauben, und doch waren sie Götzendiener. Ihre Ergebenheit den Göttern gegenüber berührte Paulus außerordentlich. Deshalb verkündigte er ihnen den allein wahren Gott. Er wusste, dass diese Menschen verloren gehen würden, wenn sie nicht den *richtigen,* den rettenden Glauben annehmen würden. Und so ist es bis heute geblieben. In der Frage des Glaubens darf es keine Ungewissheit geben. Jesus Christus ist der von Gott bestimmte Retter und der Richter der Welt (V. 30.31).

Richter 16,1-12
Psalm 73,1-8

 SA 07.09 SU 19.18

 MA 06.16 MU 18.48

Gott, du bist mein Gott! Früh suche ich dich. Es dürstet nach dir meine Seele ... in einem dürren und lechzenden Land ohne Wasser.

Psalm 63,2

Mit Segnungen bedeckt es der Frühregen.

Psalm 84,7

Im Norden von Chile, zwischen den Anden und dem Pazifischen Ozean, liegt die Atacamawüste, in der es fast nie regnet und die zu den trockensten Gebieten der Erde zählt. Ein Reisender beschreibt sie so: „Tag für Tag geht dort die Sonne über den Bergen im Osten auf; jeden Mittag scheint sie mit ihrer ganzen Kraft auf die Ebene herab; und jeden Abend verabschiedet sie sich mit einem malerischen Sonnenuntergang."

Ein irdisches Paradies? Nein, eine Wüste, unfruchtbar und öde wie der Boden auf dem Mars. So war dieses Territorium auch das denkbar beste Gelände zum Testen von Marssonden.

Dem Reisenden, einem Christen, drängten sich dort Parallelen zu unseren Lebensumständen auf: Es ist ganz natürlich, dass wir uns ein Leben voll Freude und fortwährendem Sonnenschein wünschen. Deshalb bemühen wir uns, allen Problemen und Leiden aus dem Weg zu gehen. Doch wir sollten auch bedenken: Ohne jede Belastung und Prüfung würde unser Leben dieser sonnenbeschienenen, aber unfruchtbaren Landschaft gleichen. Ohne Wolken, ohne gelegentliche Regenschauer wäre es weder kreativ noch fruchtbringend. Wir brauchen Sonne *und* Regen.

Wenn dunkle Wolken eine Zeit lang unsere Freude trüben, hat der Gläubige einen starken Halt im Vertrauen auf seinen Gott. Er weiß sich bei Gott geborgen. Auch wenn er den Ausweg oder das Ende einer Glaubensprüfung noch nicht sehen kann, hält er daran fest, dass Gott ihm mit dem „Frühregen" keinen Schaden zufügen, sondern ihn nur noch mehr segnen will.

Richter 16,13-22
Psalm 73,9-17

 SA 07.11   SU 19.16

 MA 07.20   MU 19.12

> *Die Königin von Scheba hörte den Ruf Salomos wegen des Namens des HERRN; und sie kam, um ihn mit Rätseln auf die Probe zu stellen.*

1. Könige 10,1

Über die Weisheit Salomos, des Königs Israels, zu sprechen hieße, wie der Berliner sagt, „Wasser in die Spree kippen". Das „Buch der Bücher" berichtet, wie Salomo zu seiner Weisheit kam. Sie war ihm von Gott verliehen und erwies sich immer wieder als äußerst treffend und hilfreich. So etwas wirkt auf Suchende anziehend.

Sicher sind auch heute viele Menschen nicht mit billigen, oft widersprüchlichen Antworten auf die Fragen ihrer Zeit zufrieden. Und auch mit jeder Antwort, die die Wissenschaft auf Rätsel der Welt findet, tun sich sofort wieder neue Fragen auf. Vieles bleibt trotz Fortschritt der Erkenntnis dunkel und ungewiss. Besonders was uns selbst – unsere Herkunft, unsere Zukunft –, und was Gott, Himmel und Hölle angeht. Solche Fragen können quälend sein; und wer einmal am Suchen ist, der wird nicht ruhig darüber.

Wie man bei dieser reichen Königin sieht, kann nichts den „inneren Hunger" befriedigen, weder Besitz noch Genuss, noch Bequemlichkeit. Deshalb machte sie ja die anstrengende Reise nach Jerusalem. Wir können uns gut vorstellen, dass sich diese hochstehende Frau nicht mit Plattheiten abspeisen ließ. Und das Ergebnis ihrer Gespräche? Sie war von den Antworten Salomos vollkommen zufriedengestellt, ja sie war überwältigt von dem, was sie hörte.

Jesus Christus nahm Jahrhunderte später Bezug auf diese Begebenheit und verglich sich selbst mit Salomo: „Siehe, mehr als Salomo ist hier!" (Lukas 11,31). Wirklich, wer Ihn als seinen Erretter kennengelernt hat, muss das bestätigen! Salomo ist schon lange tot; Christus aber lebt. Daher möchten wir jedem Suchenden empfehlen: Gehen Sie zu Ihm mit Ihren Fragen!

Wenn ihr betet, so sprecht: Vater, geheiligt werde dein Name; dein Reich komme; unser nötiges Brot gib uns täglich; und vergib uns unsere Sünden, denn auch wir selbst vergeben jedem, der uns schuldig ist; und führe uns nicht in Versuchung.

Lukas 11,2-4

Die Jünger Jesu waren häufig Augenzeugen, wenn der Sohn Gottes zum Vater betete. Und nun wandten sie sich mit der Bitte an Ihn: „Herr, lehre uns beten." Bisher hatten sie sich mit ihren Anliegen immer direkt an Jesus gewandt. Ihre neue Beziehung zu Gott, dem Vater, verstanden sie noch kaum. Doch der Herr zeigte ihnen, wie sie in ihrer Situation in der rechten Weise zum Vater beten konnten.

Das Hauptanliegen des Herrn Jesus in seinen eigenen Gebeten lautete: „Vater, verherrliche deinen Namen!" (Johannes 12,28). Diesem Anliegen entsprechen die ersten Bitten hier: Gottes Name, seine Ehre, seine Herrschaft und sein Wille gehören an die erste Stelle.

Dann kommt das, was der Mensch nötig hat. Er soll es dem Vater freimütig sagen. Christen bitten Gott um seine tägliche Fürsorge. Natürlich arbeiten sie selbst für ihren Lebensunterhalt; dennoch wissen sie sich abhängig von Gott, von seiner Leitung und seinem Segen.

Ein Christ lebt von der Gnade. Die Sünden, die ihm noch unterlaufen, bekennt er Gott und nimmt seine Vergebung in Anspruch. Und weil er selbst die Gnade Gottes immer wieder erfährt, hat er selbst auch eine vergebende Gesinnung anderen gegenüber (Epheser 4,32).

Der Gläubige weiß aus Erfahrung, dass er noch anfällig ist für die Versuchungen in dieser Welt. Das könnte seine Gemeinschaft mit Gott und die Freude des Glaubens beeinträchtigen. Deshalb bittet er Gott vertrauensvoll um Bewahrung vor der Versuchung und vor dem Bösen (vgl. Matthäus 6,9-13).

Richter 17,1-13
Psalm 74,1-12

 SA 07.14   SU 19.12

 MA 09.30   MU 20.03

Glückselig der, dessen Übertretung vergeben, dessen Sünde zugedeckt ist! Glückselig der Mensch, dem der HERR die Ungerechtigkeit nicht zurechnet!

Ich tat dir meine Sünde kund und habe meine Ungerechtigkeit nicht zugedeckt ...; und du hast die Ungerechtigkeit meiner Sünde vergeben.

Psalm 32,1.2.5

Vergeben!

Auf dem uralten Grabstein auf dem kleinen Dorffriedhof in Frankreich ist kein Name eingraviert. Er trägt nur das eine Wort: *Vergeben!*

Wer liegt wohl darunter? Das weiß keiner mehr. Sein Alter, seine Herkunft, sein Beruf sind unbekannt. Aber das eine steht fest: *Vergeben!* Gott hat ihm vergeben. – Die Menschen haben ihn längst vergessen, aber Gott kennt ihn.

Vergeben! – Das heißt zunächst: Er war schuldig. Er hatte sein Leben ohne Gott geführt, hatte nicht nach seinem Willen gefragt und hatte deshalb die ewige Strafe verdient.

Vergeben! – Das bedeutet dann weiter: Dieser Mensch hatte eingesehen, dass er ein Sünder war. Er war zu Gott gekommen und hatte Ihm seine Schuld bekannt. Und Gott hatte alle seine Sünden um Christi willen vergeben und ihn vom ewigen Verderben errettet.

Vergeben! – Das heißt schließlich für diesen unbekannten Menschen: Sein Körper liegt in der Erde, aber seine Seele ist bei Jesus Christus im Paradies. Bald wird Christus kommen, um alle, die im Glauben an Ihn gestorben sind, aus dem Tod aufzuerwecken und in seine himmlische Herrlichkeit aufzunehmen. Daran wird auch dieser Erlöste teilhaben.

Das sind glückliche Leute, die dieses eine Wort auf ihren Grabstein setzen können:

Vergeben!

Sonntag 28 September

Gott wird jedem vergelten nach seinen Werken: denen, die mit Ausharren in gutem Werk Herrlichkeit und Ehre und Unvergänglichkeit suchen, ewiges Leben.

Römer 2,6.7

Gedanken zum Römerbrief

Wenn jemand dem Ruf Gottes Folge geleistet hat, sich durch „die Güte Gottes zur Buße leiten" ließ und an Jesus Christus und sein Erlösungswerk glaubt, dann hat für ihn ein völlig neues Leben begonnen (Kap. 1,7; 2,4; 1,16.17). Vorher stand er im Widerspruch zu Gott, und sein Augenmerk war auf irdische Ziele gerichtet, jetzt aber strebt er nach „Herrlichkeit und Ehre und Unvergänglichkeit", also nach der Zustimmung Gottes und nach ewigen Zielen.

Der gläubige Christ trachtet „mit Ausharren in gutem Werk" danach. Er macht nicht nur einen Anfang, sondern beweist Ausdauer. So wird sein Glaube auch für seine Mitmenschen „an seinen Früchten" sichtbar (Matthäus 7,16-21; Jakobus 2,18). Zwar fallen auch „Gerechte" noch in Sünde, aber ihr Leben ist nicht mehr dadurch *gekennzeichnet* (Sprüche 24,16; 1. Johannes 2,1.2; 3,7-10).

Auch der Apostel Petrus kennt die Erwartung von „Herrlichkeit und Ehre" sowie von „Unvergänglichkeit" oder „Unverweslichkeit". Und auch für ihn ist das nicht die Belohnung für menschliche Werkgerechtigkeit, sondern Gottes Antwort auf den *Glauben,* auf echten Glauben, der sich in Erprobungen bewährt (1. Petrus 1,4-7).

Zur Vergeltung wird Gott „ewiges Leben" geben. Einige Stellen in Gottes Wort, besonders in den Schriften des Apostels Johannes, sehen das ewige Leben mehr als eine Gabe Gottes, die dem Gläubigen *jetzt schon* geschenkt ist: „Wer an den Sohn glaubt, *hat* ewiges Leben" (Johannes 3,36). Hier und an anderen Stellen aber wird das ewige Leben als ein Bereich gesehen, in den der Christ am Ende seines Glaubensweges in vollem Umfang eintritt.

Wie kann ein sündiger Mensch solche Zeichen tun?

Johannes 9,16

Jesus Christus hatte einem Mann, der von Geburt an blind war, das Augenlicht geschenkt. Da kam unter den Zeugen des Wunders diese Frage auf. Statt bereitwilliger Anerkennung, dass Gott seinen Sohn zum Segen in die Welt gesandt hatte, gab es Zweifel und Widerstand. Viele Leute damals hatten Jesus gesehen und gehört, sie waren Zeugen seiner mächtigen Zeichen geworden – und nun mussten sie sich entscheiden, für oder gegen Ihn.

Genau das ist auch unsere Situation. Man kommt an Christus nicht vorbei, obwohl sein Tod und seine Auferstehung schon fast 2000 Jahre zurückliegen. Gottes Sohn lebt und ist eine Realität für die ganze Welt, auch wenn viele das nicht zur Kenntnis nehmen wollen. Aber die für viele unbequeme Frage gilt noch heute: Was hältst du von Jesus Christus?

Die Zeitgenossen Jesu waren einfach gezwungen, sich mit Ihm und seinen unerhörten Taten auseinanderzusetzen. Einige waren schnell fertig damit: „Dieser Mensch ist nicht von Gott, denn er hält den Sabbat nicht", war ihre Meinung. Aber so einfach war das nicht. Jesus Christus hatte ihnen nämlich erklärt, dass Er auch „Herr des Sabbats" ist (Johannes 9,16; Matthäus 12,8). Völlig logisch – Er ist ja Gott, der Sohn! Andere waren etwas nachdenklicher: „Wie kann ein sündiger Mensch solche Zeichen tun?" Aber *wer* war Er dann? Augenscheinlich blieben sie da stecken und kamen nicht zur rechten, heilbringenden Erkenntnis über Ihn.

Doch der ehemals Blinde erlebte eine gute Entwicklung. Zunächst hielt er Jesus für einen Propheten, einen von Gott Gesandten, am Ende aber huldigte er dem Sohn Gottes als seinem persönlichen Heiland.

Dieser Mann machte den einzig richtigen Gebrauch von den Zeichen, die Jesus tat.

Richter 20,1-48
Psalm 76,1-13

 SA 07.19   SU 19.05

 MA 12.45   MU 21.54

Jeder, der sich vor den Menschen zu mir bekennen wird, zu dem werde auch ich mich bekennen vor meinem Vater, der in den Himmeln ist.

Matthäus 10,32

Ein mutiges Zeugnis

Hans Joachim von Zieten gehörte zu den berühmtesten Generälen im Siebenjährigen Krieg. Friedrich der Große schätzte ihn sehr und lud ihn gern zu seiner Tafel ein. Einmal aber schlug Zieten die Einladung aus, weil er an dem Tag zum Abendmahl gehen wollte. Der preußische Hofprediger Eylert berichtet, was sich ereignete, als Zieten das nächste Mal an der königlichen Tafel erschien.

Während des Essens machte der König zu Zieten eine spöttische Bemerkung über das Mahl des Herrn. Die übrigen Gäste lachten. Zieten aber erhob sich und antwortete dem König mit fester Stimme: „Ihre Majestät wissen, dass ich im Krieg keine Gefahr gefürchtet und mein Leben für Sie und das Vaterland gewagt habe. Und wenn Sie befehlen, lege ich mein graues Haupt gehorsam zu Ihren Füßen. Aber es gibt Einen über uns, der ist mehr als Sie und ich, mehr als alle Menschen. Das ist der Heiland und Erlöser der Welt. Diesen Heiligen lasse ich nicht antasten und verhöhnen, denn auf Ihm beruht mein Glaube, mein Trost und meine Hoffnung im Leben und im Tod." *(Gekürzte Wiedergabe)*

Der König reichte seinem General sichtbar ergriffen die Hand und sagte: „Glücklicher Zieten! Möchte auch ich es glauben können! Ich habe allen Respekt vor Seinem Glauben. Halte Er ihn fest; es soll nicht wieder geschehen."

Die übrigen Gäste waren längst verstummt. Eine Unterhaltung wollte nicht mehr in Gang kommen. Da erhob sich der König und bat Zieten, ihm in sein Kabinett zu folgen. – Niemand hat je erfahren, was die beiden Männer dort noch besprochen haben.

Die von mir weichen, werden in die Erde geschrieben werden; denn sie haben die Quelle lebendigen Wassers, den HERRN, verlassen.
O Land, Land, Land, höre das Wort des HERRN!

Jeremia 17,13; 22,29

Wie eindringlich bittet Gott sein Volk durch den Propheten Jeremia: „O Land, Land, Land, höre das Wort des HERRN!"

Gott sei Dank! Es gibt noch Menschen, die bereit sind, auf Gott und sein Wort zu hören, obwohl sich Gleichgültigkeit und Gottlosigkeit immer mehr ausbreiten. Was im Römerbrief festgestellt wird, trifft ganz genau auf die heutige Menschheit zu: „Es ist keine Furcht Gottes vor ihren Augen" (Kap. 3,18).

Viele wenden Gott den Rücken zu, weil sie meinen, Ihn nicht mehr zu brauchen. Aber wie ernst sind die Folgen: „Sie werden in die Erde geschrieben werden." Eine in die Erde geschriebene Schrift ist meist schon nach kurzer Zeit verwischt. So werden auch sie bald in Vergessenheit geraten sein – nicht nur bei den Menschen, sondern vor allem bei Gott. Denn Gott wendet dann auch ihnen gleichsam den Rücken zu, weil sie ihr Herz verstockt haben.

Ein deutscher Verleger sagte einmal bei der Verleihung der Ehrendoktorwürde durch eine Universität in Amerika: „Erlauben Sie mir, ein persönliches Glaubensbekenntnis hinzuzufügen: Ich bin davon überzeugt, dass die schwerste Krankheit unserer Zeit der Abfall des Menschen von Gott ist. Wir haben Ersatzgötter auf dieser Erde geschaffen – und damit begann unser Sturz."

Noch kann der Mensch vor dem Sturz in die ewige Nacht und Finsternis bewahrt werden. Aber dazu muss jeder zu Jesus Christus umkehren und Ihm seine ganze Lebensschuld bekennen. Nur Er kann sie uns abnehmen; dafür ist Er am Kreuz gestorben.

Donnerstag 2 Oktober

Die Furcht des Herrn ist der Anfang der Erkenntnis; die Narren verachten Weisheit und Unterweisung.

Sprüche 1,7

Ein ungläubiger Arzt spottete oft über die Bibel, vor allem über die Lehre von der Auferstehung, diese fundamentale christliche Glaubenswahrheit. Eines Tages blätterte er wieder einmal in der Bibel, um neue „Munition" für seine Angriffe zu finden.

Dabei stieß er auf die Worte: „Es wird aber jemand sagen: Wie werden die Toten auferweckt, und mit was für einem Leib kommen sie?" Er dachte schon, hier etwas gefunden zu haben, was seinem Spott neue Nahrung geben und worüber er sich mit seinen Freunden lustig machen könne. Doch in diesem Moment fiel sein Blick auf den folgenden Vers: „Du Tor! Was du säst, wird nicht lebendig, wenn es nicht stirbt" (1. Korinther 15,35.36).

Das Wort „Tor" traf sein Gewissen wie ein Pfeil aus Gottes Köcher. Er konnte seine Augen nicht länger vor den Tatsachen verschließen, die in der Bibel so gut und glaubwürdig bezeugt sind. Durch das Wirken des Geistes Gottes wurde dieser Arzt „von neuem geboren". Wie einst aus Saulus von Tarsus der Apostel Paulus wurde, so wurde auch aus diesem ungläubigen Spötter ein Prediger der Gnade Gottes. Dass er einst ein „Tor" gewesen war und wie Gott ihm die Augen für Jesus Christus, den Erlöser und auferstandenen Herrn, geöffnet hatte, das vergaß dieser Mann nie mehr.

Niemand braucht bei törichten, spöttischen oder zweifelnden Fragen stehen zu bleiben. Wer bereit ist, sein Herz für die Wahrheit zu öffnen, den wird Gott nicht in Zweifel und Unklarheit lassen, sondern zur „Erkenntnis des Heils" und zur Gewissheit führen (Lukas 1,77).

Ruth 2,1-23
Psalm 78,1-16

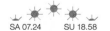 SA 07.24   SU 18.58

 MA 15.26   MU 00.53

Simon antwortete und sprach: Meister, wir haben uns die ganze Nacht hindurch bemüht und nichts gefangen, aber auf dein Wort hin will ich die Netze hinablassen. Und als sie dies getan hatten, umschlossen sie eine große Menge Fische ... Als aber Simon Petrus es sah, fiel er zu den Knien Jesu nieder und sprach: Geh von mir hinaus, denn ich bin ein sündiger Mensch, Herr.

Lukas 5,5.6.8

Wie kann es zu einer Lebensverbindung kommen zwischen Christus und dir? – Nicht durch bloße Bewunderung, auch nicht durch intellektuelles Überzeugtsein. Sie kann nur durch ein tief greifendes Werk Gottes in unserem *Gewissen* entstehen.

Die ungläubige Welt hat ihre eigene Weisheit und ihre Überlegungen. Aber damit macht das Evangelium kurzen Prozess. Es zeigt mir, dass ich einen Erlöser *nötig habe.* Dann zeigt es mir, dass ich einen Erlöser *habe.* Und wenn jemand nicht mit vollem Recht sagen kann: Ich *habe* Ihn – dann ist die Frage: *Willst* du Ihn haben? Wenn ja, dann heißt Er dich *willkommen.*

Als Petrus die Menge Fische sah, erkannte er in Jesus die Herrlichkeit Gottes. Wer außer Gott konnte den Reichtum des Sees in das Netz von Petrus bringen? – Diese Herrlichkeit rührte sein Gewissen an und machte ihm bewusst, dass er ein Sünder war. Darum sagt er: „Geh von mir hinaus!" Aber was antwortet der Herr? Er sagt: „Fürchte dich nicht!"

Hast du je eine solche Begegnung mit Christus gehabt? Hast du anerkannt, dass du ein Sünder bist? Du kannst der Bibel deine Bewunderung, deine Gelehrsamkeit und deine Gefühle zuwenden. Aber das genügt nicht. Sein Wort muss dein *Gewissen* treffen. Und dann sagt Er: „Wenn du erkannt hast, dass du mich brauchst, und mich haben willst, dann sollst du mich haben. Fürchte dich nicht!"

*Die Himmel erzählen die Herrlichkeit Gottes, und die Ausdeh-
nung verkündet seiner Hände Werk. Ein Tag berichtet es dem
anderen, und eine Nacht meldet der anderen die Kunde. Keine
Rede und keine Worte, doch gehört wird ihre Stimme.*

Psalm 19,2-4

Der Besitzer eines prächtigen Hauses empfing einen entfernten Verwandten, der ihn zum ersten Mal besuchte. Aber der fluchte und
lästerte unablässig. Auf die Frage des Gastgebers, ob er sich nicht
fürchte, Gott durch solche Reden zu beleidigen, antwortete der Besucher mit Nein, denn er hätte Gott noch nie gesehen.

Am nächsten Morgen betrachteten die beiden Männer einige Bilder. „Die hat mein Sohn gemalt", sagte der Besitzer. Der Besucher
war begeistert. Aber das war erst der Anfang. Im Lauf des Tages
hatten die beiden Gelegenheit, noch andere Arbeiten zu bewundern, die der Sohn ausgeführt hatte, und zwar an ganz unterschiedlichen Stellen – im Ziergarten, im Innern des Hauses und sogar in
der Stadt.

Der Besucher fragte jedes Mal: „Wer hat das gemacht?" Und immer erhielt er die Antwort: „Das war mein Sohn." Schließlich rief er
aus: „Was für ein Glücksfall, einen solchen Sohn zu haben!" – „Wie
kannst du das sagen?", fragte der Gastgeber. „Du hast ihn doch
noch nie gesehen!" – „Aber ich sehe, was er geschaffen hat." – „Nun,
dann geh ans Fenster und sieh, was Gott geschaffen hat. Auch Ihn
hast du nie gesehen, aber du kannst seine Werke bewundern!"

Wir haben Gott nicht gesehen, aber wir alle können jeden Tag seine Schöpfung betrachten und darin seine Existenz und seine Größe
erkennen. Und jeder von uns ist aufgerufen zu glauben, dass der
allmächtige Schöpfer-Gott auch ein großer Heiland-Gott ist, der seinen Sohn Jesus Christus gegeben hat, um uns zu sich zu führen.

Ruth 4,1-22
Psalm 78,34-53

 SA 07.27   SU 18.53

 MA 16.44   MU 02.06

... der jedem vergelten wird nach seinen Werken: ... denen aber, die streitsüchtig und der Wahrheit ungehorsam sind, der Ungerechtigkeit aber gehorsam, Zorn und Grimm.

Römer 2,6.8

Gedanken zum Römerbrief

Neben den Menschen, die die Offenbarung Gottes in „Glaubensgehorsam" annehmen und dann „mit Ausharren in gutem Werk Herrlichkeit und Ehre und Unvergänglichkeit suchen" (V. 7), gibt es solche, die sich gegen Gott auflehnen.

Diese Menschen sind „streitsüchtig und der Wahrheit ungehorsam". Sie erkennen den Herrschaftsanspruch Gottes über ihr Leben nicht an; sie wollen sich „der Wahrheit" – der Offenbarung Gottes und seiner Gedanken – nicht unterwerfen. Sie wählen sich nach ihrem Gutdünken Maßstäbe und Ziele für ihr Leben. Sie setzen also ganz unbekümmert ihre eigene Meinung gegen den offenbarten Willen Gottes. So sind diese Menschen „der Wahrheit ungehorsam, der Ungerechtigkeit aber gehorsam". Das ist ihre gewohnheitsmäßige Haltung, davon ist ihr ganzes Leben geprägt.

Wahrheit und Ungerechtigkeit stehen einander gegenüber (Römer 1,18; 2. Thessalonicher 2,12). „Ungerechtigkeit" umfasst nicht nur grobe Unsittlichkeit (wie sie in Kapitel 1 erwähnt wird), sondern alles das, was zu den gerechten Ansprüchen Gottes und zu der von Ihm offenbarten Wahrheit im Widerspruch steht. – Aber Gott kann Ungerechtigkeit nicht hinnehmen.

Daher wird mit dem Evangelium schon jetzt vom Himmel her offenbart, dass „Gottes Zorn über alle Gottlosigkeit und Ungerechtigkeit der Menschen" kommen muss. Wer die Autorität Gottes und auch sein Rettungsangebot im Evangelium ablehnt, „häuft" sich durch sein Tun „selbst Zorn auf". Und am „Tag des Zorns" wird er unausweichlich „Zorn und Grimm" als gerechte Vergeltung empfangen (Römer 1,18; 2,5).

Montag 6 Oktober

Aber sie, indem sie sich an sich selbst messen und sich mit sich selbst vergleichen, sind unverständig.

2. Korinther 10,12

Es ist nicht immer ganz einfach, die Abmessungen eines Gegenstandes zu ermitteln. Besonders, wenn man es ganz genau wissen will. Versuchen Sie mal diesen Test: Bitten Sie zwei Personen, die einander nicht kennen, die Maße eines Tisches zu bestimmen – ohne Zollstock. Das ergibt wahrscheinlich zwei ganz verschiedene Ergebnisse und das, obwohl diese Leute sicherlich wissen, was ein Zentimeter ist und wie groß ein Tisch etwa ist.

Lustig wird es aber erst, wenn man Kinder fragt, die noch keine Vorstellung davon haben, wie lang ein Zentimeter ist. Da könnte es sein, dass die Schätzungen keinen Bezug mehr haben zur Wirklichkeit.

Allerdings handeln viele Erwachsene genauso, wenn es um Fragen des Glaubens geht. Heute basteln sich viele ihre ganz persönliche Patchwork-Religion zusammen und halten diese für die Realität – und das ohne nachvollziehbare Begründung und ohne ein tragfähiges Fundament für ihren Glauben.

Wissen Sie, wann man in Glaubensfragen den meisten Ärger bekommt? Wenn man *den Maßstab* mitbringt und anfängt zu messen! Den Maßstab? Ja! Die Heilige Schrift: *den* Maßstab Gottes für unser Leben, vor allem in Ewigkeitsfragen. – Denn sich in Glaubensangelegenheiten zu irren ist verhängnisvoll, da geht es ja um unser ewiges Geschick. Und doch sagen viele: „Komm mir bloß nicht mit der Bibel!"

Der Maßstab, Gottes Wort, gibt klare Orientierung. Zum Beispiel in diesem Ausspruch Jesu: „Ich bin der Weg und die Wahrheit und das Leben. Niemand kommt zum Vater als nur durch mich." Nicht irgendeine Religion und kein selbst gemachter Glaube, sondern Jesus Christus, der Sohn Gottes, ist der Weg zu Gott (Johannes 14,6).

Jesus sprach: Ich bin das Licht der Welt.

Johannes 8,12

Wer die berühmte St.-Pauls-Kathedrale in London besichtigt, steuert auch an einem Bild des Malers William Holman Hunt (1827–1910) vorbei, das die Überschrift trägt: „The Light of the World" (das Licht der Welt).

Auf diesem Bild herrscht Dunkelheit vor. Eine hoheitsvolle und doch sanftmütige Gestalt stellt den Sohn Gottes dar. Er trägt eine Krone aus Dornen und hält in der linken Hand ein helles Licht, das das Dunkel durchdringt.

Mit seiner Rechten klopft Er angespannt lauschend an eine Tür. Wildes Gestrüpp rankt daran empor, und rostige Nägel und gefährliche Splitter stecken darin. Ein Türgriff ist nicht zu sehen.

Unter dem Bild ist eine Bibelstelle angegeben, die dem Betrachter helfen soll: „Siehe, ich stehe an der Tür und klopfe an; wenn jemand meine Stimme hört und die Tür öffnet, zu dem werde ich hineingehen …" (Offenbarung 3,20).

Ob mit der Tür in diesem Bibelwort und mit der Tür auf dem Bild das menschliche Herz gemeint ist? – Ganz sicher. Und der Maler des Bildes hat versucht, das menschliche Herz so darzustellen, wie es von Natur aus beschaffen ist: dunkel und abweisend und in die Ranken der Sünde verstrickt.

Wie hoffnungslos wäre unsere Lage, wenn sich nicht der Herr Jesus Christus aufgemacht hätte. Er klopft bei jedem Menschen an und wartet darauf, dass Ihm die Herzenstür geöffnet wird. – Jetzt verstehen wir auch, warum der äußere Türgriff fehlt. Die Herzenstür kann nur von innen geöffnet werden. Der Sohn Gottes begehrt nicht mit Gewalt Einlass. Aber Er klopft und klopft, einmal leise, einmal laut.

Öffnen wir Ihm, damit Er uns Licht und Leben, Vergebung und Freude bringen kann!

---

1. Chronika 3,1-24
Psalm 79,1-7

 SA 07.32 SU 18.47

 MA 18.16 MU 06.03

Der Sohn des Menschen ist gekommen, zu suchen und zu erretten, was verloren ist.

Lukas 19,10

Welchen Grund hatte Jesus Christus, der Sohn Gottes, auf die Erde zu kommen und Menschen nachzugehen, die vor Gott und seinen gerechten Ansprüchen auf der Flucht waren?

Er liebte Gott, seinen Vater; und Er liebte die Menschen, seine Geschöpfe. Deshalb schmerzte es Ihn, dass die Sünde wie eine unüberwindliche Mauer zwischen die Menschen und Gott getreten war. Und Er kam, um verlorene Menschen zurückzuführen zu Gott.

Weil Er Gottes Sohn ist, ist Ihm Sünde völlig wesensfremd. Nur durch Ihn, den Heiligen und Reinen, konnte daher die Mauer niedergerissen werden. Gottes Ehre und seine Rechte über die Schöpfung waren durch den Ungehorsam des ersten Menschenpaares, infrage gestellt worden. Und alle ihre Nachkommen folgten ihnen auf dem Weg der Sünde. Das konnte Gott nicht einfach übersehen oder wegwischen. Deshalb hatte Er schon im Garten Eden einen Retter angekündigt, der um den Preis seines Lebens der Ehre Gottes Geltung verschaffen würde.

Der Herr Jesus Christus hat diesen Auftrag erfüllt. Er kam als Mensch auf die Erde und suchte Verlorene, die einsahen, dass sie einen Retter nötig hatten. So fand Er manchen, der die Verfehlungen seines Lebens offen eingestand und Gott die Ehre gab.

Nach seinem Kreuzestod und seiner Auferstehung ist Er zurückgekehrt in den Himmel. Aber noch immer ist Er der Suchende. Durch sein Wort ergeht der Ruf: „Lasst euch versöhnen mit Gott! Den, der Sünde nicht kannte, hat er für uns zur Sünde gemacht, damit wir Gottes Gerechtigkeit würden in ihm" (2. Korinther 5,20.21).

Wer sich von Ihm finden lässt und seine Schuld einsieht, gibt damit Gott die Ehre, die Ihm zukommt, und empfängt das ewige Heil.

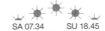

Donnerstag 9 Oktober

Glückselig die Toten, die im Herrn sterben!

Offenbarung 14,13

Heute Nachmittag haben wir ihn begraben: Jakob, mit seinen riesigen Füßen, seinem schweren Körper, seinen Tätowierungen an Brust und Armen, mit seinem groben, großen Mund, aber auch mit seinem kleinen Herzen.

Vor Jahren lernten wir ihn kennen, als die Tür aufging und er mitten in unsere Bibelstunde hereinkam. In der folgenden Woche besuchte ich ihn in seiner Einzimmerwohnung. Sein Mobiliar bestand aus einem Bett, einem Tisch und einem Stuhl. Jakob setzte sich auf den Bettrand und bot mir den einzigen Stuhl an. Dann erzählte er mir von seinem Leben als Seemann, von seinen Abenteuern in fremden Häfen, von Schlägereien da und dort in den Nachtlokalen. Und er erzählte von seiner Familie, die sich seiner schämte.

Ab und zu kam er in unseren Gemeindesaal, dann wieder blieb er monatelang weg. Eines Tages erhielten wir einen Anruf aus dem Krankenhaus. Jakob war nach einem Herzanfall eingeliefert worden. – Als ich seine große Hand in die meine nahm, kamen ihm die Tränen. Er sagte: „Das könnte wohl der letzte Landungsplatz sein." Später, in einem ruhigen Gespräch, fragte ich ihn: „Jakob, wenn dies nun wirklich der letzte Landungsplatz für dein Lebensschiff ist, gehst du dann in den sicheren Hafen?" Er schüttelte den Kopf. „Mein Leben ist nicht so gewesen, dass ich dort einfahren könnte." Ich versuchte ihm klarzumachen, dass nicht *unser Leben,* sondern nur *der Tod Jesu Christi* uns die Einfahrt in den Himmel garantieren kann. Er ist ja für alle gestorben, die Ihm ihre Lebensschuld bekennen und an seinen Sühnungstod glauben.

Kurz vor seinem Tod stand ich noch einmal an seinem Bett. Mit Tränen in den Augen sagte Jakob: „Es ist alles in Ordnung. Der Herr Jesus ist in mein Leben gekommen." Einige Tage später ging er in Frieden heim zu seinem Erlöser.

---

1. Chronika 5,1-26
Psalm 80,1-8

 SA 07.35   SU 18.42

 MA 19.18   MU 08.41

Und der Teufel, der die Nationen verführte, wurde in den Feuer- und Schwefelsee geworfen, wo sowohl das Tier ist als auch der falsche Prophet; und sie werden Tag und Nacht gepeinigt werden von Ewigkeit zu Ewigkeit.

Offenbarung 20,10

Die landläufige Vorstellung, die viele Menschen von der Hölle haben, ist die, dass dort der Teufel die zur ewigen Verdammnis Verurteilten peinigt. Sie meinen, die Hölle sei von Gott für böse und ungläubige Menschen bereitet und der Teufel diene sozusagen als Strafknecht Gottes. Aber das ist ein Irrtum.

Die Hölle, die in unserem heutigen Bibelwort „Feuer- und Schwefelsee" genannt wird, ist nach den Worten des Herrn Jesus Christus „das ewige Feuer, das dem Teufel und seinen Engeln bereitet ist". – Der Teufel selbst und seine dämonischen Mächte empfangen dort ihr Gericht (Matthäus 25,41). Dazu hat Gott diesen „Ort der Qual" bereitet. Keineswegs aber hat Er Menschen vorherbestimmt, dass sie dort ihr ewiges Los haben sollten. Er ist ein Gott der Liebe, der „nicht will, dass irgendwelche verloren gehen". Als „Heiland-Gott" will Er, „dass alle Menschen errettet werden und zur Erkenntnis der Wahrheit kommen". Durch das Opfer seines eigenen Sohnes hat Er den Weg dafür bereitet, dass alle, die an Ihn glauben, nicht gerichtet werden (2. Petrus 3,9; 1. Timotheus 2,3.4; Johannes 3,18).

Wenn allerdings Menschen der Stimme des Verführers folgen, werden sie auch das gleiche Gericht mit ihm teilen. Deshalb heißt es: „Und wenn jemand nicht geschrieben gefunden wurde in dem Buch des Lebens, so wurde er in den Feuersee geworfen." In der Ewigkeit teilt jeder sein Los mit dem, dem er hier auf der Erde angehört hat: entweder mit dem Teufel das Gericht Gottes oder mit dem Herrn Jesus die Herrlichkeit des Vaterhauses! (Offenbarung 20,15; Johannes 14,2.3; 17,24).

---

1. Chronika 5,27–6,32
Psalm 80,9-20

 SA 07.37 SU 18.40

 MA 19.53 MU 09.55

Ich bin der gute Hirte; der gute Hirte lässt sein Leben für die Schafe.

Johannes 10,11

So spricht der Herr, HERR: Siehe, ich bin da, und ich will nach meinen Schafen fragen und mich ihrer annehmen.

Hesekiel 34,11

Eine Straße wurde erneuert. Deshalb musste ein Schafhirte seine Herde eine Zeit lang auf einem anderen Weg zur Weide führen. Als die Arbeiten beendet waren, konnten die Tiere wieder die gewohnte Route einschlagen. Doch an der Stelle, wo der erneuerte Teil begann, blieb die Herde verwirrt stehen. Einige Passanten versuchten, dem Hirten zu helfen. Aber es gelang ihnen nicht, die Tiere zum Weitergehen zu bewegen. Erst als der Hirte voranging und die Schafe die gewohnte Stimme ihres Hirten vor sich hörten, gingen sie ohne Furcht weiter.

Auch wir Menschen stehen zuweilen recht verwirrt und hilflos vor neuen Lebenssituationen. An Stimmen, die uns dann raten wollen, fehlt es nicht. Aber sind sie wirklich zuverlässig? Nur zu oft widersprechen sie sich auch. Wem sollen wir da unser Vertrauen schenken?

Jesus hatte Mitleid mit den Leuten damals in Israel, „weil sie wie Schafe waren, die keinen Hirten haben", also ohne Schutz und ohne Leitung leben mussten (Markus 6,34). Ihnen stellte Er sich als der Gute Hirte vor. Auch heute will Er das für jeden Einzelnen sein. Er hat am Kreuz sein Leben gegeben, um seine Schafe zu retten. Er will vor ihnen hergehen und sie mit großer Fürsorge und Liebe leiten.

Jesus ist „der Weg und die Wahrheit und das Leben". Ihm – und nur Ihm – können wir unser Leben anvertrauen. Dann gilt das Wort des Guten Hirten auch für uns: „*Meine* Schafe hören meine Stimme, und *ich* kenne sie, und sie folgen mir; und *ich* gebe ihnen ewiges Leben; und sie gehen *nicht* verloren in Ewigkeit, und niemand wird sie aus meiner Hand rauben" (Johannes 14,6; 10,27.28).

---

1. Chronika 6,33-66
Psalm 81,1-8

 SA 07.39   SU 18.38

 MA 20.33   MU 11.05

Drangsal und Angst über jede Seele eines Menschen, der das Böse vollbringt, sowohl des Juden zuerst als auch des Griechen.

Römer 2,9

Gedanken zum Römerbrief

In den Versen 7 und 8 hatte Paulus gezeigt, wie Gott den beiden Gruppen von Menschen, den Gerechten und den Ungerechten, jeweils „nach ihren Werken" Vergeltung geben wird. In den Versen 9 und 10 wird dieser Gedanke weiter ausgeführt. Hier ist die Reihenfolge jedoch umgekehrt: Zunächst wird das Gericht derer erwähnt, die „das Böse vollbringen".

Vers 8 hatte die Vergeltung aus der Sicht Gottes als „Zorn und Grimm" beschrieben: „Zorn", das ist der heilige Unwille Gottes über die Sünde; und „Grimm", das ist die Ausführung des Zorns im Gericht (siehe auch Offenbarung 16,19).

Der Sünder wird „Zorn und Grimm" als „Drangsal und Angst" erfahren. Das Wort für „Drangsal" steht für äußere Bedrängnis oder Bedrückung, aber auch für innere Trübsal. „Angst" oder auch „Enge" weist auf ein ausweglose Eingeengtsein hin. Und tatsächlich wird es kein Entrinnen aus dem „Zorn und Grimm" mehr geben, wenn Gott diese gerechte Vergeltung üben wird.

„Vollbringt jemand *das Böse*", oder „wirkt" er *„das Gute"*? (V. 10). Das ist erneut die wichtige Frage. Und wieder ist die Antwort letzten Endes nur davon abhängig, ob einer sich durch „die Güte Gottes zur Buße leiten" ließ oder ob er diese Güte verachtet hat.

„Jede Seele eines Menschen" wird hier angesprochen. Der Einzelne kann sich nicht in der Menge verstecken; weder seine Volkszugehörigkeit (Jude oder Grieche) noch seine Religions- oder Kirchenzugehörigkeit (Jude oder Heide – oder getaufter Christ) können ihm da helfen. Jeder ist persönlich vor Gott verantwortlich.

„So wird nun jeder von uns für sich selbst Gott Rechenschaft geben" (Römer 14,12).

Montag 13 Oktober

Der jüngere Sohn reiste weg in ein fernes Land, und dort vergeudete er sein Vermögen, indem er ausschweifend lebte.

Lukas 15,13

Als die Christen die Kneipe betraten, Handzettel verteilten und ein Lied sangen, reagierten Horst und seine beiden Freunde sehr ablehnend. Sie zerknüllten die Traktate und warfen sie weg.

Später kam Horst eine Idee: „Hört mal, Jungs! Mir ist da was Großartiges eingefallen! Wir spielen auch mal die Frommen! Ich halte ihnen eine tolle Bekehrungspredigt, über den verlorenen Sohn zum Beispiel. Und ihr müsst singen!" – Die drei Freunde beschlossen, dazu eine Kneipe aufzusuchen, wo sie noch unbekannt waren.

Am nächsten Tag lieh Horst sich von seinen Vermietern eine Bibel. Die freuten sich sehr, dass er plötzlich Interesse daran zeigte, und meinten, er solle sie doch behalten. Bis der junge Mann darin die Stelle vom verlorenen Sohn fand, musste er lange blättern. Manches in diesem Abschnitt kam ihm bekannt vor, anderes schien ihm völlig neu. Einiges brachte ihn sogar zum Nachdenken. – Ob sich wohl jemand durch seine „Predigt" bekehren würde?

Am nächsten Abend machten die Freunde ihr Vorhaben wahr. Rauch und Bierdunst, Lachen und Fluchen beim Kartenspiel. Sie kannten die Atmosphäre. Noch in der Tür stimmten sie den Choral an: „Jesus nimmt die Sünder an". Es wurde still im Raum. Dann flogen ihnen Bierdeckel an den Kopf. Zwei Männer mit geballten Fäusten kamen auf sie zu. Da erhob sich ein kräftiger Kerl und stieß die Hitzköpfe zurück: „Lasst sie singen, das ist besser als euer Gegröle!" Keiner widersprach. Dieser Mann mit seinen kräftigen Pranken und dem hoffnungslos traurigen Blick wurde anscheinend respektiert.

Dann hielt Horst seine „Predigt". Der kräftige Mann blickte ihn unentwegt an. Die anderen spielten weiter Karten. – Nach der Ansprache verließen die Freunde das Lokal.

(Schluss morgen)

---

1. Chronika 8,1-40
Psalm 82,1-8

 SA 07.42   SU 18.34

 MA 22.07   MU 13.05

Dienstag 14 Oktober

Vater, ich habe gesündigt gegen den Himmel und vor dir, ich bin nicht mehr würdig, dein Sohn zu heißen.

Lukas 15,21

Nach der „Predigt" schüttelten sich die Freunde draußen vor Lachen und gratulierten Horst. Dann ging es nach Hause. Doch jemand folgte ihm – der große, kräftige Mann aus der Kneipe. „Kann ich Sie morgen mal sprechen?", fragte er. – „Ja", sagte Horst verdutzt. „Worum geht es?" – „Ihre Predigt hat mich sehr ergriffen. Ich möchte mich bei Ihnen aussprechen; ich habe Vertrauen zu Ihnen." Der Mann war angeheitert. Horst hoffte, dass er alles vergessen würde.

Doch er kam. Horst ließ ihn ein und forderte ihn auf: „Dann erzählen Sie mal." – Heraus kam eine traurige Geschichte: Schulden bis über die Ohren. Ständige Streitereien zu Hause. Und der Alkohol spielte eine große Rolle – bei beiden Eheleuten. Stille. Dann bat der verzweifelte Mann: „Bitte beten Sie mit mir!"

Horst erschrak. Sollte er alles eingestehen? Dann würde der Mann den letzten Funken Hoffnung verlieren. Deshalb faltete er die Hände und stammelte unbeholfen ein paar fromme Worte. Der Besucher bedankte sich herzlich. Ob er wiederkommen dürfe? Horst nickte.

Er suchte nach einem Ausweg, aber ihm blieb nichts anderes übrig, als sich mit der Bibel zu beschäftigen. Vor allem mit den Trostworten. Die sog der Mann in sich hinein wie ein Verdurstender. Nach und nach wurden auch ihm selbst diese Schriftworte zu einem kleinen Trost. Zugleich aber beunruhigte ihn seine Unwahrhaftigkeit immer stärker. Nach einigen Tagen sprach Horst mit seinen Vermietern. Ob sie ihm helfen könnten? Von da an durfte Horst mit seinem Besucher regelmäßig zu der gläubigen Familie kommen. Dort lasen sie zusammen in der Bibel. Von Horst fiel eine große Last ab. Und eines Tages kam er selbst wie der verlorene Sohn zu Christus. Beide Männer fanden Frieden mit Gott.

Wenn jemand dürstet, so komme er zu mir und trinke!

Johannes 7,37

Es ist der letzte Tag des jüdischen Laubhüttenfestes, der Höhepunkt. Da steht der Herr Jesus Christus mitten in der Volksmenge. Die Stadt ist voller Menschen, die zu diesem Freudenfest gekommen sind. Aber Jesus sieht unter ihnen auch solche, die noch nicht das gefunden haben, wonach ihr Herz verlangt. Morgen werden sie die Stadt wieder verlassen und nie mehr Gelegenheit haben, Ihn zu hören. Da kann Er in seinem Erbarmen nicht schweigen.

So stellt sich der Herr in die Menge und ruft das obige Wort denen zu, die dort in Jerusalem vergeblich versuchten, den Durst ihrer Seelen zu stillen.

Jesus wendet sich an den Einzelnen, denn Er sagt: „Wenn *jemand* ...“. Gern hätte Er allen das „lebendige Wasser“ gegeben, aber viele hatten trotz ihrer leeren Herzen kein Interesse an der Botschaft des Heils. Der Ausdruck „wenn jemand“ zeigt auch, dass jeder Mensch dieses Angebot persönlich annehmen muss. Es genügt dabei nicht, dieses „Wasser“ zu schöpfen, sondern man muss es „trinken“, muss es sich persönlich aneignen.

Auf dem letzten Blatt der Bibel wird noch einmal ein solches Angebot gemacht: „Und wen dürstet, der komme; wer will, nehme das Wasser des Lebens umsonst“ (Offenbarung 22,17). Es geht nicht um ein „billiges Sonderangebot“, sondern um nichts Geringeres als das ewige Leben, das Gott uns schenken will. Wenn Er gibt, dann brauchen wir nur anzunehmen. Und wenn wir das tun, wird unser Durst nach dem wirklichen Leben gestillt. Die einzige Voraussetzung ist, dass wir auch wollen! Und die Zeit dazu ist für jeden von uns begrenzt, weil wir nicht wissen, wann für uns der „letzte Tag“ sein wird.

---

1. Chronika 10,1-14
Psalm 83,10-19

 SA 07.45   SU 18.29

 MA 23.59   MU 14.34

Siehe, mein Knecht, den ich stütze ... Er wird nicht schreien und nicht rufen und seine Stimme nicht hören lassen auf der Straße.

Jesaja 42,1.2

Imagepflege – Pflege des eigenen Erscheinungsbildes – ist nicht erst eine Erfindung unserer Zeit. Der französische König Ludwig XIV., der Sonnenkönig (1638–1715), war darin ein Meister. Er hatte einen ganzen Mitarbeiterstab, der nur dafür sorgte, das Bild des Königs in der Öffentlichkeit in ein günstiges Licht zu rücken. Manche Geschichtsforscher meinen sogar, dass der Sonnenkönig hauptsächlich deshalb heute noch relativ gut bekannt ist. Seither haben viele andere Persönlichkeiten des öffentlichen Lebens es ihm gleichgetan. Und doch stellen bis in unsere Zeit hinein oft auch Skandale das wahre Wesen einiger großer Leute bloß.

Unser Bibelwort heute spricht von Gottes Knecht, von Jesus Christus. Er machte keine Reklame für sich selbst. Im Gegenteil, oft untersagte Er den Menschen, die Er geheilt oder befreit hatte, anderen davon weiterzusagen. Dass diese dann doch nicht schwiegen, ist eine andere Sache. Nein, Gottes Sohn hat sich nie „in Szene gesetzt". Nie hat Er um Sympathie für sich selbst geworben. Und seine Chronisten, die Verfasser der biblischen Evangelien, haben auch die Vorwürfe seiner Zeitgenossen gegen Ihn nicht verschwiegen, so dass sich jeder Bibelleser damit auseinandersetzen kann. Und als Jesus dann als Volksverführer angeklagt und zum Tod verurteilt wurde, hat Er geschwiegen (1. Petrus 2,22.23).

Wer die spannenden Evangelienberichte einmal selbst liest, findet darin nicht nur zuverlässige Beschreibungen des Lebens Jesu, sondern auch die verschiedensten Stellungnahmen der Menschen dazu. Und er wird auch finden, dass Christus sein Leben freiwillig in den Tod gegeben hat, um Sünder zu erretten.

> *Aber wenn auch wir oder ein Engel aus dem Himmel euch etwas als Evangelium verkündigte außer dem, was wir euch als Evangelium verkündigt haben: Er sei verflucht!*
>
> *Galater 1,8.9*

Sind das nicht ungewöhnlich scharfe Worte? Ja, sie klingen fast beschwörend, gerade weil Paulus sich selbst und sogar die Engel einbezieht. Was er damit sagen will, gilt auch für unsere Zeit: Es gibt nur *ein* Evangelium, nur *eine* Frohe Botschaft, die dem Menschen das Heil garantiert: die Errettung vor dem kommenden Gerichtstag Gottes.

Dieses Evangelium haben Paulus und die anderen Apostel Jesu verkündigt. Jede andere Heilslehre wäre ein „anderes Evangelium" und damit Betrug. Das Urteil Gottes über solche vorgeblichen „Heilsbringer" ist klar.

Dieses Evangelium ist mit der Bibel bis zu uns gekommen. Auch wenn viele sich nicht mehr so recht für die Heilige Schrift interessieren: Als die von Gott gegebene Informationsquelle über den Weg zum Heil ist sie nach wie vor für jeden unverzichtbar, der mit Ihm in Verbindung kommen will.

Was ist denn nun das Wesentliche am Evangelium? Es ist eine Botschaft für Menschen, die „mit ihrem Latein am Ende sind", die aus ihren selbst verschuldeten Verstrickungen nicht mehr herauskommen. Gemeint sind also Menschen, die erkannt haben, dass sie vor Gott Sünder sind. Für sie zeigt das Evangelium den Ausweg. Jesus Christus ist als sündloser Mensch am Kreuz für schuldige Sünder gestorben. Aber Er ist nicht im Grab geblieben, sondern als Sieger über den Tod auferstanden und in den Himmel zurückgekehrt.

Das Evangelium von Jesus Christus, dem Sohn Gottes – das ist die gute und zuverlässige Botschaft, die Paulus und die anderen Apostel verkündigten.

Gott, mein Schöpfer, der Gesänge gibt in der Nacht.

Hiob 35,10

Bei der Menge meiner Gedanken in meinem Innern erfüllten deine Tröstungen meine Seele mit Wonne.

Psalm 94,19

Ein Lied in der Nacht des Leides

Im November des Jahres 1873 will die Familie Spafford aus Chicago eine Reise nach Europa antreten. Doch im letzten Moment muss der Anwalt Horatio Spafford davon Abstand nehmen. Nur seine Frau Anna und ihre vier Töchter gehen an Bord des Schiffes „Ville du Havre".

Mitten auf dem Atlantik wird der Dampfer von einem britischen Schiff gerammt und sinkt innerhalb weniger Minuten. Anna wird gerettet, aber ihre vier Töchter gehen in den Fluten unter. Einige Tage später, nach der Landung in Cardiff, schickt Anna ihrem Mann ein Telegramm, das mit den Worten beginnt: „Allein gerettet".

Sofort reist Horatio nach Europa ab. Während der Überfahrt dichtet er das Lied: „Wenn Friede mit Gott meine Seele durchdringt". Seitdem hat dieses Lied vielen Menschen Trost und Hoffnung in ihrem Leid gebracht. Hier drei Strophen in deutscher Fassung:

Wenn Friede mit Gott meine Seele durchdringt,
ob Stürme auch drohen von fern,
mein Herze im Glauben doch allezeit singt:
„Mir ist wohl, mir ist wohl in dem Herrn."

Wenn Satan mir nachstellt und bange mir macht,
so leuchtet dies Wort mir als Stern:
Mein Jesus hat alles für mich schon vollbracht,
ich bin rein durch das Blut meines Herrn.

Die Last meiner Sünde trug Jesus, das Lamm,
und warf sie weit weg in die Fern.
Er starb ja für mich auch am blutigen Stamm:
Meine Seele lobpreise den Herrn.

Herrlichkeit aber und Ehre und Frieden jedem, der das Gute wirkt, sowohl dem Juden zuerst als auch dem Griechen; denn es ist kein Ansehen der Person bei Gott.

Römer 2,10.11

Gedanken zum Römerbrief

Sie hatten „Herrlichkeit und Ehre und Unvergänglichkeit" gesucht (V. 7) und empfangen „Herrlichkeit und Ehre und Frieden". Das geht noch weiter. „Frieden" schließt hier das Eintreten in alle Vorrechte ein, die den Gläubigen als Ergebnis des Versöhnungswerkes des Herrn Jesus geschenkt sind: Frieden mit Gott, Frieden des Herzens und ewige, ungetrübte Freude in der Gemeinschaft mit Gott.

Der, „der das Gute wirkt", steht gegenüber dem, „der das Böse vollbringt" (V. 9). Es geht also um die Grundausrichtung, um die Kennzeichen des Lebens, nicht um die einzelnen Taten. Die Errettung durch Buße und Glauben wird dabei vorausgesetzt, denn sonst kann niemand „das Gute wirken" (vgl. noch einmal Kap. 1,16.17; 2,4 sowie Johannes 5,24-29).

Wie in Vers 9 heißt es: „… sowohl dem Juden zuerst als auch dem Griechen". Diese beiden Gruppen, die sich nicht in demselben Maß wie die „Barbaren" dem Götzendienst und der Sittenlosigkeit hingegeben hatten, werden ja hier besonders angesprochen.

Bei der „Vergeltung" für die Ewigkeit werden die Juden zuerst genannt. Ihnen waren ja durch die Schriften des Alten Testaments die gerechten Forderungen Gottes an den Menschen und auch seine Verheißungen und Gerichtswarnungen viel besser bekannt als den Heiden. Sie besaßen daher größere Vorrechte (und damit eine größere Verantwortung).

Im Gericht Gottes geben ihnen diese Vorrechte keinen Vorzug, „denn es ist kein Ansehen der Person bei Gott" (V. 11). Aber wegen ihrer größeren Verantwortung werden sie zuerst genannt.

---

1. Chronika 13,1-14
Psalm 86,9-17

 SA 07.52   SU 18.21

 MA 03.02   MU 16.29

Denn es ist kein Unterschied, denn alle haben gesündigt und erreichen nicht die Herrlichkeit Gottes ...

Römer 3,22.23

Kein Unterschied (1)

Kaum eine Aussage der Bibel ruft so allgemeines Missfallen hervor wie unser Tagesvers. Diese Feststellung gefällt nicht. Sie anzuerkennen und die dringend nötigen Konsequenzen daraus zu ziehen ist eine der schwersten Lektionen, die der Mensch zu lernen hat.

Dieses Bibelwort will natürlich nicht sagen, dass alle im selben Ausmaß gegen Gott und seine guten Gebote gesündigt hätten. Im Ausmaß gibt es tatsächlich Unterschiede. Und Gott wird das auch berücksichtigen. Aber gesündigt haben alle, und das schließt zunächst einmal alle von der Nähe Gottes und von seiner Herrlichkeit aus.

Wenn wir erfahren wollen, wer und was der Mensch wirklich ist, dann müssen wir uns so sehen, wie Gott uns sieht. Dabei hilft uns das 3. Kapitel im Römerbrief sehr. Dort wird alles Notwendige gesagt: „Da ist kein Gerechter, auch nicht einer." – „Denn es ist kein Unterschied, denn alle haben gesündigt." Kein Gerechter – alle Sünder! Das ist hart. Vielleicht sogar ärgerlich. Trotzdem ist es die Wahrheit.

Es gibt Leute, die ihre Lebensgeschichte selbst niederschreiben und veröffentlichen. Andere ziehen es vor, ihr Leben von anderen beschreiben zu lassen. – *Unsere „Biografie"* finden wir im 3. Kapitel des Römerbriefs, dort ist sie bereits abgefasst. Und wenn wir sie lesen, um die Wahrheit über uns zu erfahren, kann etwas Großartiges geschehen: dass wir über dieses Ärgernis zu großer Freude gelangen!

In der Bibel finden wir zahlreiche Illustrationen dafür, dass es – in dem genannten entscheidenden Punkt – unter den Menschen keinen Unterschied gibt. Einige dieser Beispiele wollen wir uns in dieser Woche anschauen.

---

1. Chronika 14,1-17
Psalm 87,1-7

 SA 07.54   SU 18.19

 MA 04.04   MU 16.52

Denn wie sie in jenen Tagen vor der Flut waren: Sie aßen und tranken, sie heirateten und verheirateten – bis zu dem Tag, als Noah in die Arche ging und sie es nicht erkannten – bis die Flut kam und alle wegraffte, so wird auch die Ankunft des Sohnes des Menschen sein.

Matthäus 24,38.39

Kein Unterschied (2)

Erinnern Sie sich an Noah und seine Arche? Auf den ersten Blättern der Bibel lesen wir davon. Ich kann mir gut vorstellen, wie Noah Axt und Säge beiseitelegt und den Fragenden alles erklärt: „Eine große Wasserflut wird die Erde überströmen. Alle, die nicht in die rettende Arche gehen, die ich im Auftrag Gottes baue, werden ohne Unterschied umkommen!"

Und wie haben die Leute reagiert? Sie glaubten Noah nicht: „Es geht uns gut. Die Wirtschaft blüht. Wir haben Frieden, Wohlstand und Freiheit. Sollen wir wirklich glauben, dass die Menschen alle, ohne Unterschied, zugrunde gehen werden?" – „Ja", sagt Noah. „So ist es. Die Flut, die bald kommt, wird alle erfassen: die Reichen und die Armen, die Vornehmen und die Bettler. Wer nicht in die Arche geht, wer Gottes Rettungsangebot nicht annehmen will, wird sterben."

Wahrscheinlich werden die Leute noch am Tag vor der großen Flut über das Riesenschiff mitten auf dem Trockenen gespottet haben. Wäre die Arche zum Verkauf angeboten worden, hätte niemand sie haben wollen. Aber als die Flut hereinbrach, war sie mehr wert als alles. – Doch jetzt waren die Würfel gefallen. Gott selbst hatte die Arche verschlossen. Und dann kam die Flut (1. Mose 7,1-4.16).

Nicht nur die Bibel berichtet von dieser großen Flut, viele Völker der Erde haben die Erinnerung daran bewahrt. Die Sintflut illustriert die eindringliche Botschaft Gottes, dass alle Menschen – ohne Unterschied – Sünder sind und Gottes Rettungsangebot annehmen müssen.

> *Gott hat die Städte Sodom und Gomorra eingeäschert und zur Zerstörung verurteilt und sie denen, die gottlos leben würden, als Beispiel hingestellt; und er hat den gerechten Lot gerettet, der von dem ausschweifenden Wandel der Frevler gequält wurde.*
>
> *2. Petrus 2,6.7*

Kein Unterschied (3)

Gott hatte dem Patriarchen Abraham das bevorstehende Gericht über Sodom und Gomorra mitgeteilt. Wenn Abraham diese Städte jetzt noch einmal gewarnt und zur Umkehr gerufen hätte, würde man ihm wohl geglaubt haben? – „Was? Unsere blühenden Städte sollen zerstört werden? Alle sollen umkommen? Die Reichen und Angesehenen, die Armen und Verachteten? Geh lieber nach Hause, wir glauben dir kein Wort. Wir haben alles im Griff. Schau dich nur um: Wohin du auch siehst, geschäftiges Treiben, Jubel, Trubel und Heiterkeit."

Wegen ihrer Sünden machten sich die Bewohner von Sodom keine Gedanken. Sie brüsteten sich sogar ganz offen damit. So weit ging ihre Auflehnung gegen Gott (Jesaja 3,9).

Kurze Zeit später ist Sodom ein Aschehaufen. Bei denen, die nicht glauben wollten, hat Gott keinen Unterschied gemacht. Nur Lot und seine Töchter wurden aus Sodom gerettet. Das aber nicht, weil sie in sich selbst bessere Menschen gewesen wären als die Leute von Sodom. Auch sie waren Sünder. Darin war kein Unterschied. Aber Lot hatte Gott geglaubt und sich von Ihm verändern lassen. Zudem hatte er seine Umgebung wiederholt vergeblich gewarnt.

Die Zerstörung von Sodom und Gomorra wird von Petrus ausdrücklich als warnendes Beispiel angeführt. „Der Tag des Gerichts" wird unterschiedslos für alle kommen, die gottlos leben (V. 9). Die eindringliche Mahnung lautet: Jeder soll von seinem Leben ohne Gott umkehren und sich – wie damals Lot – von Ihm retten lassen.

Donnerstag 23 Oktober

Ihr seid nicht mit vergänglichen Dingen erlöst worden ..., sondern mit dem kostbaren Blut Christi, als eines Lammes ohne Fehl und ohne Flecken.

1. Petrus 1,18.19

Kein Unterschied (4)

„Da ist kein Unterschied" – dafür finden wir ein Beispiel an dem Abend, als das Volk Israel aus der Sklaverei in Ägypten befreit wurde. Da ereignete sich zunächst gar nichts Besonderes. Aber dann, vor dem endgültigen Einbruch der Nacht, belebte sich die Szene noch einmal.

Gott hatte den Israeliten befohlen, dass an diesem Abend jede Familie ein Lamm schlachten und ein Mahl halten sollte. Außerdem sollten sie etwas von dem Blut des Lammes an die Seitenpfosten der Tür und oben an den Querbalken streichen. Gott würde sein Gericht über das Land Ägypten ausführen, weil sich der Pharao dem Befehl Gottes widersetzte und sich hartnäckig weigerte, das Volk Gottes in die Freiheit ziehen zu lassen. Die Israeliten sollten von diesem Gericht verschont werden, wenn sie sich an Gottes Gebot halten und das Blut des Lammes, wie vorgeschrieben, an den Eingang des Hauses streichen würden. – Auch die Israeliten waren ja ohne Unterschied Sünder und hätten das Gericht Gottes verdient gehabt. Auch sie waren auf Gottes Erlösung angewiesen. „Und sehe ich das Blut, so werde ich an euch vorübergehen", lautete Gottes Zusage an sie.

Wie mancher wird über das gespottet haben, was diese unterdrückten Sklaven taten. Aber ihr Spott änderte nichts daran: Das Gericht Gottes brach über sie herein. Es traf alle Familien, die nicht hinter dem Blut des Lammes in Sicherheit waren. Ob im Palast des Pharaos oder in der Hütte des ärmsten Bauern – da war kein Unterschied.

Auch heute besteht kein Unterschied. Sicherheit vor dem gerechten Gericht gibt es nur durch den Glauben an den Sühnungstod Jesu.

---

1. Chronika 16,7-22
Psalm 89,1-10

 SA 07.59 SU 18.13

 MA 07.19 MU 18.06

Alle sind abgewichen, sie sind allesamt untauglich geworden; da ist keiner, der Gutes tut, da ist auch nicht einer.

Römer 3,12

Da ist kein Unterschied (5)

Darauf, wie Gott uns sieht, kommt es an. Und wenn es um die Beziehung zu Ihm geht und um seinen Plan für unser Leben, verfehlen alle das Ziel. Wirklich alle sind gemeint, ausnahmslos alle. Nicht nur die Liederlichen: die Bankräuber und Rauschgiftdealer, die Pornografieproduzenten und all die großen und kleinen Playboys und -girls, sondern auch die Soliden, die „immer strebend sich bemühen" und nach dem Motto leben: „Tue recht und scheue niemand!"

Man braucht nicht erst in Wort, Bild und Ton zur Unmoral zu verführen, man muss nicht erst seinen Ehepartner betrügen. Gottes Wort stellt die zutreffende Diagnose: So wie wir sind, sind wir verloren!

Unzählige denken: „Wie kann man so etwas behaupten? Die Menschen sind doch verschieden. Es gibt doch Gute und Böse." – Das sagt uns die Erfahrung. Wir alle kennen ja Menschen, die immer nur nach ihrem eigenen Vorteil fragen. Und es gibt andere, die hilfsbereit sind und sich aufopfern. Wer wollte das bestreiten?

Das ist die Sicht von unserer Warte aus: Wir sehen die *graduellen* Unterschiede unter den Menschen. Und die können sehr bemerkenswert sein. Doch Gott will uns klarmachen, dass es keinen *prinzipiellen* Unterschied gibt. *Alle* Menschen haben gesündigt, deshalb brauchen *alle* den Erlöser!

Nach dem unbestechlichen Urteil Gottes ist zwar das Maß unserer Schuld unterschiedlich groß, dennoch sind unterschiedslos alle Menschen Sünder. So sieht uns Gott. Dieser Diagnose müssen wir uns stellen, um mit Gott ins Reine kommen zu können.

Denn es ist kein Unterschied, denn alle haben gesündigt und erreichen nicht die Herrlichkeit Gottes und werden umsonst gerechtfertigt durch seine Gnade, durch die Erlösung, die in Christus Jesus ist, den Gott dargestellt hat als ein Sühnmittel durch den Glauben an sein Blut.

Römer 3,22-25

Kein Unterschied (6)

„Mir hat noch keiner etwas geschenkt", sagte mir einmal jemand. Er meinte damit, dass man sich alles sauer verdienen muss; und wenn man einmal etwas „geschenkt" bekommt, dann ist ein Haken dabei.

Das mag für unseren menschlichen Erfahrungsbereich durchaus zutreffen. Aber wenn Gott in seinem Wort „umsonst" sagt, dann meint Er es auch so. Wer Gottes Diagnose „Es ist kein Unterschied" anerkennt, wer seine Schuld offen vor Ihm eingesteht und an den Herrn Jesus als seinen Erlöser glaubt, der findet Vergebung. Er wird „umsonst gerechtfertigt", umsonst freigesprochen von seiner ganzen Lebensschuld. Dann darf er als gerecht und tadellos vor Gott stehen, als ob er nie gesündigt hätte. – Wie ist das möglich? Weil Gott, der heilig ist und jede Sünde verurteilen muss, die ganze Schuld an seinem Sohn gerichtet hat.

Dort am Kreuz von Golgatha sind sich die Heiligkeit und die Liebe Gottes begegnet:

- seine Heiligkeit – indem Er meine Sündenschuld an seinem geliebten und völlig reinen und unschuldigen Sohn richtete;
- seine Liebe – indem Er dadurch sündigen Menschen die Gelegenheit bot, befreit, gereinigt und gerechtfertigt zu werden.

So ist das Kreuz Jesu Christi die göttliche Zahlungsstelle für zahlungsunfähige Schuldner – und das ohne Unterschied für jeden, der den Sühnungstod Jesu im Glauben für sich in Anspruch nimmt.

Denn es ist kein Ansehen der Person bei Gott. Denn so viele ohne Gesetz gesündigt haben, werden auch ohne Gesetz verloren gehen; und so viele unter Gesetz gesündigt haben, werden durch Gesetz gerichtet werden.

Römer 2,11.12

Gedanken zum Römerbrief

Gottes Gericht ist nicht parteilich. Der Mensch neigt dazu, seine Familie und seine Freunde in Schutz zu nehmen. Gottes Gericht aber ist völlig frei von jeder Willkür und jeder Bevorzugung, es ist „nach der Wahrheit" (V. 2).

Das bedeutet aber auch, dass Gott den unterschiedlichen Situationen der Menschen Rechnung trägt. Waren sie vor Gott verantwortlich, weil sie Ihn als Schöpfer kannten (oder kennen konnten)? Oder hatten sie darüber hinaus noch besondere Offenbarungen von Gott empfangen?

Das Maß der Verantwortung, das Maß der Schuld und auch *das Maß* der Strafe (nicht aber die Tatsache der Bestrafung der Sünde selbst) ist abhängig vom *Maß* der Erkenntnis. Es hängt davon ab, wie viel Gott jemand „anvertraut" hat. Deshalb hat Jesus Christus gesagt:

„Jener Knecht aber, der den Willen seines Herrn kannte und sich nicht bereitet noch nach seinem Willen getan hat, wird mit vielen Schlägen geschlagen werden; wer ihn aber nicht kannte, aber getan hat, was der Schläge wert ist, wird mit wenigen geschlagen werden. Jedem aber, dem viel gegeben ist – viel wird von ihm verlangt werden; und wem man viel anvertraut hat, von dem wird man desto mehr fordern" (Lukas 12,47.48).

Den Juden war mehr anvertraut worden als den Heiden. Dachten sie etwa, allein deshalb könnten sie „dem Gericht Gottes entfliehen"? (V. 3). Nein, das Mehr an Erkenntnis und an anvertrautem Gut gibt weder den Juden damals noch uns heute eine bevorzugte Stellung im Gericht Gottes – es erhöht aber unsere Verantwortung!

Montag 27 Oktober

Jeder, der die Sünde tut, ist der Sünde Knecht.
Wenn nun der Sohn euch frei macht, werdet ihr wirklich frei sein.

Johannes 8,34.36

Computerviren! Diese kleinen, schädlichen Programme können Daten und Programme zerstören, sobald sie einmal in den Computer gelangt sind. Beim Start sind sie vor allen anderen Programmen aktiv und üben auf diese Weise eine Art „Herrschaft" aus. Anti-Virus-Programme können das Eindringen solcher Viren verhindern oder sie aufspüren und entfernen.

Ursprünglich bezeichnet das Wort „Virus" einen Krankheitserreger. Doch neben vielen Viren, die den menschlichen Körper befallen können, gibt es noch eine ganz andere Art „Virus". Und das ist die Sünde, die das ganze menschliche Wesen ergriffen hat. Seit die ersten Menschen gesündigt haben, hat jeder von Geburt an ein sündiges Prinzip, die sündige Natur, in sich. Die Sünde gleicht einem Computervirus: Bevor wir uns dessen bewusst werden, ist diese Macht schon aktiv. Sie ist die Wurzel, aus der unsere verkehrten Gedanken, Worte und Taten hervorkommen.

Viele Menschen empfinden nicht, dass sie von der Macht der Sünde beherrscht werden, aber manche seufzen darunter und möchten frei werden. Gott bietet uns Befreiung an! Zwar verschwindet die Sünde nicht, solange wir noch auf der Erde leben. Aber wir können von ihrer *Herrschaft* befreit werden und eine neue Natur, ein ganz neues Lebensprinzip erhalten. Dazu müssen unsere Herzen durch den Glauben an den Herrn Jesus Christus gereinigt werden.

Die neue Natur des Gläubigen ist völlig mit Gott und seinem Willen in Übereinstimmung. So ist der Glaubende befreit von der zwingenden Macht des sündigen Prinzips, das ihn verführen will, und ist befähigt, ein glückliches Leben unter der Leitung des Geistes Gottes zu führen.

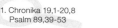

Über die Maßen aber ist die Gnade unseres HERRN überströmend geworden.

1. Timotheus 1,14

In Vers 13 erwähnt der Apostel Paulus seine Vergangenheit als „Lästerer und Verfolger und Gewalttäter". Als strenger Anhänger der jüdischen Religiosität hatte er Jesus Christus abgelehnt und die Gläubigen verfolgt.

Aber dann hatte er eine Begegnung mit Christus selbst. Und dieses Ereignis veränderte ihn völlig. Von da an rühmte Paulus die *Gnade Christi,* die ihm vergeben hatte und sein Leben nun prägte. Und immer wieder sprach er von den *Einzelheiten der Rettung* durch Christus:

1. Die Art und Weise: durch *Gnade.* „Durch die Gnade seid ihr errettet, mittels des Glaubens; und das nicht aus euch, Gottes Gabe ist es", so schreibt Paulus in Epheser 2,8.
2. Die Quelle: durch die Gnade *unseres Herrn.* „Denn ihr kennt die Gnade unseres Herrn Jesus Christus, dass er, da er reich war, um euretwillen arm wurde, damit ihr durch seine Armut reich würdet" (2. Korinther 8,9).
3. Die Fülle: *überströmende* Gnade. „Wo aber die Sünde überströmend geworden ist, ist die Gnade noch überreichlicher geworden" (Römer 5,20). Das hatte Paulus an sich erfahren.
4. Die Frucht: *Glauben und Liebe.* „Das Endziel des Gebotes aber ist: Liebe aus reinem Herzen und gutem Gewissen und ungeheucheltem Glauben" (1. Timotheus 1,5).
5. Die zentrale *Person:* „Glauben und Liebe, die in *Christus Jesus* sind" (1. Timotheus 1,14). Für die Christen in Ephesus betete Paulus, „dass der Christus durch den Glauben in euren Herzen wohne, indem ihr in Liebe gewurzelt und gegründet seid" (Epheser 3,17).

Paulus bezeugt: „Das Wort ist gewiss und aller Annahme wert, dass Christus Jesus in die Welt gekommen ist, um Sünder zu erretten, von denen ich der erste bin" (1. Timotheus 1,15).

Freut euch in dem Herrn allezeit!

Philipper 4,4

Freude ist eine zarte Pflanze. Ruckzuck ist es vorbei mit ihr. Das zeigt die eigene Erfahrung, und das sagte vor einiger Zeit auch ein kurzer Zeitungsartikel.

Überschrift: „Nur kurze Freude am Ferrari." Ein 27-Jähriger im Münsterland hatte einen Ferrari ausgeliehen – und ihn aufs Dach gelegt. Glücklicherweise gab es kaum Personenschaden (Sachschaden etwas mehr). Die Überschrift passte schon: Nur kurze Freude …

Dabei ist Freude ein ziemlich entscheidender Faktor im Leben! Beachte: Gemeint ist jetzt nicht Fun, nicht „Happy Feelings", nicht Highsein, sondern *Freude*.

Gott weiß das auch: Ein Leben ohne Freude ist nichts wert. Ohne Freude kann der Mensch auf die Dauer nicht existieren. Deswegen lädt Er uns herzlich ein: „Freut euch allezeit!" Und damit nicht genug, Er sagt uns auch noch, wo diese Freude zu finden ist: „Freut euch *in dem Herrn* allezeit!"

Das ist eine klare Aussage; echte Freude gibt es nicht ohne den Herrn Jesus Christus. Alles andere endet früher oder später wie die Freude über den Ferrari. Solche Freude verblasst oft genug schon, wenn der Reiz des Neuen verflogen ist.

Erinnern wir uns kurz an die „Weihnachtsgeschichte". Da sagte doch der Engel: „Siehe, ich verkündige euch große Freude …; denn euch ist heute … ein Erretter geboren, welcher ist Christus, der Herr" (Lukas 2,10.11). Es ist wirklich so: Freude, die nicht von jetzt auf gleich verschwindet, die nicht von allem Möglichen abhängt, die dauerhaft ist und zu einem erfüllten Leben verhilft – die lernt nur der kennen, der Jesus Christus als seinen Herrn und Retter annimmt und dann mit Ihm durchs Leben geht.

---

1. Chronika 21,14-30
1. Timotheus 1,8-11

 SA 07.09 SU 17.01

 MA 12.25 MU 21.44

Donnerstag 30 Oktober

Als sie weiterzogen, kam Jesus in ein Dorf; eine gewisse Frau aber, mit Namen Martha, nahm ihn in ihr Haus auf. Und diese hatte eine Schwester, genannt Maria, die sich auch zu den Füßen Jesu niedersetzte und seinem Wort zuhörte. Martha aber war sehr beschäftigt mit vielem Dienen.

Lukas 10,38-40

Bei seinen Wanderungen durchs Land fand Jesus Christus bei den Schwestern Martha und Maria gastliche Aufnahme. Martha bemühte sich besonders um die Versorgung der Gäste, und Jesus erkannte das auch an. Doch als ihre Schwester Maria sich „zu den Füßen Jesu niedersetzte und seinem Wort zuhörte", machte Martha dem Herrn einen Vorwurf.

Da zeigte sich: Sie war voller Unruhe, sie war ganz in Anspruch genommen von den vielen Einzelheiten, die das äußere Wohl ihrer hohen Gäste betrafen. Liebevoll, aber bestimmt, muss der Herr sie deshalb zurechtweisen: „Martha, Martha! Du bist besorgt und beunruhigt um viele Dinge; eins aber ist nötig. Denn Maria hat das gute Teil erwählt, das nicht von ihr genommen werden wird."

Den „vielen Dingen", die Marthas Gedanken von Christus selbst ablenken und nicht zur Ruhe kommen lassen, stellt Er das Eine gegenüber, was Maria ruhig „zu den Füßen Jesu" sitzen lässt: das Hören auf sein Wort in seiner unmittelbaren Nähe.

Daraus können wir Folgendes lernen: In der Beziehung des Menschen zu Christus muss *sein Wort* den Vorrang haben vor *unserer Tat*. Durch das Hören auf sein Wort lernen wir Ihn selbst, seine Gedanken und seine Absichten immer besser kennen. In dieser engen Gemeinschaft mit Ihm empfangen wir innere Ruhe und auch Anleitung und Kraft, um Ihm dann in der rechten Weise dienen zu können.

Wahrlich, wahrlich, ich sage euch: Ich bin die Tür der Schafe. ... Ich bin die Tür; wenn jemand durch mich eingeht, so wird er errettet werden und wird ein- und ausgehen und Weide finden.

Johannes 10,7.9

Jesus hatte einem blinden Mann das Augenlicht geschenkt. Die religiöse Führungsschicht Israels fand das schon deshalb ungeheuerlich, weil es an einem Sabbat geschehen war, einem Tag, an dem ein Israelit nicht arbeiten durfte. Das Wunder, das der Herr getan hatte, stuften diese Pharisäer als „Arbeit" ein. Und ihre Verblendung ging noch weiter: Sie warfen den geheilten Blinden aus der Synagoge, dem Ort ihres Gottesdienstes, hinaus.

Dann begegnet der Herr dem geheilten Mann ein zweites Mal. Jetzt erfährt dieser, dass es *der Sohn Gottes* ist, der ihn geheilt hat. – „Und er warf sich vor ihm nieder." Was für ein Unterschied: hier die frommen Vertreter des Volkes Gottes, die Jesus ablehnen – dort der ehemals Blinde, der voller Dankbarkeit vor Ihm niederkniet! (Kap. 9,38).

Daran knüpft der Herr an und führt aus, dass niemand zu Gott kommen kann, der nicht den richtigen Weg einschlägt. Er selbst ist dieser Weg. Um zu Gott zu kommen, benötigt man keine Ideologie und keine religiösen Formen, sondern muss sich persönlich an Ihn wenden.

Jesus Christus ist die „Tür". Wer durch Ihn zu Gott kommt und so gleichsam durch die geöffnete Tür in die Sphäre der Liebe Gottes eintritt, der wird gerettet werden. Gott will uns klarmachen, dass alles andere nicht ausreicht – wir müssen Christus selbst haben.

Die Bibel bezeugt es überall: Auf den Sohn Gottes kommt es an! Ein Christentum ohne Christus ist das Erbärmlichste, was Menschen sich ausdenken können – es ist völlig wertlos.

Samstag — 1 — November

Richte dir Wegweiser auf, setze dir Wegzeichen, richte dein Herz auf die Straße, auf den Weg, den du gegangen bist! Kehre um, ... kehre um!

Jeremia 31,21

Vor einigen Jahren stieg ich einmal auf den Feldberg im Schwarzwald. Auf der Kuppe wurde ich von plötzlich auftretendem Nebel überrascht, der so dicht war, dass man keine zehn Meter weit sehen konnte. Da weder der Feldbergturm noch irgendein anderes Gebäude zu erkennen waren, gab es für mich keinen Orientierungspunkt mehr in der Landschaft. Zum Glück hatte ich die auf den Berg führende Fahrstraße nicht verlassen, so dass ich, um den Weg abwärts zu finden, mich nur umzudrehen und den gleichen Weg zurückzugehen brauchte.

Auf dem Plateau war die Straße überdies auf beiden Seiten mit vielleicht zwei Meter langen Stangen abgegrenzt, die im Winter bei tiefem Schnee als Orientierungsmittel dienen. So fand ich den Weg zurück zum „Feldberger Hof".

Mit dem Lebenslauf des Menschen verhält es sich ähnlich. Hat man sich in dieser Welt verirrt und weiß man nicht mehr aus noch ein, so gibt es nur eins: stehen bleiben und umkehren. „Richte dein Herz auf die Straße, auf den Weg, den du gegangen bist", kehre um und geh den Weg zurück – zurück zu Gott. Auch an diesem Weg gibt es „Stangen" oder „Wegzeichen", die Gott als Orientierungshilfe für uns aufgerichtet hat: manche liebevollen Hinweise, manche ernsten Warnungen. Aber wie viele Signale haben wir unbeachtet gelassen?

Noch ist es nicht zu spät für eine klare Kehrtwendung, noch sind die Wegweiser und Markierungen zu erkennen. – Wenn doch jeder den Weg, den er gegangen ist, im Licht Gottes überdenken würde! Die „Nacht" wird kommen, wo das nicht mehr möglich ist und es keinen Weg zurück mehr gibt!

---

1. Chronika 24,1-31
1. Timotheus 2,1-7

SA 07.15   SU 16.56

MA 14.17   MU 00.08

Sonntag 2 November

Denn so viele ohne Gesetz gesündigt haben, werden auch ohne Gesetz verloren gehen; und so viele unter Gesetz gesündigt haben, werden durch Gesetz gerichtet werden.

Römer 2,12

Gedanken zum Römerbrief

Hier und anderswo wird klar: Es gab Menschen – die Juden –, die *unter dem Gesetz* standen, das Mose am Berg Sinai von Gott empfangen hatte. Andererseits gab es Menschen – die Nationen oder Heiden –, die *nicht unter dem Gesetz* standen (siehe auch 1. Korinther 9,20.21).

Die Heiden, „die gesündigt haben", standen nicht unter dem Gesetz und werden nicht „durch Gesetz gerichtet werden". Dennoch werden sie als Sünder „verloren gehen". Zwar werden sie nicht dafür verantwortlich gemacht, das Gesetz Moses, das sie *nicht kennen konnten,* gehalten zu haben. Aber sie sind dafür verantwortlich, dass sie die Kenntnis von Gott *als Schöpfer* von sich gestoßen haben (Römer 1,19-21). – Für die Juden, „die gesündigt haben", werden die Einzelheiten des Gesetzes vom Sinai, das sie übertreten hatten, das Gericht erschweren.

In beiden Fällen geht es um Menschen, „die gesündigt haben", und um ihr Gericht. Paulus liegt in den ersten Kapiteln dieses Briefes daran, aufzuzeigen, dass alle Menschen – Juden wie Heiden – wegen ihrer Sünden verloren sind und den Erretter Jesus Christus nötig haben.

Erst später, in Kapitel 4, wird Paulus auch davon sprechen, dass schon *vor* dem Tod und der Auferstehung Jesu Christi – also schon *vor* der Verkündigung „seines Evangeliums" – Menschen trotz ihrer Sünden „gerechtfertigt" worden sind. Doch auch dann liegt die Betonung wieder darauf, dass diese Rechtfertigung nicht „aus Werken", sondern „aus Glauben" geschehen ist. Es kam darauf an, dass sie an Den *glaubten,* „der den Gottlosen rechtfertigt".

---

1. Chronika 25,1-31
1. Timotheus 2,8-15

SA 07.16   SU 16.54   MA 14.47   MU 01.25

3

Montag **3** November

Zachäus suchte Jesus zu sehen, wer er wäre.

Lukas 19,3

Das ist schon ungewöhnlich, wenn ein hoher Zolleinnehmer sich Klarheit über Jesus Christus zu verschaffen sucht. Natürlich hatte dieser Mann seine beruflichen Pflichten. Finanziell war er gut gestellt. Alles Gründe, die heute viele Menschen nur zu leicht davon abhalten, sich mit der Botschaft von Jesus Christus eingehend zu beschäftigen. Anders Zachäus. Er nahm große Mühen auf sich, sich ein eigenes Bild von Jesus zu machen, über den so viel geredet wurde.

„Gibt es denn nichts Wichtigeres zu tun?", fragt vielleicht jemand. „Wenn Sie mein Tagesprogramm wüssten, meinen Stress, meine knappe Zeit! Im Übrigen, wenn ich es auch wollte, wo soll man heute verbindliche Informationen über Jesus Christus bekommen?"

Fangen wir bei Letzterem an. Die Bibel, diese alte, von Gott gegebene Urkunde, beschreibt Ihn mit aller Ausführlichkeit. Beim Lesen wird man direkt in das Geschehen versetzt, als ob man Augenzeuge wäre, so wie unser Oberzöllner. An sachlichen und glaubwürdigen Berichten fehlt es nicht.

Und dann: Muss man denn Jesus Christus überhaupt so studieren? Ja, wenn mir die eigene Zukunft wichtig ist, wenn ich überhaupt zu dem eigentlichen Sinn des Daseins vordringen will, dann ist das unerlässlich. Dann ist es auch angemessen, andere durchaus wichtige Angelegenheiten zurückzustellen, bis die Frage, *wer Jesus ist,* geklärt ist. Lukas berichtet, wie die Sache damals weiterging, dass Jesus gerade von diesem Wahrheitssucher Kenntnis nahm und dass dieser Mann auch zum Glauben durchbrach.

Damals wie heute ist das Wort des Herrn wahr: „Sucht, und ihr werdet finden." – Eine ganz persönliche Zusage!

---

1. Chronika 26,1-32
1. Timotheus 3,1-7

 SA 07.18   SU 16.52

 MA 15.15   MU 02.42

... vielmehr die Glieder des Leibes, die schwächer zu sein scheinen, sind notwendig.

1. Korinther 12,22

Wo bleibt das Piccolo?

Als Sir Michael Costa, ein im 19. Jahrhundert sehr berühmter Dirigent, einmal mit einem riesigen Orchester probt, setzt an einer Stelle der große Chor ein, begleitet von einer Vielzahl von Instrumenten. Die Trompeten schmettern, die Geigen und Flöten jubilieren, die Kontrabässe brummen – eine überwältigende Klangfülle. Nur die kleine Piccoloflöte ist aus irgendeinem Grund stumm.

Nach wenigen Takten bricht Costa ab und ruft: „Wo bleibt das Piccolo? Ich höre das Piccolo nicht!" Dem feinen Gehör des Dirigenten ist es nicht entgangen: Das Piccolo fehlt.

Das Ohr des Herrn Jesus Christus ist noch feiner als das eines Orchesterdirigenten. Er hört und merkt, wenn gläubige Christen nicht mittun in seinem „Orchester".

Es kann Zeiten im Leben geben, in denen wir uns überflüssig und unnütz vorkommen. Vielleicht sind wir von Christen umgeben, die wir für begabter halten als uns selbst. Vielleicht sind wir daher in Versuchung, uns zurückzuziehen und andere die Arbeit tun zu lassen. Oder wir sagen uns möglicherweise, dass unser Beitrag im Endeffekt kaum etwas bringen würde.

Doch nein, der Herr hat jedem Gläubigen eine besondere Funktion in seiner Gemeinde zugedacht – als Glied am „Leib Christi". Und wenn wir unseren Platz nicht nach seinen Gedanken ausfüllen, wird unserem Meister das Fehlen der „Piccoloflöte" nicht verborgen bleiben. Deshalb sollten die Gläubigen alle Fähigkeiten, die sie von Ihm empfangen haben, auch „als gute Verwalter" für Ihn einsetzen. Christus wird seinen Segen darauf legen zum Nutzen für viele und zu unserer eigenen Freude (1. Petrus 4,10).

---

1. Chronika 27,1-34
1. Timotheus 3,8-16

 SA 07.20   SU 16.51

 MA 15.44   MU 03.59

Mittwoch   **5**   November

Pilatus spricht zu den Juden: Ich finde keinerlei Schuld an ihm.

Johannes 18,38

Als Jesus Christus auf der Erde lebte, gehörte Israel zum Römischen Reich. Die Römer hatten Pontius Pilatus dort als Statthalter eingesetzt. Für die allgemeine Gerichtsbarkeit im Land waren die Juden zuständig, Todesurteile durfte jedoch nur der Statthalter verhängen.

Eines Tages bringen die jüdischen Richter wieder einen Gefangenen zu Pilatus. Es ist Jesus von Nazareth. Pilatus erkennt sehr bald, dass es sich nicht um einen gewöhnlichen Verbrecher handelt, sondern dass es hier um ein religiöses Thema geht. Darüber will er nicht Richter sein. Er fordert die Juden auf, den Fall selbst zu behandeln. Doch diese haben bereits entschieden, dass Jesus sterben muss. Daher kann Pilatus sich der Pflicht nicht entziehen, ein Urteil zu sprechen.

Im öffentlichen Prozess werden viele Anklagen gegen Jesus vorgebracht. Aber der Angeklagte schweigt; Er verteidigt sich überhaupt nicht. Nicht eine einzige Rechtfertigung, die der Richter vielleicht zugunsten des Angeklagten werten könnte, kommt aus seinem Mund. Allerdings sind die Vorwürfe so offensichtlich falsch, dass Pilatus wiederholt urteilen muss: „Ich finde keine Schuld an diesem Menschen."

In einer Unterhaltung abseits der Ankläger erklärt Jesus dem Statthalter: „Ich bin dazu geboren und dazu in die Welt gekommen, dass ich der Wahrheit Zeugnis gebe. Jeder, der aus der Wahrheit ist, hört meine Stimme. Pilatus spricht zu ihm: Was ist Wahrheit?" (Johannes 18,37.38).

Pilatus hatte hier die Möglichkeit, die Wahrheit zu erkennen und danach zu handeln. Doch seine eigene Ehre und seine politische Stellung sind ihm wichtiger als ein gerechter Urteilsspruch. So verurteilt er Jesus zum Tod am Kreuz, obwohl er von seiner Unschuld überzeugt ist.

---

1. Chronika 28,1-21
1. Timotheus 4,1-6

SA 07.22   SU 16.49   MA 17.14   MU 05.16

Donnerstag **6** November

Gesegnet ist der Mann, der auf den HERRN vertraut und dessen Vertrauen der HERR ist! Und er wird sein wie ein Baum, der am Wasser gepflanzt ist und am Bach seine Wurzeln ausstreckt und sich nicht fürchtet, wenn die Hitze kommt; und sein Laub ist grün, und im Jahr der Dürre ist er unbekümmert, und er hört nicht auf, Frucht zu tragen.

Jeremia 17,7.8

Lebensstürme

Sturm auf See, das kenn ich nicht;
ich wohne nicht am Meer.
Doch Lebensstürme andrer Art
die kenn ich umso mehr.

Herbststurm reißt die Blätter ab,
weg ist der Farbentraum.
Was bleibt, das ist bloß kahl und schwarz –
und dennoch bleibt der Baum!

Hat Stamm und Ast und Wurzelwerk,
kann in die Tiefe gehn.
Drum bleibt der Baum auch ohne Schmuck
im Wesen immer schön.

Was bleibt, wenn die Fassade weg,
wenn deine Maske fällt?
Hast du schon deinen Lebensbaum
an Gottes Bach gestellt?

E. D.

---

1. Chronika 29,1-9
1. Timotheus 4,7-16

 SA 07.23   SU 16.47

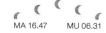 MA 16.47   MU 06.31

Schweigen hat seine Zeit, und Reden hat seine Zeit.

Prediger 3,7

Unter Menschen kann es vorkommen, dass ein heftiger Streit entsteht und schließlich damit endet, dass einer sagt: „Ich habe dir nichts mehr zu sagen!" – Was aber wäre, wenn der große Gott sich einmal auf diese Position zurückziehen würde? Wenn Er schweigen würde, wenn Er kein Wort mehr an die Menschheit richten würde, die sich gegen Ihn auflehnt? Gott sei Dank, es ist noch nicht so weit; aber der Augenblick wird kommen – denn auch das Reden *Gottes* hat seine Zeit.

Heute redet Gott noch zu uns, und zwar durch sein Wort, die Bibel. Er hat seine Boten, die in aller Welt seine unermesslich große Liebe verkündigen. Sie reden von seinem Erbarmen, aber sie weisen auch hin auf seine Gerechtigkeit, auf die Tatsache der Schuld jedes Einzelnen vor Ihm, auf die Gottlosigkeit der Menschen und das ewige Gericht. Und die Reaktion? Manche lächeln darüber, andere sagen, das interessiere sie nicht, wieder andere hören zu und denken darüber nach.

Aber Gott redet auch durch Ereignisse im Leben des Einzelnen und ganzer Völker. Die Menschen bekommen mehr und mehr die Folgen ihrer Entfremdung von Gott zu spüren, die Folgen der Sünde, die sie in ihrem Leben dulden. Auch das ist eine Sprache Gottes. Ja, unsere Beziehung zu Gott ist gestört. Das ist das eigentliche Problem der Menschheit.

Und deshalb sollten wir ernstlich über das Wort nachdenken: „Lasst euch versöhnen mit Gott! Den, der Sünde nicht kannte (Christus), hat er für uns zur Sünde gemacht, damit wir Gottes Gerechtigkeit würden in ihm" (2. Korinther 5,20.21). Das ist es, was Gott uns *heute* noch einmal sagen will. Es könnte sein, dass Er *morgen* schon schweigt.

---

1. Chronika 29,10-19
1. Timotheus 5,1-16

 SA 07.25 SU 16.46

 MA 17.24 MU 07.44

Ebenso wird Freude im Himmel sein über einen Sünder, der Buße tut, mehr als über neunundneunzig Gerechte, die die Buße nicht nötig haben.

Lukas 15,7

Stimmen denn hier die Verhältnisse? Kann denn wirklich die Freude über *einen* Sünder, der zu Gott umkehrt, größer sein als über neunundneunzig Gerechte?

Dieses Wort des Herrn Jesus Christus können wir nur vor dem Hintergrund richtig verstehen, dass Er gekommen ist, „zu suchen und zu erretten, was verloren ist" (Lukas 19,10). Wenn ein Sünder *Buße tut,* dann bedeutet das, dass dieser erkannt hat, *dass er verloren ist.*

Die anderen dagegen, die „Gerechten", waren nicht die „Zielgruppe", die dem Herrn am Herzen lag. Wozu auch? Wie viele Gerechte es auch geben würde – sie alle brauchten ja gar keine Hilfe. Die Gnade Gottes hätte für sie gar keinen Wert, weil sie nicht zur Kategorie der Sünder zählen würden. – Das Tragische ist aber natürlich, dass es diese Gerechten in Wirklichkeit gar nicht gibt. Davon geht Jesus hier aus; und das muss uns allen klar sein.

Wer weiß, dass er Buße nötig hat, sehnt sich in der Regel auch nach Gnade und Vergebung. Und Gott hat Freude daran, einen Sünder, der mit seiner Schuld zu Ihm umkehrt, aufzunehmen. Er will ihn passend machen für den Himmel. Das ist die großartige Aussage unseres heutigen Bibelverses.

Wenn ein Mensch in aufrichtiger Buße zu Gott kommt – wenn er eingesteht, dass er ein Sünder ist und seine Schuld offen bekennt –, dann erkennt er damit an, dass der Tod Jesu am Kreuz für ihn nötig war. „Denn es hat ja Christus einmal für Sünden gelitten, der Gerechte für die Ungerechten, damit er uns zu Gott führe" (1. Petrus 3,18).

Kein Wunder also, dass Freude im Himmel ist über *jeden* Sünder, der Buße tut!

Denn nicht die Hörer des Gesetzes sind gerecht vor Gott, sondern die Täter des Gesetzes werden gerechtfertigt werden.

Römer 2,13

Gedanken zum Römerbrief

In den Versen 13 bis 15 geht es weiter um den Anspruch der Juden auf eine bevorzugte Behandlung im Gericht – einfach deshalb, weil sie das Gesetz Moses besaßen, weil sie „Hörer des Gesetzes" waren.

Aber das machte sie noch nicht „gerecht vor Gott". Das Gesetz bewirkt nämlich bei dem sündigen Menschen genau das Gegenteil: Die Sünde im Menschen wird durch die Verbote des Gesetzes nur umso mehr herausgefordert. Das Gesetz bringt also nicht die Gerechtigkeit des Menschen ans Licht, sondern die Tatsache, dass er ein Sünder ist (Kap. 3,20; 7,7-14).

Ähnliches gilt auch für jeden Moralisten heute, der das stellvertretende Opfer Jesu ablehnt und nach dem Motto lebt „Tue recht und scheue niemand". Sein Motto genügt nicht, ja, es verurteilt ihn. – Tut er denn wirklich immer nur „recht", gibt es keinen Makel in seinem Leben?

Im Volk Israel gab es tatsächlich gottesfürchtige Menschen. Doch die haben sich nicht selbstgerecht ihrer guten Werke gerühmt, sondern ihre Sündhaftigkeit eingestanden. Sie haben nicht auf sich selbst vertraut, sondern auf Gott, ihren Erlöser. So ist ihr Stammvater Abraham „aus Glauben" gerechtfertigt worden. Das war noch *vor* der Zeit des Gesetzes. Dasselbe gilt *in* der Zeit des Gesetzes allerdings auch für David.

„Gerechtfertigt *aus Glauben*" konnten diese Gläubigen aus Israel *dann* in gewissem Sinn auch „Täter des Gesetzes" sein. Aber die selbstgerechte Illusion der Juden, im Gericht Gottes günstiger beurteilt zu werden als die Heiden, ist klar zurückgewiesen (Römer 4,1-7; Psalm 32,1-5; 19,7-14; und für den Christen heute: Römer 8,1-4).

---

2. Chronika 1,1-18
1. Timotheus 6,1-10

SA 07.29 SU 16.42   MA 18.55 MU 09.52

Gott ist Licht.
Gott ist Liebe.

1. Johannes 4,8

Vier Jahre, bevor er seinem Leben selbst ein Ende setzte, schrieb der französische Schriftsteller Henry de Montherlant (1895–1972):

„Mein irdisches Abenteuer geht zu Ende. Bald wird meine Seele auf den Fittichen der Flamme davonfliegen, und ich werde die Wirklichkeit des Wortes jenes antiken Stoikers erfahren, das mich im Alter von 16 Jahren so sehr ergriff: ‚Alles, was Feuer ist, wird zum Feuer zurückkehren.' So wird es auch mir ergehen. Von meinem Körper werden die Überbleibsel zum Straßenkehricht geworfen werden. Von meinem Werk wird nichts übrig bleiben als die Erinnerung an meinen Namen. Daher: Ende gut, alles gut.

Ich bin zunächst ein Mann des Vergnügens gewesen, anschließend ein Schöpfer von Literatur und danach nichts. Das Vergnügen ist dahin; die Werke habe ich ebenfalls aus reinem Vergnügen gemacht, und auch dieses ist dahin; deshalb: Ende gut, alles gut.

Ich habe mein ewiges Leben verschlafen. Doch wenn der Gott der Christen der liebe Gott ist, bin ich ganz beruhigt."

Ist der christliche Gott, der Gott der Bibel, nun „der liebe Gott", wie Montherlant andeutet, oder ist Er das Ungeheuer, als den Ihn die modernen Atheisten darstellen? – Weder das eine noch das andere! Ja, Gott ist *Liebe.* Aber Er ist es nicht auf Kosten seines anderen Wesenszuges, des *Lichtes* oder der *Gerechtigkeit.*

Weil Gott heilig und gerecht ist, wird Er einmal alle Taten der Menschen ans Licht bringen und beurteilen. Weil Er Liebe ist, will Er uns in Christus vor der verdienten Strafe für unser verkehrtes Tun retten. Deshalb ruft Er uns zu: „Es ist sonst kein Gott außer mir; ein *gerechter* und *rettender* Gott ist keiner außer mir!" Wer gerettet werden will, muss sich Ihm rechtzeitig – nämlich zu Lebzeiten – wieder zuwenden! (Jesaja 45,21.22).

Was sollen wir reden und wie uns rechtfertigen? Gott hat die Ungerechtigkeit deiner Knechte gefunden.

1. Mose 44,16

Gegen Schluss des ersten Buches Mose findet sich die bewegende Geschichte von Joseph und seinen Brüdern. Joseph wurde von seinen Brüdern aus Neid als Sklave verkauft und so einem bitteren Schicksal überliefert. Doch damit nicht genug; sie ließen ihrem alten Vater kaltblütig mitteilen, dass sein Sohn tragisch verunglückt wäre.

Die Brüder hatten also eine große Schuld auf sich geladen. Doch die Zeit war vergangen, und aus ihrer Sicht war längst Gras über die alte Geschichte gewachsen. Sicher sprachen sie nicht darüber und dachten auch nicht mehr daran. Nur Gott hatte die Sache nicht vergessen – wie all die bösen Taten, die seit jeher geschahen und noch immer geschehen, und die vielen Verfehlungen, die wir für längst verjährt halten. Der heilige Gott sieht das anders – und Er vergisst nichts!

Joseph war inzwischen auf erstaunliche Weise zum ersten Mann im Staat Ägypten aufgestiegen. Und jetzt begegnete er seinen ehemals feindseligen Brüdern. Ohne sich ihnen zu erkennen zu geben, erinnerte er sie daran, dass da noch eine über 20 Jahre alte Schuld existierte, und zwar unbereinigt, ungeordnet! Plötzlich ist alles wieder da, die ganze Situation steht ihnen lebendig vor Augen: Gott hat ihre Ungerechtigkeit gefunden!

Ja Gott, nicht Menschen! Daran sollten wir bei unseren Verfehlungen denken. Sie stehen im Himmel noch „auf Wiedervorlage", solange sie nicht von Ihm vergeben worden sind.

> *„Wenn wir unsere Sünden bekennen, so ist er treu und gerecht, dass er uns die Sünden vergibt und uns reinigt von aller Ungerechtigkeit."*
> 1. Johannes 1,9

---

2. Chronika 2,10-17
2. Timotheus 1,1-8

 SA 07.32 SU 16.39

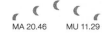 MA 20.46 MU 11.29

Denn du hattest mich in die Tiefe geworfen, in das Herz der Meere … Und ich sprach: Verstoßen bin ich aus deinen Augen …
Als meine Seele in mir verschmachtete, erinnerte ich mich an den HERRN, und zu dir kam mein Gebet in deinen heiligen Tempel.

Jona 2,4.5.8

„Jonas-Walfisch-Bar"

Über das große Wassertier im Buch des Propheten Jona teilt uns die Bibel keine biologischen Einzelheiten mit. Wir wissen also nicht, ob es sich um einen Wal oder um einen Hai gehandelt hat. Aber wir kennen den Wortlaut, mit dem Jona aus dem Bauch des „großen Fisches" zu Gott gerufen hat.

Der Prophet hatte einen Auftrag Gottes nicht ausführen wollen, sondern war per Schiff in die entgegengesetzte Richtung geflohen. Da sandte Gott zuerst einen schweren Sturm und dann den großen Fisch, um den ungehorsamen Propheten zur Einsicht und Umkehr zu bringen. In seiner Verzweiflung betete Jona voll aufrichtiger Reue zu Gott und wurde gerettet. –

In einer Boutique wird den Kunden nach dem Einkauf noch ein Getränk angeboten, und zwar an „Jonas-Walfisch-Bar", wie ein Schild sagt. Dort komme ich mit einer Dame über Jona und den großen Fisch ins Gespräch. Wir stehen unter dem Eindruck, dass Gott uns diese Begebenheit auch deshalb mitteilt, um uns vor der ewigen Finsternis, der ewigen Gottesferne, zu warnen. – „Dorthin will ich nicht!", sagt die Frau. „Was muss ich tun?"

Mein Rat ist: „Kehren Sie um zu dem Heiland Jesus Christus. Gehen Sie noch heute auf Ihre Knie, und bekennen Sie Ihm das, was nicht in Ordnung war in Ihrem Leben. Nehmen Sie sein Sühnungswerk im Glauben für sich in Anspruch. Zögern Sie nicht!" – „Nein", sagt sie, „ich warte nicht damit; ich tue es sofort!"

---

2. Chronika 3,1-17
2. Timotheus 1,9-18

 SA 07.34 SU 16.38

 MA 21.46 MU 12.07

Donnerstag 13 November

Wer darf sagen: Ich habe mein Herz gereinigt, ich bin rein geworden von meiner Sünde?

Sprüche 20,9

Kann und darf ein Mensch das wirklich von sich sagen? – Hören wir dazu Gottes Wort:

1. Jeder Mensch ist ein Sünder und hat Reinigung nötig. „Wenn wir sagen, dass wir keine Sünde haben, so betrügen wir uns selbst." Dabei geht es nicht um eine äußere Reinigung. Nein, das Herz, das tiefste Innere des Menschen, hat Reinigung nötig, „denn das Sinnen des menschlichen Herzens ist böse von seiner Jugend an" (1. Johannes 1,8; 1. Mose 8,21).

2. Niemand kann sein Herz selbst reinigen, denn unmöglich kann ein unreines Herz durch Willensanstrengung ein reines Herz hervorbringen; so wusste es schon Hiob (Hiob 14,4).

3. Nur Gott kann reine Herzen schaffen. Er kann unser Herz „durch den Glauben reinigen" (Psalm 51,12, Hesekiel 36,25.26; Apostelgesch. 15,9).

Wie aber empfange ich ein gereinigtes Herz? – Indem ich Gott und seinem Wort recht gebe, dass ich ein Sünder bin und ein unreines Herz habe. – Indem ich vor Gott niederknie und Ihm meine Sünden bekenne (unser Gedächtnis ist begrenzt, aber was uns jetzt bewusst ist, sollten wir Ihm offen sagen). – Indem ich mich in meinem Herzen und in meinem Leben vom Weg der Sünde weg- und zu Gott hinwende, um Ihm zu dienen (1. Thessalonicher 1,9). – Indem ich an Jesus Christus und sein Sühnungswerk glaube.

Dann darf ich mich freudig darauf stützen, dass Christus stellvertretend für mich die Strafe für meine Sünden erduldet hat. „Wenn wir unsere Sünden bekennen, so ist Gott treu und gerecht, dass er uns die Sünden vergibt und uns reinigt von aller Ungerechtigkeit". – „Glaube an den Herrn Jesus, und du wirst errettet werden" (1. Petrus 3,18; 1. Johannes 1,9; Apostelgesch. 16,31).

---

2. Chronika 4,1-22
2. Timotheus 2,1-6

   SA 07.36   SU 16.36   MA 22.47   MU 12.39

Dein Wort ist Wahrheit.

Johannes 17,17

Romane haben immer Konjunktur. Und die meisten von ihnen transportieren eine Botschaft mit sich, die vom Leser zusammen mit der spannenden Handlung aufgenommen wird, auch wenn er es nicht merkt. Da schreibt ein Literaturkritiker am Schluss seiner Buchbesprechung über den Schriftsteller: „Dem Mann ist nicht zu trauen, wie jedem großen Erzähler!" – Macht nichts, sagen wohl die meisten Leser, Hauptsache, ich habe mich gut amüsiert.

Aber es gibt auch andere Menschen: solche, denen es vorrangig um die Wahrheit geht. Da steht nun zu Beginn unseres Kalenderblattes ein Wort Jesu Christi, das Er im Gebet an seinen Gott und Vater richtet und das auch für uns bestimmt ist: „Dein Wort ist Wahrheit." Es ist Gottes Wort, und dieses Wort besitzen wir in der Bibel, im Alten und im Neuen Testament. Jesus Christus, der Sohn Gottes, ist selbst die Wahrheit.

Das ist allerdings ein hoher Anspruch. Nur Gott kann so reden. Aber der Glaubende erfährt die Berechtigung dieses Wortes. Er findet die Wahrheit über die Menschen und ihre Beweggründe zutreffend in der Bibel dargestellt. Vor allem entdeckt er die Wahrheit über sich selbst darin, auch wenn es manchmal schmerzlich für ihn ist, denn Schmeicheleien über uns können wir von Gott nicht erwarten. Und so, wie man beim Umgang mit einem Freund überzeugt werden kann, dass er wahrheitsliebend und aufrichtig ist, so erfährt man es auch beim Umgang mit diesem göttlichen Buch.

Einer der Apostel schreibt: „Wir sind aus Gott; wer Gott erkennt, hört uns; wer nicht aus Gott ist, hört uns nicht. Hieraus erkennen wir den Geist der Wahrheit und den Geist des Irrtums" (1. Johannes 4,6).

---

2. Chronika 5,1-14
2. Timotheus 2,7-13

 SA 07.37   SU 16.35

 MA 23.48   MU 13.07

Samstag 15 November

Du sichtest mein Wandeln und mein Liegen und bist vertraut mit allen meinen Wegen. Denn das Wort ist noch nicht auf meiner Zunge, siehe, HERR, du weißt es ganz.

Psalm 139,3.4

Haben Sie schon eine abhörsichere Tapete in ihrer Wohnung? Seit ein paar Jahren gibt es diese unauffällige Abhörsicherung, die zudem vor störenden elektromagnetischen Einflüssen schützt. Herzstück des Systems kann ein mit Kupfer ummantelter Vliesstoff aus Nylon sein. In den Gebäuden des Bundestages und des Bundesrates in Berlin soll diese Technik eingesetzt worden sein.

Inzwischen sind abhörsichere Tapeten so erschwinglich, dass sie auch in Privathäusern verwendet werden. Doch wenn wir auch in unserer Privatsphäre zu Recht vor jedem Ausspähen geschützt sein wollen, wird dieser Aufwand nur selten nötig sein. Was wir aber bedenken sollten, ist die Tatsache, dass der allmächtige und allwissende Gott von allen unseren Handlungen Kenntnis nimmt. Er kennt auch unsere Worte – und zwar schon, bevor wir sie aussprechen.

Hat Gott das Recht dazu? Vielleicht betrachten manche das als ein unerwünschtes Eindringen in ihre Privatsphäre. Aber als Geschöpfe sind wir nun einmal unserem Schöpfer verantwortlich für unser Handeln, für unsere Worte und Gedanken.

Auch König David, der Dichter unseres Psalms, der neben vielem Guten auch manches getan hatte, was das Tageslicht scheute, hat sich mit dieser Tatsache abfinden müssen. Aber er brachte seine Sache mit Gott in Ordnung: Er bekannte Ihm seine Sünden, und dann konnte er die Nähe Gottes sogar freudig wünschen: „Erforsche mich, Gott, und erkenne mein Herz; prüfe mich und erkenne meine Gedanken! Und sieh, ob ein Weg der Mühsal bei mir ist, und leite mich auf ewigem Weg!" (V. 23.24).

---

2. Chronika 6,1-21
2. Timotheus 2,14-26

 SA 07.39 SU 16.34

 MA -.- MU 13.32

Denn wenn Nationen, die kein Gesetz haben, von Natur die Dinge des Gesetzes ausüben, so sind diese, die kein Gesetz haben, sich selbst ein Gesetz.

Römer 2,14

Gedanken zum Römerbrief

Was ist nun mit all den Heiden, die das Gesetz des Alten Testaments (und auch das Evangelium von Jesus Christus) „nicht haben"?

Beachten wir: Paulus schreibt hier nicht über das Thema, wie die Heiden errettet werden können. Vielmehr behandelt er die selbstsicheren Einwände von Juden, die meinen, das Evangelium nicht nötig zu haben, weil sie das Gesetz hätten. Die Heiden, die das Gesetz nicht kennen, wären ja ohnehin verurteilt (vgl. Johannes 7,49). Dem hatte Paulus entgegengehalten, dass nicht die *Hörer*, sondern die *Täter* des Gesetzes vor Gott „gerecht sind".

Die Juden sollten die Möglichkeit in Betracht ziehen, dass jemand von den Heiden den Forderungen des Gesetzes in seinem Leben mehr entsprach als sie selbst, und zwar nicht weil er das Gesetz kannte, sondern „von Natur".

„Von Natur" – das bedeutet nicht, dass Menschen von sich aus fähig wären, den Willen Gottes zu tun. Aber auch Menschen, die weder das Gesetz noch das Evangelium kennen, können ein moralisches Bewusstsein haben, ein „natürliches" sittliches Empfinden für Gut und Böse, für Recht und Unrecht (zu „natürlich" oder „widernatürlich" vgl. Römer 1,26.27).

Wenn solche einzelnen Menschen aus der Heidenwelt „von Natur die Dinge des Gesetzes ausüben", dann nehmen sie die Offenbarung Gottes in der Schöpfung ernst. Sie lehnen jede Verehrung von Götzen ab. „Du sollst keine anderen Götter haben neben mir!", ist ja das erste Gebot des Gesetzes (2. Mose 20,3). Schließlich sehen sie auch völlig ein, dass das Urteil Gottes über die Sittenlosigkeit gerecht ist, und sie richten sich in ihrem Leben danach (Römer 1,29-32).

---

2. Chronika 6,22-42
2. Timotheus 3,1-9

 SA 07.41   SU 16.32

 MA 00.50   MU 13.55

Weißt du nicht, dass die Güte Gottes dich zur Buße leitet?

Römer 2,4

Kurze Zeit nach meiner Umkehr zu Gott wurde die Frau eines Freundes ins Krankenhaus eingeliefert – Diagnose: Leukämie. Die Lage war hoffnungslos. Da ihre Widerstandskräfte infolge der verschiedenen Therapien erschöpft waren, durfte nur noch ihr Mann sie besuchen.

Um ihr eine kleine Freude zu bereiten, wollte ich auf der Station ein paar Blumen abgeben. Zu meinem Erstaunen fragte mich die Schwester, ob ich sie nicht selbst überreichen wollte. Ehe ich mich von meiner Überraschung recht erholt hatte, war ich schon eingekleidet: Kittel, Kopfhaube, Mundschutz, Handschuhe – nichts fehlte. In dieser Vermummung betrat ich klopfenden Herzens das Krankenzimmer.

Mir war plötzlich klar, dass Gott diesen Besuch bewirkt hatte, damit ich dieser Todkranken von Christus erzählen sollte. Sie kannte mein Leben vor meiner Bekehrung. Und nun hörte sie von mir, wie Christus mich verändert hatte: „Ich habe mein altes Leben bereut und Ihn als meinen Retter angenommen. Er hat meine große Sündenschuld vergeben." – „Komm auch du zu Jesus", bat ich sie. „Er liebt dich. Bekenne Ihm deine Sünden. Er will dich retten, du brauchst Ihn unbedingt. Eigentlich darf dich niemand besuchen; Gott aber hat mich hergeschickt, damit ich dir das sagen kann." Da blickte sie mich mit großen Augen an. Obwohl sie nichts sagte, merkte ich, dass sie tief bewegt war.

Am nächsten Morgen rief mich ihr Mann an und teilte mir mit, dass sie noch am Abend gestorben war. Da konnte ich nur die Güte Gottes rühmen. Er hatte dieser Frau in letzter Minute noch die Gelegenheit gegeben, die Retterhand Christi im Glauben zu ergreifen. Ob sie diese Chance genutzt hat? Ich hoffe es sehr. Die Ewigkeit wird es einmal zeigen.

Ein gewisser Mensch ... fiel unter Räuber, die ihn auch auszogen und ihm Schläge versetzten und weggingen und ihn halb tot liegen ließen. ... Aber ein gewisser Samariter ... kam zu ihm hin; und als er ihn sah, wurde er innerlich bewegt; und er trat hinzu und verband seine Wunden.

Lukas 10,30.33.34

Wenn Jesus Christus diese Begebenheit erzählt, dann steckt mehr dahinter als nur die Lektion: Kümmert euch um die Ausgestoßenen der Gesellschaft, um die Elenden. Natürlich ist auch das eine wichtige Aufgabe.

Aber dieser Mann, der das Opfer so brutaler Wegelagerer wurde, hat uns noch mehr zu sagen. Kannte er die Gefahren nicht, die auf der langen Strecke hinab von Jerusalem nach Jericho bestanden? Jetzt hatte er am eigenen Leib erfahren, ausgeraubt, verwundet, ja halb tot liegen gelassen zu werden! So beschreibt der Herr seinen hilflosen Zustand.

Gibt es nicht auch heute viele, die diesem Mann gleichen? Da meine ich nicht nur die Opfer von Verbrechen, denen es buchstäblich so erging. Gibt es nicht auch viele Menschen in gutem Anzug, die *innerlich* verwundet sind? Menschen z. B., denen alle Wertvorstellungen über Gut und Böse, über Gott und Ewigkeit genommen wurden, die an nichts mehr glauben, tragen als Ergebnis oft Verletzungen vielfältigster Art davon: innere Leere, Unruhe und Verzweiflung. Wer damit zu tun hat, weiß um die Not, auch wenn er die Ursache nicht kennt.

In unserem Bericht ist der Reisende aus Samaria als Einziger bereit, Hilfe zu leisten. Unschwer erkennen wir, dass Christus von sich selbst spricht. Er ist der Mann, der wirklich Anteil nimmt und hilft. Deshalb wollen wir unsere Wunden, was für Probleme es auch sind, von Ihm versorgen lassen! Bei Ihm gibt es wirklich Heilung und Freude, wenn wir Ihm vertrauen.

Wie könnte ein Mensch gerecht sein vor Gott? Wenn er Lust hat, mit ihm zu streiten, so kann er ihm auf tausend nicht eins antworten.

Hiob 9,2.3

Michel E. de Montaigne, französischer Politiker und Schriftsteller (1533–1592), schrieb einmal: „Auch der ehrlichste Mensch, wenn er alle seine Handlungen und Gedanken nach den Gesetzen genau untersucht, wird finden, dass er in seinem Leben wenigstens zehnmal den Galgen verdient hat."

Dieses offene Eingeständnis eines der Weisen dieser Welt bestätigt, was Hiob lange Zeit vor ihm bereits erkannt und ausgesprochen hat. Heute hingegen weisen viele den Gedanken entrüstet ab, vor dem gerechten Gott Sünder und Schuldner zu sein. Der Gedanke ist ihnen so unangenehm, dass sie der Einfachheit halber die Existenz Gottes leugnen. Sonst müssten sie ja Buße tun und zu Gott umkehren. Die Worte „Sünde" und „Buße" entstammen ihrer Meinung nach dem Vokabular engstirniger Moralprediger des finsteren Mittelalters und passen nicht mehr in unser aufgeklärtes Zeitalter.

Aber warum verheimlichen dann auch diese Menschen so manches aus ihrem Leben vor anderen, auf deren Urteil sie Wert legen? Wie kommt es, dass alte Vorkommnisse sie heute noch beunruhigen können, obwohl sie schon lange zurückliegen? – Also gibt es doch auch in ihrem Leben so etwas wie „Sünde"! Und wo es Sünde gibt, gibt es auch Vergeltung und Gericht, wenn sie nicht Buße tun und Vergebung empfangen.

Buße bedeutet Sinnesänderung und Umkehr zu Gott. Unsere Sünde wird uns entweder zur Buße führen oder ins Gericht Gottes bringen. Sollte da nicht jeder Buße tun und Gott um die Vergebung seiner Sünden bitten? Dazu lädt Gott auch heute, am Buß- und Bettag, herzlich ein!

Bei dem HERRN ist die Rettung.

Jona 2,10

Jeder, der die Sünde tut, ist der Sünde Knecht. Wenn nun der Sohn Gottes euch frei macht, werdet ihr wirklich frei sein.

Johannes 8,34.36

Befreit (1)

Bouba wurde in einem afrikanischen Dorf geboren. Nach der Ausbildung in einer religiösen Schule war er der Häuptling seines Dorfes geworden. Aber überall war er bekannt für seinen gewalttätigen Charakter und seinen Hass auf die Christen. Wie viele seiner Mitbürger lebte auch er in ständiger Furcht vor bösen Geistern und glaubte, dass jedes Unglück die Folge einer Hexerei war. Deshalb waren, wie er meinte, viel Mühe und Geld nötig, um die Geister zu besänftigen. Dazu musste man auch die Götzenpriester befragen und ihnen gehorchen.

Aber eines Tages geriet sein Leben durcheinander. Mit einem Mal wurde es dunkel um ihn: Er war blind geworden! Verzweifelt befragte er alle Priester, die er kannte, aber nichts aus seiner Tradition oder seiner Religion konnte ihm helfen. Je mehr er flehte und in der Finsternis um sich schlug, desto trauriger wurde sein moralischer Zustand: Nacht von allen Seiten!

Nach langen Monaten beschließt er, seinem Leben ein Ende zu setzen. Er will sich an einem Baum des Dorfes erhängen. Aber unter seinem Gewicht von mehr als hundert Kilo bricht der Ast ab. Benommen und durchgeschüttelt fängt er an, sich die wirklich bedeutsamen Fragen zu stellen: Gibt es Gott? Und wer ist es? Könnte Er mich heilen?

In der Bibel, aus der man ihm vorliest, findet er Jesus Christus, den Erretter, Den, der ihn von der Angst vor dem Teufel und dem Tod befreit, den allmächtigen Gott. Bouba übergibt Ihm sein ganzes Leben. Was für eine Verwandlung – auch wenn er für immer blind ist!

Gott hat uns errettet aus der Gewalt der Finsternis.

Kolosser 1,13

Jesus hat durch den Tod den zunichtegemacht, der die Macht des Todes hat, das ist den Teufel, und alle die befreit, die durch Todesfurcht das ganze Leben hindurch der Knechtschaft unterworfen waren.

Hebräer 2,14.15

Befreit (2)

Nach dem Selbstmordversuch stellte Bouba, der nun Christ geworden war, sich die Frage: Kann Gott mir eine Aufgabe anvertrauen, so dass ich Ihm trotz meiner Blindheit dienen und nützlich sein kann? – Sehen wir, was weiter geschieht:

Blind bleiben würde er; er wusste, dass das der Wille Gottes für ihn war. Aber er war ein Mensch geworden, der Freude ausstrahlte und für seinen Meister tätig war. Nicht wenige seiner Dorfbewohner waren durch sein Zeugnis Christen geworden. Sie hatten ihre Fetische zerstört. Und ihre Häuser, Felder und Wege machten einen gepflegten Eindruck.

Doch eines Tages gab es bittere Tränen im Dorf. Eine junge Frau war im Wochenbett gestorben. Gerade wollte man sie begraben, und das reizende Neugeborene sollte nach der dortigen Tradition ebenfalls, und zwar lebend, mit seiner Mutter begraben werden. Empört über diesen Gedanken entschloss sich Bouba, das Baby in seine Familie aufzunehmen, es zu ernähren und sich darum zu kümmern.

Das wurde der Anfang zu einem Waisenhaus, in dem arme Kinder glücklich leben können. Sie haben genug zu essen, und sie lernen den wahren Gott und seinen Sohn Jesus Christus kennen. Auch die Stimmung im Dorf ist friedlich, seitdem der Häuptling selbst und viele andere den Frieden kennengelernt haben. Bouba wünscht, dass auch die Übrigen noch von ihren Ängsten frei werden und eine sichere Zukunft bei Jesus finden im Vertrauen auf seine Zusagen.

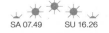

Gebt acht, dass nicht jemand da sei, der euch als Beute wegführt durch die Philosophie und durch eitlen Betrug, nach der Überlieferung der Menschen.

Kolosser 2,8

Jemand sagte einmal etwas scherzhaft, die vielen verschiedenen Kopfschmerztabletten, die im Handel sind, seien der beste Beweis dafür, dass es in Wirklichkeit gar keine gebe. Wir verstehen, was gemeint ist: Wenn es eine Sorte gäbe, die vollkommen wirkt, dann brauchte man nur diese eine.

Ist es mit der Philosophie nicht ebenso? Es gibt so viele verschiedene Philosophien wie Philosophen. Jeder Denker, der die letzten Dinge des Daseins, den Sinn des Lebens, das Woher und Wohin des Menschen von sich aus zu ergründen sucht, baut sich sein eigenes Gedankengebäude. Aber was kann uns das helfen? Es sind ja Produkte desselben menschlichen Geistes, der auf der Suche nach Erkenntnis ist. Ein leeres Gefäß kann doch nicht zugleich die Quelle sein, die es füllt! Nein, die Quelle der Erkenntnis über uns selbst muss außerhalb von uns liegen.

Diese Quelle ist allein Gott. Er hat sich offenbart in seinem Wort und durch die Sendung seines Sohnes Jesus Christus. Aber die Ablehnung dieser Offenbarung ist das Einzige, worin sich die meisten Philosophen einig sind, denn das ist das Ziel des Menschen überhaupt: ohne Gott auszukommen.

Ist es nicht auffallend, dass der Heilige Geist auch gläubige Christen wie die Kolosser warnt, es könnte „jemand" sie durch diese Dinge „als Beute wegführen"? Auch wird heute in der Literatur manches als „christlich" angeboten, was rein menschlichen Überlegungen entspringt und uns vom geraden Weg göttlicher Erkenntnis wegführt. Wie wichtig ist es, dass wir unser Denken exakt am Wort Gottes ausrichten!

---

2. Chronika 10,1-19
Offenbarung 2,1-7

SA 07.51   SU 16.25

MA 07.25   MU 16.47

... solche, die das Werk des Gesetzes geschrieben zeigen in ihren Herzen, wobei ihr Gewissen mitzeugt und ihre Gedanken sich untereinander anklagen oder auch entschuldigen.

Römer 2,15

Gedanken zum Römerbrief

Unter den verachteten Heiden gab es Einzelne, die „von Natur" den Forderungen des Gesetzes entsprachen, obwohl sie es gar nicht kannten. So zeigten sie, dass „das Werk des Gesetzes" in ihren Herzen geschrieben war. Sie hielten es für Recht, den Schöpfer-Gott zu ehren und den Eltern mit Ehrerbietung zu begegnen. Sie hielten es für Unrecht, zu morden oder zu stehlen.

Ihr Gewissen bildete den „Zeiger", die sittliche Instanz, die ihnen angab, ob sie auch entsprechend ihrem natürlichen moralischen Empfinden lebten.

Diese (seltenen) Fälle von Heiden, die nicht in der Finsternis des Götzendienstes und der Sittenlosigkeit lebten, mussten sich die selbstgerechten Juden, die an der Botschaft des Apostels Anstoß nahmen, vorhalten lassen. Solche Heiden haben Gott nicht von sich aus gesucht und zählen nicht „von Natur" aus zu den „Gerechten". Und auch sie sind nicht „aus Werken" gerechtfertigt worden (Römer 3,9-12.20).

Wie Gott an den Herzen solcher Heiden gewirkt hat, *wie* Er sie gerettet und ihnen geistliches Leben geschenkt hat, das den Willen Gottes zu tun sucht – darüber liegt ein Schleier, der sich im Buch Hiob ein wenig lüftet.

Hiob gehörte nicht zum Volk Israel und lebte vor der Zeit des Gesetzes. Und doch mied er jeden Götzendienst und alle Sittenlosigkeit, ja er war „vollkommen und rechtschaffen und gottesfürchtig und das Böse meidend". Dabei war er nicht völlig frei von Selbstgerechtigkeit. Doch in seiner Leidensgeschichte lernte er sich selbst besser kennen und klammerte sich ganz an *seinen Erlöser* (Hiob 1,1.5; 19,25-27; 42,6).

---

2. Chronika 11,1-23
Offenbarung 2,8-11

SA 07.52   SU 16.24   MA 08.30   MU 17.34

Montag **24** November

Trachtet zuerst nach dem Reich Gottes und nach seiner Gerechtigkeit, und dies alles wird euch hinzugefügt werden.

Matthäus 6,33

Ein Vogel eilt zur Schlinge und weiß nicht, dass es sein Leben gilt.

Sprüche 7,23

Die pflanzliche Falle

Ein Tourist durchwanderte die Antilleninsel Jamaika mit einem einheimischen Führer. Einmal bemerkte er am Wegrand einen Strauch von einer ihm unbekannten Art. Er folgte dem Vorschlag seines Führers und trat nahe an den Strauch heran. Als seine Kleidung mit den Blättern in Berührung kam, hefteten diese sich so wirkungsvoll an ihn, dass er ganz gefangen und festgehalten war.

Während der Tourist die kleinen Widerhaken der Blätter einen nach dem anderen vorsichtig löste, bemerkte er auf einmal, wie ihn nun auch der benachbarte Strauch erfasste. Es kostete ihn viel Mühe, bis er sich endlich befreit hatte. – Die Jamaikaner nennen diese Pflanze Wait-a-bit (Warte-ein-wenig).

Auf dem Lebensweg jedes Menschen tun sich viele Fallen auf. Die gefährlichsten sind vielleicht solche, die man „Warte-ein-wenig" nennen kann. Wenn sich jemand daran gibt, über die Ewigkeit nachzudenken, nehmen ihn auf einmal die verschiedensten oberflächlichen Beschäftigungen in Anspruch. Sie alle flüstern ihm ins Ohr: „Warte noch ein wenig!"

Auch gläubige Christen kennen das Problem. Auch sie lassen sich zu oft von oberflächlichen Zerstreuungen die Zeit stehlen. Nur zu schnell treten diese an die Stelle dessen, was in unserem Leben Priorität haben sollte. Seien wir also vor dieser „Falle" auf der Hut, und erinnern wir uns an das, was wirklich wichtig ist: die reale und bewusst gelebte Beziehung zu unserem Schöpfer und Herrn!

Dienstag **25** November

Schaffe uns Hilfe aus der Bedrängnis! Menschenrettung ist ja eitel.
Psalm 108,13

Nur auf Gott vertraue still meine Seele, denn von ihm kommt meine Erwartung.
Psalm 62,6

Er ist besorgt für euch.
1. Petrus 5,7

Hilfe in der Bedrängnis

Wie schwierig ist es doch, anderen Menschen Trost zu bringen, wenn sie durch eine schwierige Situation belastet und niedergedrückt sind! Wir fühlen, dass wir an dieser Stelle kaum dazu in der Lage sind. Aber wir möchten eine Botschaft an Sie richten, der kein menschliches Mitgefühl gleichkommt: *Gott liebt Sie!*

Viele Fragen können während einer Notzeit in uns aufsteigen: Warum gibt es überhaupt diese Schwierigkeiten? Kommen sie wirklich von einem Gott, der liebt?

Viele Menschen, die in einer solchen Lage waren, haben erkannt: Gott will mich die Vorläufigkeit und Zerbrechlichkeit des irdischen Lebens empfinden lassen und die Vergänglichkeit aller zeitlichen Werte und Güter. Er will meinen Blick auf Jesus Christus richten und auf die Ewigkeit.

Für alle, die ihr Vertrauen auf Jesus Christus setzen, gibt es eine Zukunft in ewigem Glück bei Christus in der Herrlichkeit. Er ist am Kreuz für unsere Sünden gestorben, um unsere Schuld zu sühnen und uns zu Gott zurückzuführen. Und allen, die an Ihn glaubten und Ihn als ihren Retter annahmen, gab Er das Recht, Kinder Gottes zu werden. Damit verbunden ist die sichere Zukunft im Vaterhaus Gottes (Johannes 1,12; 14,2.3).

Und solange die Gläubigen noch auf dem Weg dorthin sind, gelten ihnen die Zusagen Jesu:

„Ich will dich nicht versäumen und dich nicht verlassen."
Hebräer 13,5

„Und siehe, ich bin bei euch alle Tage."
Matthäus 28,20

---

2. Chronika 13,1-12
Offenbarung 2,18-29

SA 07.55 SU 16.22   MA 10.23 MU 19.34

Mittwoch 26 November

> *Du sollst den* HERRN*, deinen Gott, lieben mit deinem ganzen Herzen und mit deiner ganzen Seele und mit deiner ganzen Kraft.*

5. Mose 6,5

König Friedrich Wilhelm I. von Preußen trug mit tief greifenden Reformen sehr zum Aufstieg seines Staates und zum Wohl seiner Untertanen bei. Aber seine Vorstellungen von Sparsamkeit, Disziplin und Pflichttreue riefen bei vielen Untertanen eher Furcht als Liebe hervor.

Wenn der König in Berlin mit einem Bambusrohr in der Hand ausging, ging man ihm gern aus dem Weg. Einmal nahm ein Mann geradezu Reißaus vor ihm. Friedrich Wilhelm eilte ihm nach und fragte, warum er fortlaufe. Als der Mann sagte, dass er sich vor dem König fürchtete, prügelte der ihn mit den Worten durch: „Nicht fürchten – lieben, lieben sollt ihr mich!" Doch Liebe kann nicht *erzwungen* werden. Sie wird nicht durch Gebote geweckt.

Warum aber hat dann Gott im Alten Testament dieses Gebot erlassen? – Das geschah, weil wir *lernen* müssen, dass wir unsere Bestimmung als Geschöpfe verfehlt haben und Gott aus uns selbst gar nicht mehr lieben können. Ja, weil der Mensch ein Sünder ist, ein Feind Gottes, läuft er nach Möglichkeit vor Ihm weg.

Aber da geschieht das Wunder der Gnade: Gott holt uns ein. Nicht mit dem „Stock", sondern in der Person seines geliebten Sohnes, den Er für uns gegeben hat: „Hierin ist die Liebe: nicht dass *wir* Gott geliebt haben, sondern dass *er* uns geliebt und seinen Sohn gesandt hat als Sühnung für unsere Sünden" (1. Johannes 4,10).

Sind wir schon stehen geblieben? Haben wir die Liebe Gottes ganz persönlich erfahren? Besitzen wir die Gewissheit, dass unsere Sünden vergeben sind? – Dann ist uns die Furcht vor Gott genommen, und dann können auch wir Ihn lieben: „*Wir* lieben, weil *er* uns zuerst geliebt hat" (1. Johannes 4,19).

Denn der Herr hatte das Lager der Syrer ein Getöse von Wagen und ein Getöse von Pferden hören lassen ... Und sie machten sich auf und flohen in der Dämmerung.

2. Könige 7,6.7

Wer aufmerksam die Bibel liest, wird dabei Gott in seiner Allmacht kennenlernen. Dadurch wird das Vertrauen zu Ihm gestärkt. Jemand sagte einmal: Gott tut das Unerwartete. Wir fügen hinzu: ... und oftmals das Nächstliegende.

Die Stadt Samaria machte wohl die schlimmste Belagerung ihrer Geschichte durch. Starke syrische Heereskräfte hatten die antike Metropole so abgeschnürt, dass es zu einer furchtbaren Hungerkatastrophe kam. Taubenmist als Nahrungsmittel wurde mit Silber aufgewogen. Fälle von Kannibalismus der schlimmsten Art werden berichtet. Dazu die drängende Ungewissheit. Die Lage war hoffnungslos.

Zu dieser Zeit kündigt Gott nicht nur Rettung, sondern eine grundlegende Verbesserung der Ernährungssituation an. Hätten Sie den Worten des Propheten Gottes wohl geglaubt, wo doch alles dagegensprach? Glauben entgegen aller menschlichen Vernunft, in dieser verzweifelten Lage? Und natürlich gab es auch damals kluge Leute, die den Ausspruch Gottes total in Frage stellten.

Doch gerade in dieser Situation zeigt der große Gott, wer Er ist. Er lässt die Belagerungsarmee ein Geräusch hören – nur ein Getöse, mehr nicht –, und das gewaltige Heer löst sich in ungeordneter Flucht auf. Den Tross mit unschätzbaren Gütern lassen sie vor den Mauern Samarias zurück, der Plünderung der Ausgehungerten preisgegeben. – Kein fremdes Heer, keine Naturkatastrophe oder was man sich sonst Schlimmes denken könnte: nur eine Geräuschwahrnehmung! Fast möchte man hier auch eine gewisse Ironie in Gottes Handeln bewundern.

---

2. Chronika 14,1-14
Offenbarung 3,7-13

 SA 07.58   SU 16.20

 MA 11.48   MU 21.58

> *Ich habe ja niemand, der mich erkennt; verloren ist mir jede Zuflucht, niemand fragt nach meiner Seele.*
>
> Psalm 142,5

Eine ältere Frau kommt aus dem Friedhof, tränenüberströmt. „Mein Mann ist vor Kurzem gestorben, ich bin ganz allein, habe niemand, der sich um mich kümmert."

Die Frau tut mir leid. Sie redet sich die Not von ihrer Seele. Ich höre ihr zu. Allmählich versiegen ihre Tränen. „Wenn auch kein Mensch nach Ihnen fragt, Jesus Christus weiß um Ihre Not, zu Ihm dürfen Sie kommen. Er will und kann Sie trösten mit seinem vollkommenen Trost. Ich habe hier einen Bibellesekalender, den möchte ich Ihnen gern schenken." Als ich das Tagesdatum aufschlage, liest sie den Titelvers und ruft überrascht aus: „Oh, das ist ja gerade für mich: ‚Niemand fragt nach meiner Seele.' Bitte, geben Sie her."

Wir stehen noch eine Zeit beisammen, dann verabschiedet sie sich, sichtlich getröstet. Vielleicht hat sich an ihr das Wort aus Jesaja 38,17 erfüllt: „Siehe, zum Heil wurde mir bitteres Leid: *Du* zogst liebevoll meine Seele aus der Grube der Vernichtung." Gott kann also auch Leiden benutzen, um einen Menschen dahin zu führen, dass er die Errettung seiner Seele vom ewigen Verderben im Glauben annimmt.

Wie man den Ackerboden vor der Saat pflügen muss, so sucht auch Gott oft durch Leid den „Herzensboden" des Menschen aufzulockern, damit der „Same" des Wortes Gottes fruchtbringend hineinfallen kann. Wer sich aber in Bitterkeit verhärtet, bei dem bleiben diese Bemühungen fruchtlos. Gott will in seiner Liebe, dass alle Menschen einmal dort sind, wo es weder Tod noch Trauer oder Tränen mehr gibt: bei Christus in der Herrlichkeit des Himmels. – Kinder Gottes wissen sich hier schon geborgen und getröstet in den Armen Gottes und der Liebe Jesu.

---

2. Chronika 15,1-19
Offenbarung 3,14-22

 SA 08.00   SU 16.20

 MA 12.21   MU 23.14

Mit einem Opfer hat Jesus Christus auf immerdar die vollkommen gemacht, die geheiligt werden.

Hebräer 10,14

Der amerikanische Evangelist Ironside erzählt: „Als ich mich bekehrte, glaubte ich, dass alle meine Sünden, die ich bis zu diesem Augenblick begangen hatte, vergeben und vergessen seien. Ich dachte: Gott hat mir einen Neuanfang geschenkt; und wenn ich nun das Blatt meines Lebens bis an mein Lebensende unbefleckt erhalte, dann werde ich in den Himmel kommen. Wenn ich es aber nicht rein erhalte, bin ich kein Christ mehr. Dann muss ich mich wieder von neuem bekehren."

Er stellte sich also vor, dass jedes Mal, wenn er sich bekehrte, die Vergangenheit durch das Blut Jesu geordnet sei – aber für die Zukunft trage er wieder allein die volle Verantwortung.

Dann fährt er fort: „Doch wie sehr wird Gott durch diese Auffassung von der Versöhnung entehrt! Wenn die Sünden *vor* meiner Bekehrung nur durch das Blut Christi gesühnt werden konnten, wie sollten dann die Sünden gesühnt werden, die ich *nach* der Bekehrung getan und vor Gott bekannt habe? Die einzige Grundlage auf der Gott die Sünden vergibt, ist das Blut Christi. Sein Blut wurde *ein für alle Mal* am Kreuz vergossen, und dadurch wurde meine Sache mit Gott *ein für alle Mal* geordnet."

Der Herr Jesus Christus ist also nicht nur für die Sünden gestorben, die gläubige Christen *vor* ihrer Umkehr zu Ihm getan hatten, sondern für *alle* ihre Sünden. Wäre das nicht so, dann könnte niemand je errettet werden.

Der heutige Tagesvers lehrt uns: Wenn jemand durch die Güte Gottes zur Buße und zur Umkehr geleitet worden ist, wenn er durch den Glauben an Jesus Christus von neuem geboren ist, dann steht er *für immer* im vollgültigen Wert des Sühnopfers Jesu Christi vor Gott.

Sonntag 30 November

Denn so viele ohne Gesetz gesündigt haben, werden auch ohne Gesetz verloren gehen; und so viele unter Gesetz gesündigt haben, werden durch Gesetz gerichtet werden ... an dem Tag, da Gott das Verborgene der Menschen richten wird nach meinem Evangelium durch Jesus Christus.

Römer 2,12.16

Gedanken zum Römerbrief

Gottes Gericht ist *„nach der Wahrheit"* (V. 2), nach der tatsächlichen Wirklichkeit im Leben der Menschen. Gott wird „jedem vergelten *nach seinen Werken"* (V. 6) – eine gerechte Vergeltung nach dem Grundsatz von Saat und Ernte.

Hier betont Paulus: *„nach meinem Evangelium",* wenn er vom kommenden Gericht spricht. Denn das Evangelium der Gnade und Herrlichkeit, das er verkündigt, kennt keine allgemeine Versöhnung aller Menschen (Allversöhnung).

Niemals zuvor war Gottes *Liebe,* aber auch Gottes *Gerechtigkeit* so vollständig offenbart worden wie jetzt im Evangelium. Und gerade deshalb kann der Mensch „das Wort vom Kreuz" nicht ohne ewige Folgen zurückweisen. Gottes Sohn ist freiwillig für verlorene Sünder ans Kreuz gegangen und gestorben. Daher beurteilt Gott nun jeden Menschen danach, wie er zu seinem Sohn steht.

Wer sich nicht durch „die *Güte* Gottes zur Buße leiten" und „zum Sohn ziehen" lässt, der wird einmal von der *Gerechtigkeit* Gottes gerichtet werden. In diesem Gericht wird alles im Licht Gottes beurteilt werden, auch „das Verborgene der Finsternis" und „die Überlegungen der Herzen" (Römer 2,4; Johannes 6,44; 1. Korinther 4,5).

Gott wird *durch Jesus Christus* Gericht halten. Er hat „das ganze Gericht dem Sohn gegeben" (Johannes 5,22). Das bedeutet auch: An Jesus Christus, dem Sohn Gottes, kommt niemand vorbei. Entweder lerne ich Ihn jetzt auf der Erde als meinen Retter kennen, oder ich muss Ihm in der Ewigkeit als meinem Richter begegnen.

---

2. Chronika 17,1-19
Offenbarung 5,1-14

 SA 08.03　SU 16.18

 MA 13.19　MU 00.30

Jesus Christus empfing von Gott, dem Vater, Ehre und Herrlichkeit, als von der prachtvollen Herrlichkeit eine solche Stimme an ihn erging: „Dieser ist mein geliebter Sohn, an dem ich Wohlgefallen gefunden habe." Und diese Stimme hörten wir vom Himmel her ergehen, als wir mit ihm auf dem heiligen Berg waren.

2. Petrus 1,17.18

Der Bericht von der Verklärung des Herrn Jesus ist uns in drei Evangelien überliefert. Es war ein einzigartiger Augenblick im Leben des Herrn auf der Erde gewesen, an den die Augenzeugen Petrus, Jakobus und Johannes sich ihr Leben lang erinnerten. Während eines kurzen Augenblicks sahen sie die zukünftige Herrlichkeit des Herrn, den sie liebten und dem sie vertrauten. Es war, als ob sich ein Vorhang kurz gehoben hätte.

Jesus, der Sohn Gottes, hat nämlich während seines Lebens auf der Erde seine göttliche Herrlichkeit verborgen. Er hat in Armut gelebt, ohne ein eigenes Heim. Er hat Hunger, Durst und Müdigkeit gekannt, hat gelitten und schließlich den Tod erduldet. Aber bei der „Verklärung" ist Er seinen Jüngern für einige Augenblicke in himmlischer Pracht erschienen. Die Jünger, die angesichts einer solchen Herrlichkeit völlig überrascht waren, vernahmen die Worte Gottes: „Dieser ist mein geliebter Sohn; ihn hört!"

Diese Erscheinung hat ihr Vertrauen in die Macht und auf das Wiederkommen des Herrn Jesus gestärkt. Später haben sie im Licht dieses Ereignisses auch verstanden, warum Jesus gekreuzigt werden musste. Denn Mose und Elia besprachen mit Jesus den Tod, der Ihm in Jerusalem bevorstand. Sein Tod sollte die machtvolle Tat der Erlösung sein, die allen Errettung bringt, die an Ihn glauben. Er allein konnte der Retter der Welt sein, denn Er ist zugleich vollkommener Mensch und der ewige Sohn Gottes. Er ist „Gott, gepriesen in Ewigkeit" (Römer 9,5).

---

2. Chronika 18,1-34
Offenbarung 6,1-8

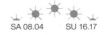 SA 08.04   SU 16.17

 MA 13.47   MU 01.45

Dienstag — 2 — Dezember

Getrennt von mir könnt ihr nichts tun.

Johannes 15,5

Ganz verwirrte Fäden

In einer Textilfabrik, wo sehr komplizierte Maschinen arbeiten, ist auf einem Schild für die Angestellten zu lesen: *Bei verhaspelten Fäden den Vorarbeiter rufen!*

Einmal geschah Folgendes: Bei der Maschine einer tatkräftigen, geschickten Arbeiterin hatten sich die Fäden verfangen. Sofort machte sie sich daran, sie zu entwirren. Aber alle Bemühungen führten nur dazu, die Sache noch schwieriger zu machen. Schließlich rief sie erschöpft und missmutig den Vorarbeiter zu Hilfe.

„Sie haben schon selbst versucht, das zu entwirren?", sagte er. – „Ja." – „Warum haben Sie mich denn nicht gerufen, wie es vorgeschrieben ist?" – „Ich habe mein Bestes getan", antwortete die Arbeiterin. – „Aber ‚das Beste' in einem solchen Fall ist, mich kommen zu lassen. Denken Sie bitte künftig daran!"

Wie viele Menschen gleichen dieser Frau! Sie sind ehrlich, mutig und fleißig. Sie wollen das Leben in eigener Kraft meistern. Aber wenn sich die Umstände schwieriger gestalten, stoßen sie an ihre Grenzen; sie können ihre Probleme nicht mehr entwirren. – Das gilt vor allem für die Beziehung des Menschen zu Gott. Viele mühen sich ab, die Lösung zu finden, doch alle Anstrengungen sind vergebens. Schließlich sind sie ganz entmutigt.

Wenn jemand sich in einer solchen Lage befindet, ist die einzige Lösung, zu Jesus Christus zu gehen. Damit vergibt man sich nichts. Er ist die Antwort für unsere Probleme. Und ohne Ihn können wir nichts tun.

Niemand kann es selbst erringen,
Jesus nur kann es vollbringen

---

2. Chronika 19,1-11
Offenbarung 6,9-17

SA 08.06   SU 16.17    MA 14.15    MU 03.00

Wir aber predigen Christus als gekreuzigt, den Juden ein Anstoß und den Nationen eine Torheit; den Berufenen selbst aber ... Christus, Gottes Kraft und Gottes Weisheit.

1. Korinther 1,23.24

Das sprechende Buch

In der ersten Hälfte des 18. Jahrhunderts hatten einige Missionare schon längere Zeit auf Grönland unter den Eskimos gearbeitet, aber zunächst ohne sichtbaren Erfolg.

Eines Tages, als der Missionar Johannes Beck mit der Übersetzung der Evangelien ins Grönländische beschäftigt war, traten einige Eskimos in seine Hütte und sahen ihm mit Verwunderung zu. Beck erklärte ihnen: „Die Zeichen, die ich hier schreibe, werden zu Worten, und so kommt es, dass ein Buch sprechen kann."

„Ja, was sagt dein Buch denn?", fragte einer von ihnen, ein Räuberhauptmann namens Kajarnak. Daraufhin las Beck ihnen den Bericht von den Leiden Christi vor.

„Aber ich bitte dich", unterbrach Kajarnak den Missionar, „was hat dieser Mann denn getan? Hat er jemand beraubt?" – „Nein!" – „Weshalb soll er dann sterben?" – Beck erklärte ihm: „Dieser Mann hat nichts Böses getan; aber Kajarnak hat Böses getan. Dieser Mann hat niemand beraubt; Kajarnak aber hat viele beraubt. Dieser Mann hat niemanden ermordet, Kajarnak aber hat seinen Bruder und sein Kind getötet. Dieser Mann ist für Kajarnak gestorben, damit Kajarnak nicht in seinen Sünden sterben muss."

Das ging dem harten Mann zu Herzen. Mit bewegter Stimme bat er den Missionar: „Erzähle mir das noch einmal, denn ich möchte gern selig werden!" – Und dann wurden Kajarnak und seine Familie die ersten Grönländer, die Jesus Christus als Retter und Herrn annahmen und ein völlig neues Leben begannen.

Und ich sah die Toten, die Großen und die Kleinen, vor dem Thron stehen, und Bücher wurden geöffnet; und ein anderes Buch wurde geöffnet, welches das des Lebens ist. Und die Toten wurden gerichtet nach dem, was in den Büchern geschrieben war, nach ihren Werken.

Offenbarung 20,12

Nicht von ungefähr stellt Gott auf den letzten Seiten seines Buches, der Bibel, dieses ernste Ereignis vor unsere Blicke: das Gericht über die Toten vor dem Thron des Weltenrichters. Gott wollte noch einmal ganz deutlich davor warnen – vor diesem endgültigen Gericht über alle, die im Unglauben gestorben sind.

Keiner wird dort sein, der mit seiner Sündenschuld zu Jesus Christus gekommen ist und im Glauben an Ihn das Heil ergriffen hat. Doch alle sind dort, die Christus als Retter und Herrn abgelehnt haben.

„Bücher wurden geöffnet" – natürlich keine Bücher aus Papier. Notizen solcher Art hat Gott nicht nötig. Aber es wird sich zeigen, dass vor Ihm keine Sünde vergessen ist. Alle Verurteilten werden anerkennen müssen, dass Gott vollkommen gerecht richtet – „nach ihren Werken".

Und dann ist da noch „das Buch des Lebens". Darin sind keine Taten verzeichnet, sondern Namen. Doch von denen, die dann gerichtet werden, wird sich kein Name darin finden. Man könnte sagen, diese doppelte Bestätigung ist Gott sich selbst schuldig wegen seiner absoluten Gerechtigkeit.

Und wer wird der Richter sein? Es ist Jesus Christus – derselbe, der am Kreuz das Strafgericht Gottes erduldet hat, damit sündige Menschen von aller Schuld freigesprochen werden können. Jetzt noch ruft Christus jedem zu: „Lass dich versöhnen mit Gott!" – Wie antworten wir darauf? Davon hängt es ab, ob Er unser *Retter* ist oder unser *Richter* sein wird.

Freitag 5 Dezember

Nimm dir eine Buchrolle und schreibe darauf alle Worte, die ich zu dir geredet habe ... Vielleicht wird das Haus Juda auf all das Böse hören, das ich ihnen zu tun gedenke, damit sie umkehren, jeder von seinem bösen Weg, und ich ihre Ungerechtigkeit und ihre Sünde vergebe.

Jeremia 36,2.3

„Es gibt etwas, was mir jedes Vergnügen vergällt, was mich wie ein ständiger Störenfried verfolgt", erzählte ein Ungläubiger einem seiner Freunde. „Weißt du, was das ist? Ich kann den Gedanken nicht loswerden: ‚Und wenn die Bibel doch recht hätte?'"

Ein Schüler fragte einmal seinen Philosophielehrer, der im Unterricht wie auch privat, keine Gelegenheit ausließ, die Bibel anzugreifen: „Meinen Sie nicht, dass Sie der Bibel zu große Bedeutung beimessen, wenn Sie immer wieder versuchen, sie zu widerlegen? Warum lassen Sie sie nicht in Ruhe?" – „Weil sie mich nicht in Ruhe lässt", gestand der Lehrer.

Unser Bibelwort zeigt, warum Gott uns in seinem Wort auch eindringliche Warnungen mitteilt. Er möchte, dass wir zu Ihm umkehren, damit Er unsere Verfehlungen vergeben kann und uns sein Gericht nicht treffen muss.

Damals ließ sich der König Jojakim die Worte Gottes an den Propheten Jeremia aus der Buchrolle vorlesen. Aber die Mahnungen Gottes waren ihm unbequem. Er wollte sein Leben nicht ändern. Und das zeigte er auch ganz deutlich. Immer wieder, wenn der Vorleser einige Spalten vorgelesen hatte, schnitt der König dieses Stück von der Buchrolle ab und warf es ins Feuer, bis die ganze Rolle verbrannt war.

Das war es dann? – Nein, Gott wachte über sein Wort, und zwar in doppeltem Sinn. Erstens schrieb Jeremia die Worte Gottes in seinem Auftrag erneut auf eine Rolle; und zweitens gingen die Worte Gottes – seine Gerichtsankündigung – vollständig in Erfüllung.

---

2. Chronika 20,24-37
Offenbarung 8,1-13

 SA 08.09   SU 16.15

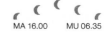 MA 16.00   MU 06.35

> *Sie belauerten Jesus, ob er ihn am Sabbat heilen würde, um ihn anklagen zu können.*
>
> *Markus 3,2*

Es ist Sabbat, der letzte Tag der Woche, an dem sich die Juden gewöhnlich in der Synagoge treffen. Für diesen Tag hat das jüdische Gesetz eine strenge Arbeitsruhe vorgeschrieben. Heute begegnen sich dort zwei Personen: Erstens ist der Herr Jesus dort. Zweitens ist ein Mann anwesend, der eine verdorrte oder verkrüppelte Hand hat. – Was wird nun geschehen? Man hat ja erlebt, wie der Herr Jesus Kranke geheilt hat. Wird Er es heute wieder tun, auch wenn es Sabbat ist?

Plötzlich fordert Jesus den Kranken auf, sich in die Mitte zu stellen. Er fragt die jüdischen Schriftgelehrten: „Ist es erlaubt, am Sabbat Gutes zu tun oder Böses zu tun, Leben zu retten oder zu töten?" Mit dieser Frage haben sie nicht gerechnet. Und weil sie einen Vorwand suchen, um Jesus als Gesetzesbrecher anklagen zu können, schweigen sie einfach. Sie selbst kümmern sich auch am Sabbat um ihre Tiere, wenn diese in eine Grube fallen; aber dass die Heilung eines kranken Menschen am Sabbat erlaubt ist, wollen sie nicht zugestehen (Matthäus 12,11).

Da trifft der Blick des Herrn diese frommen Heuchler. Ein zorniger Blick, weil ihre Hartherzigkeit so offen zutage tritt, und ein betrübter Blick, weil sie sich der Gnade Gottes nicht öffnen wollen. Und dann heilt Jesus die Hand des Kranken mit einem gebietenden Wort.

Über die Reaktion des Geheilten lesen wir nichts. Aber wir können uns ausmalen, wie froh er gewesen ist. Und die Schriftgelehrten? Keine Freude, sondern nur Neid, Ablehnung und Hass. Die Pharisäer gehen hinaus und überlegen, wie sie Jesus umbringen können. – In Psalm 109,5 lesen wir: „Sie haben mir Böses für Gutes erwiesen und Hass für meine Liebe." Das hat der Sohn Gottes immer wieder erfahren.

Wenn du aber Jude genannt wirst und dich auf das Gesetz stützt und dich Gottes rühmst und den Willen kennst und das Vorzüglichere unterscheidest, da du aus dem Gesetz unterrichtet bist, und getraust dich, ein Leiter der Blinden zu sein, ein Licht derer, die in Finsternis sind, ein Erzieher der Törichten, ein Lehrer der Unmündigen, der die Form der Erkenntnis und der Wahrheit in dem Gesetz hat ...

Römer 2,17-20

Gedanken zum Römerbrief

Im ersten Kapitel hatte Paulus gezeigt, dass die Heiden wegen ihres Götzendienstes und ihrer Sittenlosigkeit verloren waren. Dann hatte er die „anständigen" Menschen unter den Heiden oder den Juden besonders angesprochen. Jetzt beginnt er, weitere Einwände der Juden gegen das Evangelium zu entkräften.

Die Juden hatten tatsächlich besondere Vorrechte von Gott empfangen; Paulus erkennt das an. Der Name „Jude" war für sie der Inbegriff dieser Vorrechte (Römer 3,1; 9,3-5; Galater 2,15). Sie besaßen das Gesetz; sie kannten den einen wahren Gott. Und sie waren auch über den Willen Gottes nicht unwissend; sie verstanden etwas vom „Vorzüglicheren" und stimmten ihm zu.

Ja, im Gesetz hatte Gott den Juden „die Form der Erkenntnis und der Wahrheit" anvertraut. Und was taten sie damit? Wenn Gott *gerade ihnen* die Wahrheit und die Erkenntnis gegeben hatte, dann waren auch *gerade sie* verpflichtet, danach *zu leben* und seinen Willen *zu tun*.

Leiteten die Juden sich gegenseitig dazu an, den Willen Gottes wirklich zu tun? – Nein! Dennoch trauten sie sich zu, die „blinden, törichten, unmündigen Heiden" zu belehren. Doch so konnten sie nur „blinde Leiter der Blinden" sein (Matthäus 15,14). In den Versen 21-23 führt Paulus den in Vers 17 begonnenen Wenn-Satz fort. Dort stellt er diesen moralischen Widerspruch deutlich heraus.

Das Wort Gottes ist lebendig und wirksam und schärfer als jedes zweischneidige Schwert und durchdringend bis zur Scheidung von Seele und Geist, sowohl der Gelenke als auch des Markes, und ein Beurteiler der Gedanken und Überlegungen des Herzens.

Hebräer 4,12

Paul behauptete, Atheist zu sein. Jedes Mal, wenn man in seiner Gegenwart ein religiöses Thema anschnitt, setzte er eine ironische Miene auf und wusste die Unterhaltung durch irgendeinen Einfall abzuschneiden.

„Informiere dich doch erst mal", sagte schließlich sein Kollege Philipp. „Lies die Bibel einmal gründlich, damit du weißt, wovon du redest." – „Gerade das will ich nicht", antwortete Paul. „Bei denen, die das angefangen haben, sehe ich zu oft, dass sie durch eine religiöse Krise gehen. Sie werden ernst, ändern ihr Leben und geben sogar alte Freunde auf. Nein, weißt du, ich möchte lieber bleiben, wie ich bin. Ich habe gute Kumpels und amüsiere mich gut. Warum soll ich mich quälen und mir Probleme und Schwierigkeiten machen?"

Was soll man von Pauls Einstellung halten? Er ahnte, dass das Wort Gottes die Kraft hat, Menschen umzuwandeln. Er hatte diese Kraft sogar an anderen wirken sehen, und er fürchtete sich davor. Er wollte das Wort Gottes nicht lesen aus Furcht vor den Folgen.

Wie leichtfertig, so an der Wahrheit vorbeizugehen, sogar davor zu fliehen und auf diese Weise mutwillig das ewige Leben von sich zu weisen, das Gott jedem Glaubenden anbietet! Der Herr Jesus Christus spricht von Menschen, die „die Finsternis mehr geliebt haben als das Licht".

Lesen Sie im Evangelium nach Johannes in Kapitel 3 die Verse 16 bis 19!

Wahrlich, wahrlich, ich sage dir: Wenn jemand nicht von neuem geboren wird, so kann er das Reich Gottes nicht sehen.

Johannes 3,3

Warum kann eigentlich ohne die neue Geburt niemand das Reich Gottes erleben? – Weil dazu eine völlig andere Art von Leben nötig ist, als wir es von Natur aus besitzen. Der Herr Jesus Christus sagt: „Was aus dem Fleisch geboren ist, ist Fleisch, und was aus dem Geist geboren ist, ist Geist" (Johannes 3,6). Ganz abgesehen davon, dass unser Leben durch zahlreiche Verfehlungen für Gott so untauglich ist, dass es mit Korrekturen und Reparaturen nicht in Ordnung gebracht werden kann, ist doch noch mehr nötig als das rein geschöpfliche Dasein.

Der Herr redete über die neue Geburt mit Nikodemus, einem Mann, dem nicht viele „das Wasser reichen konnten". Sein Lebensinhalt war die Bibel; er war ein anerkannter geistlicher Lehrer, darüber hinaus solide und fromm. Sollte nicht einmal *er* vor Gott bestehen können?

Doch nur eine Veränderung an der Wurzel, nur neues Leben von Gott, macht passend für das Reich Gottes. Aus eigener Kraft kann man ebenso wenig dazu beitragen, wie wir unsere natürliche Geburt selbst bewirken konnten. Der Weg dahin ist Christus selbst. „Jeder, der glaubt, dass Jesus der Christus ist, ist aus Gott geboren" (1. Johannes 5,1). Dazu wurde Er, der ewige Sohn Gottes, Mensch und starb für Sünder am Kreuz von Golgatha.

Wer heute anerkennt: Mein ganzes Ich muss erneuert werden, mein Leben ist unbrauchbar für Gott, ich brauche neues Leben – und dann im Glauben Zuflucht nimmt zu dem Heiland der Welt, darf darauf vertrauen: „Wer zu mir kommt, den werde ich *nicht* hinausstoßen." Dazu hat Gott seinen Sohn gegeben, dass „jeder, der an ihn glaubt, nicht verloren gehe, sondern ewiges Leben habe" (Johannes 6,37; 3,16).

---

2. Chronika 23,12-21
Offenbarung 11,1-11

 SA 08.14   SU 16.14

 MA 19.31   MU 10.04

Und es ist in keinem anderen das Heil, denn es ist auch kein anderer Name unter dem Himmel, der unter den Menschen gegeben ist, in dem wir errettet werden müssen.

Apostelgeschichte 4,12

Seit alter Zeit hatte die Menschheit neben dem Traum vom Fliegen oder dem Traum von der ewigen Jugend noch den Traum von einem „Perpetuum mobile". Es war der Traum, eine Maschine zu konstruieren, die einmal in Gang gesetzt wird und dann ohne Energiezufuhr ständig in Bewegung bleibt.

In der Neuzeit führten nüchterne Untersuchungen und Überlegungen zur Formulierung des Satzes von der Erhaltung der Energie. Spätestens da wurde klar, dass eine solche Maschine aus prinzipiellen Gründen gar nicht funktionieren kann. Der Traum vom Perpetuum mobile ist ausgeträumt.

Aber einen anderen Traum träumt die Menschheit unbeirrt weiter: das Trugbild von der Selbsterlösung. Viele glauben, dass sie sich aus der Verstrickung ihrer Schuld, in die sie sich selbst hineingebracht haben, auch aus eigener Kraft befreien können.

Um im Bild zu bleiben: Man meint, die „Energie", die man zum Unrechttun verbraucht, müsste auch ausreichen, um es ohne äußere Hilfe wieder ungeschehen zu machen. Doch weiß schon jedes Kind, dass man sich nicht selbst am eigenen Schopf aus dem Sumpf ziehen kann. Man braucht einen Retter.

Hier nun setzt Gottes Gnadenangebot an. Der Retter ist da: der Herr Jesus Christus. Ohne Ihn gibt es kein Heil. Niemand anders wäre fähig, uns von der Sünde und vom ewigen Verderben zu erretten. Gott hat seinen Sohn zum Retter und Herrn gegeben. Das ist entscheidend. Es gibt keine Berufungsinstanz, die das je umstoßen könnte.

---

2. Chronika 24,1-27
Offenbarung 11,12-19

 SA 08.15   SU 16.14

 MA 20.32   MU 10.39

Donnerstag **11** Dezember

Denn der Gott, der sprach: Aus Finsternis leuchte Licht, ist es, der in unsere Herzen geleuchtet hat zum Lichtglanz der Erkenntnis der Herrlichkeit Gottes im Angesicht Jesu Christi.

2. Korinther 4,6

Das Evangelium, die Botschaft vom Heil in Jesus Christus, ist ein helles Licht, das Gott in die dunkle Welt gesandt hat. Derselbe Gott, der schon bei Erschaffung der sichtbaren Schöpfung sprach: „Es werde Licht", hat damit erneut sein Wesen offenbart. Jeder kann erkennen, „dass Gott Licht ist", und zudem noch, dass „er Liebe ist" (1. Johannes 1,5; 4,8).

Das Evangelium beschränkt sich aber nicht auf das Heilsangebot an die Menschen, sondern umfasst auch die Mitteilung der Absichten Gottes in Bezug auf seinen Sohn und alle, die Ihm angehören. Als solches wird es das „Evangelium der Herrlichkeit des Christus" genannt (2. Korinther 4,4). Darum geht es in unserem heutigen Vers. Das Licht Gottes hat das Herz dessen, der an Christus glaubt, erleuchtet und dadurch „die Herrlichkeit Gottes im Angesicht Jesu Christi" für ihn erkennbar gemacht. Der Lichtglanz dieser Erkenntnis ist also die Wirkung des Evangeliums oder der Widerschein, den es im Herzen eines Christen hervorruft.

Darum hat jeder wahre Christ gleichsam ein „leuchtendes" Herz, denn das Wort Gottes sagt: „Einst wart ihr Finsternis, jetzt aber seid ihr Licht in dem Herrn" (Epheser 5,8). Ja, Jesus Christus ist das Bild Gottes, und wer Ihn mit erleuchtetem Herzen betrachtet, erkennt in Ihm die Herrlichkeit Gottes und wird von dieser Erkenntnis etwas widerstrahlen.

Beim Apostel Paulus und seinen Mitarbeitern war das sehr deutlich; aber sollte nicht auch bei allen, die Kinder Gottes geworden sind, wenigstens etwas davon zu sehen sein?

---

2. Chronika 25,1-28
Offenbarung 12,1-9

 SA 08.16   SU 16.14

 MA 21.34   MU 11.09

Nun aber bleibt Glaube, Hoffnung, Liebe, diese drei; die größte aber von diesen ist die Liebe.

1. Korinther 13,13

Eine Frau, mit der ich ins Gespräch komme, sagt mir, sie mache gerade geistliche Übungen, die der inneren Einkehr dienen sollen. Eigentlich dürfe sie nicht sprechen, da sie eine Schweigestunde habe. Das Thema der Exerzitientage war 1. Korinther 13, das Kapitel von der Liebe. Der Leiter hatte in einem Vortrag während dieser Tage folgende Auslegung gegeben, die sie sich auf einem Zettel notiert hatte: „Den Glauben finden wir bei den Moslems, die Hoffnung bei den Juden, die Liebe bei den Christen." – Was ist dazu zu sagen?

Ein Glaube, der kein *rettender Glaube* ist, kann uns nicht mit Gott ins Reine bringen. Wir brauchen Sicherheit für die Ewigkeit. Und die kann uns keine Religion bieten, die Jesus Christus nicht als den Sohn Gottes anerkennt und damit auch sein Erlösungswerk ablehnt. Jesus Christus allein ist der Weg zu Gott (Johannes 14,6).

Die Juden hatten eine *Hoffnung*. Sie erwarteten den im Alten Testament verheißenen Messias (Christus). Aber als Er kam, haben sie Ihn nicht angenommen. Doch auch sie können nur durch den Glauben an den Sohn Gottes errettet werden. Und in der Zukunft wird Christus die alten Verheißungen Gottes an Israel als Nation erfüllen, wenn ein „Überrest" des Volkes zu Ihm umkehrt (Sacharja 12,10).

Und die *Liebe,* von der in 1. Korinther 13 die Rede ist, finde ich auch nicht ohne Weiteres bei denen, die sich Christen nennen. Ich muss die Liebe Gottes selbst kennen. Wenn jemand an den Erlöser Jesus Christus glaubt, dann ist „die Liebe Gottes ausgegossen in sein Herz durch den Heiligen Geist" (Römer 5,5). Ohne diese Liebe ist auch bei den Christen alles letztlich nur „ein tönendes Erz oder eine schallende Zimbel".

Samstag 13 Dezember

Als ich täglich bei euch im Tempel war, habt ihr die Hände nicht gegen mich ausgestreckt; aber dies ist eure Stunde und die Gewalt der Finsternis.

Lukas 22,53

Die Botschaft von der Gnade Gottes, die Jesus Christus verkündigte, hat von Anfang an nicht nur Zustimmung, sondern auch erbitterten Widerstand hervorgerufen, vor allem bei den religiösen Führern seines Volkes, die Er in unserem Bibelwort anspricht.

Doch erst nach der Gefangennahme Jesu im Garten Gethsemane war die Zeit gekommen, in der man Ihm schwerste körperliche Qualen zufügte und Ihn schließlich ans Kreuz brachte. Es begann damit, dass Er geschlagen und bespuckt wurde. Später flochten die Soldaten eine Krone aus Dornen und setzten sie Ihm auf. Um die Schmerzen zu verstärken, schlugen sie dann mit einem Rohrstab darauf, so dass sich die Dornen tief eindrückten. Dann folgte die Geißelung, die der römische Statthalter Pilatus anordnete. Dazu benutzte man Lederriemen, an denen scharfe Metallteile befestigt waren – eine sehr schmerzhafte Foltermethode.

Danach wurde Jesus gekreuzigt. Seine Hände und seine Füße wurden von Nägeln durchbohrt. Sechs Stunden lang hing Er in den größten Leiden am Kreuz. Man verspottete Ihn: „Andere hat er gerettet, sich selbst kann er nicht retten" (Matthäus 27,42). Doch da irrten sich seine Feinde. Er *wollte* sich nicht aus dieser Lage befreien! Aus Liebe zu uns war Er bereit, all diese Schmerzen und den Tod zu erdulden. Diese Leiden hat Er auf sich genommen, um den Plan Gottes zu erfüllen. Sein Wille und der Wille Gottes stimmten ganz darin überein, dass Christus für sündige Menschen sterben sollte, damit wir gerettet werden können.

Was ist Ihre Antwort auf diese hingebungsvolle Liebe?

Der du nun einen anderen lehrst, du lehrst dich selbst nicht? Der du predigst, man solle nicht stehlen, du stiehlst? Der du sagst, man solle nicht ehebrechen, du begehst Ehebruch? Der du die Götzenbilder für Gräuel hältst, du begehst Tempelraub? Der du dich des Gesetzes rühmst, du verunehrst Gott durch die Übertretung des Gesetzes? Denn der Name Gottes wird euretwegen unter den Nationen gelästert, wie geschrieben steht.

Römer 2,21-24

Gedanken zum Römerbrief

In den Versen 17-20 hatte Paulus die besonderen Vorrechte der Juden anerkannt. Sie besaßen „die Form der Erkenntnis und der Wahrheit im Gesetz". Und was taten sie damit? Sie „stützten" sich darauf und meinten, die Heiden entsprechend belehren zu können.

Offensichtlich benutzten die Juden das Gesetz als Maßstab *für andere. Für sich selbst* aber sahen sie darin nur ein Schmuckstück, das sie zierte, oder eine Feder, die man sich an den Hut steckte. Diese Gefahr besteht auch heute, und zwar für alle, die sich „christlicher Werte" rühmen. Gottes Wort, die Bibel, ist uns nämlich vor allem dazu gegeben, dass wir „uns selbst lehren" und dann danach handeln.

Ob in den zwischenmenschlichen Beziehungen oder in Bezug auf Gott – diese Juden taten das Gegenteil von dem, was sie andere aus dem Gesetz lehrten. Zwar lehnten sie es ab, Götzen zu dienen, doch auch dem wahren Gott, zu dem sie sich bekannten, dienten sie nicht so, wie es Ihm zukam, sondern „beraubten" Ihn. Sie übertraten sein Gesetz in vielen Einzelheiten.

Durch den tatsächlichen Lebenswandel vieler Juden damals und vieler Christen heute wird den Heiden kein zutreffendes, sondern ein ganz verkehrtes Bild von dem wahren Gott vermittelt. Und deshalb wird „der Name Gottes gelästert"! (Vgl. Jesaja 52,5; Hesekiel 36,16-23.)

---

2. Chronika 27,1-9
Offenbarung 13,11-18

 SA 08.19   SU 16.14

 MA -.-   MU 12.22

Als er aus dem Schiff gestiegen war, kam ihm sogleich aus den Grüften ein Mensch mit einem unreinen Geist entgegen.

Markus 5,2

In diesem Bibelabschnitt finden wir das erschütternde Bild eines Menschen unter der Macht des Teufels. Dieser Mann hatte „seine Wohnung in den Grabstätten". Da, wo alles auf den Tod hinweist, war sein einsames Zuhause. Dorthin hatte der unreine Geist ihn gebracht. Und dieser Einfluss des Unreinen ist es, der auch heute Menschen zu den Stätten sündiger Vergnügungen hintreibt, wo sie dennoch einsam bleiben und von moralischem Tod umgeben sind.

Es war zwecklos, den gefährlichen, gewalttätigen Mann mit Ketten zu binden. Er hatte die Kraft, alle Fesseln zu zerreißen. Das traurige Fazit lesen wir in Vers 4: „Niemand vermochte ihn zu bändigen." Und das trifft grundsätzlich auf die menschliche Natur zu, die durch die Sünde verdorben und der Macht des Teufels unterworfen ist. Bei den meisten zeigt sich das nicht in solchen Auswüchsen wie bei diesem Mann. Doch wenn wir uns selbst im Licht Gottes sehen, müssen wir zugeben: Unsere sündige Natur lässt sich nicht „regulieren". Staatliche Gesetze, alle Gebote Gottes und auch wir selbst können sie nicht „bändigen" oder verbessern. Was wir brauchen, ist ein neues Herz, ein reines Herz!

Vers 5 erzählt, dass der Mann Tag und Nacht in den Grabstätten schrie und sich selbst mit Steinen zerschlug. Er war zutiefst unglücklich; aber er trug selbst noch dazu bei – er konnte ja nicht anders! –, dass es immer weiter bergab ging mit ihm.

Doch dann tritt Jesus in sein Leben und treibt den unreinen Geist aus. Das bewirkt eine radikale Veränderung. Ganz „vernünftig" sitzt er dann bei Christus. Und voller Freude erzählt er anderen, wie viel der Herr an ihm getan hat.

Ja, Jesus Christus kann ein Leben völlig neu machen!

---

2. Chronika 28,1-15
Offenbarung 14,1-8

 SA 08.20   SU 16.14

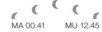 MA 00.41   MU 12.45

Dienstag **16** Dezember

Denn weil ... die Welt durch die Weisheit Gott nicht erkannte, so gefiel es Gott wohl, durch die Torheit der Predigt die Glaubenden zu erretten.

1. Korinther 1,21

Die Botschaft vom Kreuz, die der Prediger des Evangeliums zu verkündigen hat, ist im Grunde sehr einfach zu verstehen. So einfach, dass ungläubige Menschen sie als eine Torheit ansehen. Aber das Kreuz Jesu Christi ist nun einmal das Heilmittel für den Sündenschaden.

Als der bekannte Pfarrer Wilhelm Busch einmal in Oberstdorf das Evangelium predigte, war unter den Zuhörern auch eine Familie aus dem Siegerland. Die Eheleute und ihr 13-jähriger Sohn kamen jeden Abend und hörten aufmerksam zu. Später schrieb die Mutter dem Pfarrer, es sei beeindruckend gewesen, wie ihr Junge vom Evangelium gepackt worden sei. Er habe ihnen gesagt: „Also, Vater, Mutter, ich habe mich zu Jesus bekehrt." Zuerst dachten beide, auf das, was so ein Junge sagt, kann man nicht viel geben, der gibt leicht Stimmungen nach. Aber von da an sei er wie umgewandelt gewesen.

Doch dann schrieb die Mutter noch: „Und ein halbes Jahr später ist er gestorben. Ziemlich schrecklich gestorben, an Krebs." Herzbewegend sei es für sie, die Eltern, gewesen, wie freudig bei ihm im Sterben die Gewissheit war: „Ich gehe zu Jesus. Ich gehe jetzt zum Leben. Er hat mich erkauft. Er hat mich angenommen." Es habe ein Glanz der Ewigkeit über dem Sterben dieses Dreizehnjährigen gelegen, der damals in Oberstdorf – davon hatte Pfarrer Busch bis dahin noch nichts gewusst – vom Evangelium angerührt worden war.

Ist es nicht eindrucksvoll, wie der lebendige Gott wirkt? Wie Er einen 13-Jährigen anspricht, ihn zu sich zieht, ihm die Augen öffnet, dass er glauben kann und von da an weiß: Ich bin erlöst! Und wie dieser dann vorbereitet und glücklich in die Ewigkeit gehen kann!

---

2. Chronika 28,16-27
Offenbarung 14,9-20

 SA 08.21 SU 16.14

 MA 01.45 MU 13.08

Jesus sprach zu ihm: Wahrlich, ich sage dir: Heute wirst du mit mir im Paradies sein.

Lukas 23,43

Mit welchen Empfindungen mag dieser Räuber auf Jesus Christus geschaut haben? Zuerst hatten beide Verbrecher, die neben Jesus gekreuzigt worden waren, gespottet und gelästert, dann aber ging in der Seele dieses einen Räubers etwas vor: Er sah seine Schuld und erkannte sie an; er beugte sich unter die verhängte Strafe. Angesichts des baldigen Todes sah er klar. Und nachdem er zuerst seine eigene Schuld bekannt hatte, erkannte er die Reinheit und Schuldlosigkeit Jesu an.

Dann hatte er den Mut, zu bitten: „Gedenke meiner, Herr, wenn du in deinem Reich kommst!" Er ging davon aus, dass Jesus Christus einst das angekündigte Gottesreich aufrichten würde. So setzte er seine Hoffnung auf Christus und diese kommende Zeit. Und was für eine wunderbare Antwort empfängt er: „Heute wirst du mit mir im Paradies sein!"

Dieser Räuber ging an den gleichen Ort, den auch der Herr nach seinem Abscheiden betreten würde: ins Paradies Gottes. Jesus nahm in seinem Tod für ihn den Platz im Gericht Gottes ein; daher konnte der Räuber mit Jesus ins Paradies gehen. Und bald wird dieser Mann wie alle im Glauben Gestorbenen an seiner Herrlichkeit teilhaben. Seine Sünden waren vergeben.

Durch das Erlösungswerk Christi war der Räuber würdig gemacht worden, „heute", also noch am selben Tag, im Paradies zu sein. Wer heute seine Schuld bekennt und an Jesus Christus glaubt, dem wird die gleiche Gnade zuteil.

„Mit mir", sagt der Herr zu dem Räuber. Das war der Trost, den Er dem Mann geben konnte. Während Christus noch am Kreuz hing, sah Er in diesem Räuber schon eine Frucht seines Erlösungswerks.

---

2. Chronika 29,1-19
Offenbarung 15,1-8

 SA 08.22 SU 16.14

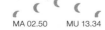 MA 02.50 MU 13.34

Der Sohn Gottes **kam in das Seine, und die Seinen nahmen ihn nicht an; so viele ihn aber aufnahmen, denen gab er das Recht, Kinder Gottes zu werden, denen, die an seinen Namen glauben.**

Johannes 1,11.12

Menschliche Brüderlichkeit

In seiner „Ode an die Freude" preist Friedrich Schiller die Brüderlichkeit aller Menschen in einer allumfassenden Freude. Die Ode wurde von Beethoven in seiner 9. Sinfonie vertont, und die Melodie wurde zur Europahymne.

Die edlen Beweggründe in solchen Aufrufen zur Beseitigung der Probleme in dieser Welt sind nicht zu übersehen. Was könnte der Mensch auch Schöneres träumen, als dass eines Tages – dank unseres guten Willens und unseres Einsatzes – eine Gesellschaft entsteht, in der alle sich Brüder nennen und sich tatsächlich auch wie Brüder verhalten.

Die Wirklichkeit aber lässt uns brutal aus diesem Traum erwachen. Immer noch wird unsere Welt von Kriegen, Kriegsdrohungen und Terror erschüttert. Vielfach bestätigt sich die alte lateinische Weisheit: „Der Mensch ist des Menschen Wolf." Und von wirklicher Brüderlichkeit ist auch in Europa wenig zu erkennen.

In diesem moralischen Chaos kann uns nur die Bibel als Führer dienen. Der Sohn Gottes ist wahrer Mensch geworden, doch ohne jede Sünde. Er ist gekommen, um uns von unseren Sünden zu erlösen. Und während viele Jesus Christus ablehnen, werden die, die an Ihn glauben, zu Kindern Gottes; und Jesus „schämt sich nicht, sie *Brüder* zu nennen" (Hebräer 2,11.14).

Das ist wirkliche und unzerstörbare Brüderlichkeit. Die Welt mag diese Brüderlichkeit ablehnen, aber die Glaubenden erfahren ihre Freude und ihre Kraft durch den Heiligen Geist, der sie zu einer Familie des Glaubens um ihren Herrn vereint.

Freitag 19 Dezember

Da schrien wiederum alle und sagten: Nicht diesen, sondern den Barabbas! Barabbas aber war ein Räuber.

Johannes 18,40

Der römische Statthalter Pilatus stand vor einer heiklen Entscheidung. Die Führer Israels hatten Jesus Christus zum Tod verurteilt und Ihn dann an Pilatus überstellt mit der Forderung, Ihn zu kreuzigen. Aber dem Statthalter war bei diesem Ansinnen sehr unwohl. Er hatte bei seinem Verhör nicht nur herausgefunden, dass das Todesurteil völlig ungerechtfertigt war. Er spürte auch, dass er es mit einer Person zu tun hatte, die höchste Autorität beanspruchte. Jesus bekannte sich ja dazu, „der König der Juden" zu sein. Doch Er hatte hinzugefügt: „Mein Reich ist nicht von dieser Welt."

Auf der anderen Seite fürchtete Pilatus das Volk, das ja von seinen Obersten gegen Jesus aufgewiegelt worden war. Nun pflegte er dem Volk zum Passahfest einen Gefangenen ihrer Wahl freizulassen. Und gerade war der Raubmörder Barabbas aufgegriffen worden. So witterte Pilatus die Chance, sich geschickt aus der Affäre zu ziehen, indem er Jesus und Barabbas zur Wahl stellte. – Auf seine Frage: „Wollt ihr nun, dass ich euch den König der Juden freilasse?", antwortete die Menge: „Nicht diesen, sondern den Barabbas!" Das war keine Augenblicksidee, sondern die bewusste Ablehnung des verheißenen Erlösers.

Heute ist es nicht anders: Christus ablehnen heißt sich auf die Seite seiner Gegner stellen und die Gnade Gottes verschmähen. Die Ereignisse damals nahmen ihren Lauf: Christus wurde zwar gekreuzigt, aber Er ist am dritten Tag auferstanden und ist nun zurückgekehrt in die Herrlichkeit des Himmels. Das alles ist Grund genug, dass wir Ihn im Glauben als unseren Erretter annehmen, ehe Er erneut die Erde betritt – dann aber nicht, um von den Menschen gerichtet zu werden, sondern als Richter der Welt.

---

2. Chronika 30,1-14
Offenbarung 16,12-21

 SA 08.23　SU 16.15

 MA 05.04　MU 14.40

Samstag **20** Dezember

Lass dir meinen Rat gefallen und brich mit deinen Sünden durch Gerechtigkeit und mit deinen Ungerechtigkeiten durch Barmherzigkeit.

Daniel 4,24

Auf dem Niagarafluss trieben mächtige Eisschollen mit großer Geschwindigkeit flussabwärts, bis sie schließlich die Niagarafälle hinabstürzten und auseinanderbrachen. Auf einer der treibenden Schollen lag ein totes Lamm, auf dem ein großer Greifvogel saß.

Als das Eis sich der gefährlichen Stelle näherte, wollte der Vogel im letzten Augenblick davonfliegen. Aber seine Krallen hatten sich so fest in der Wolle des Lammes verhakt, dass er sich nicht mehr rechtzeitig befreien konnte. Mit dem toten Tier verschwand er in der Tiefe.

Viele Menschen wissen genau, dass sie von der Sünde lassen müssen, wenn sie nicht ins ewige Verderben stürzen wollen. Aber immer wieder verschieben sie die Umkehr zu Gott auf einen späteren Zeitpunkt. Schließlich zeigt sich dann oft, dass sie gar nicht mehr von der Sünde loskommen. Ihr Leben geht vorüber, ohne dass sie den Herrn Jesus Christus als ihren Erlöser persönlich annehmen.

Dabei müssen es nicht einmal besonders auffallende Sünden sein, die den Menschen gefangen halten. Die Bibel sagt deutlich, dass der eigentliche Charakter der Sünde darin liegt, dass man nicht nach Gott und seinem Willen fragt. Und wer sein Leben über Jahrzehnte ohne Gott geführt hat, für den wird diese Gewohnheit zu einer immer stärkeren Fessel, die ihn auch im Alter nicht freigeben will. Doch was uns nicht möglich ist, vermag der Sohn Gottes, wenn wir Ihn darum bitten. Christus hat jedem, der zu Ihm Zuflucht nimmt, zugesagt:

„Wenn nun der Sohn euch frei macht,
werdet ihr wirklich frei sein."

Johannes 8,36

Denn Beschneidung ist zwar von Nutzen, wenn du das Gesetz tust; wenn du aber ein Gesetzes-Übertreter bist, so ist deine Beschneidung Vorhaut geworden. Wenn nun die Vorhaut die Rechte des Gesetzes beachtet, wird nicht seine Vorhaut für Beschneidung gerechnet werden und die Vorhaut von Natur, die das Gesetz erfüllt, dich richten, der du mit Buchstaben und Beschneidung ein Gesetzes-Übertreter bist?

Römer 2,25-27

Gedanken zum Römerbrief

Paulus hatte bewiesen, dass der bloß äußerliche Besitz des Gesetzes und anderer Vorrechte nicht genügte, wenn die Juden den Willen Gottes nicht auch wirklich taten. Nun begegnet er einem weiteren Einwand.

Die Beschneidung war das Zeichen des Bundes, den Gott mit Abraham geschlossen hatte. Sie war „das Siegel der Gerechtigkeit des Glaubens". Diesen Glauben hatte er schon, als er noch unbeschnitten war (1. Mose 17,10-14; Römer 4,8-12). Durch die Beschneidung unterschied sich Israel als Volk Gottes äußerlich von den „Nationen".

Wenn aber die Beschneidung der männlichen Juden damals nur noch ein *äußerlicher Ritus* war, dem die *innere Wirklichkeit* eines Lebens aus Glauben fehlte, dann besaß sie keinen Wert vor Gott. Im Gegensatz dazu werden der Glaube und das Leben des unbeschnittenen römischen Hauptmanns Kornelius von Gott anerkannt. Gott hat das eindrucksvoll gezeigt, als Er auch auf Kornelius und seine Familie den Heiligen Geist ausgoss (Apostelgeschichte 10).

Auch heute genügt es nicht, eine Bibel zu besitzen oder sich der Taufe zu unterziehen. So unentbehrlich die Bibel für den Christen ist, so wichtig die christliche Taufe ist, entscheidend für die Ewigkeit ist *Wirklichkeit* im Herzen und Leben. – Deshalb ist die Frage so wichtig: Habe ich Leben aus Gott? Lebe ich aus Glauben an Jesus Christus und sein Erlösungswerk?

---

2. Chronika 31,1-8
Offenbarung 17,7-18

 SA 08.24 SU 16.16

 MA 07.15 MU 16.15

Du aber steh jetzt still, dass ich dich das Wort Gottes hören lasse.

1. Samuel 9,27

Der Mensch im 21. Jahrhundert kommt kaum zur Ruhe. Die rasante technische Entwicklung, der weltweite Konkurrenzkampf und die raschen politischen Veränderungen erfordern ein schnelles Reagieren. Hinzu kommen die gestiegenen persönlichen Ansprüche, für die der Einzelne ein hohes Maß an Leistung erbringen muss. Aber soll das der Sinn des Lebens sein – oder wohin führt der Weg?

Da sind Augenblicke der Selbstbesinnung für jeden wichtig! Die Frage nach Zweck und Ziel des Lebens ist nämlich deshalb so entscheidend, weil sie über das diesseitige Leben hinausführt und das, was nach dem Tod folgt, mit einschließt.

Vielen allerdings ist die Frage nach dem wahren Lebensinhalt unbequem. Und wenn trotz der Hektik der Tage einmal Gelegenheit zur Besinnung wäre, nehmen sie lieber Zuflucht zu den zahlreichen Zerstreuungen, die uns heute angeboten werden. Deshalb bleiben die meisten von Gott entfremdet.

Doch jeder von uns sollte sich fragen: Wie steht es um das Heil meiner unsterblichen Seele? – Wer noch nicht zu Gott umgekehrt ist, geht einer ernsten Begegnung mit Gott, dem Weltenrichter, entgegen. Darum gilt es, stillzustehen, um das Wort Gottes zu hören! Die Heilige Schrift sagt, dass einmal alle, die sich nicht zu Lebzeiten mit Gott versöhnen ließen, „nach ihren Werken gerichtet" werden (Offenbarung 20,12).

Doch die Bibel zeigt uns auch den einzigen Weg zur Rettung. Dieser Weg heißt: Jesus Christus! „Es ist in keinem anderen das Heil, denn es ist auch kein anderer Name unter dem Himmel, der unter den Menschen gegeben ist, in dem wir errettet werden müssen" (Apostelgesch. 4,12).

Dienstag 23 Dezember

Ich habe ja niemand, der mich beachtet; ... niemand fragt nach meiner Seele.

Psalm 142,5

Ein junger Autofahrer wurde in Amerika tot neben seinem Wagen gefunden. Er war in eine Notsituation geraten, und niemand von den vielen Vorbeifahrenden hatte sich um ihn gekümmert. Die Polizei fand einen Zettel: „Ich halte die Kälte nicht mehr aus. Und sie fahren immer noch vorbei."

Ergeht es nicht in übertragenem Sinn heute vielen Menschen ähnlich, die sehr unter Einsamkeit leiden? – Was ist zu tun? Wo ist der Ausweg?

David, König und Psalmdichter im alten Israel, war in solch einer verzweifelten Lage, als er die heute zitierten Worte niederschrieb. Zwar hatte er noch einige Getreue um sich, aber auch die konnten das Gefühl des Verlassenseins nicht vertreiben.

Doch David fand die Lösung in der Not. Er fährt fort: „Zu dir habe ich geschrien, Herr! Ich habe gesagt: Du bist meine Zuflucht!" Ein gewaltiges Wort! Ja, es war noch Einer da, der David beachtete; und das gilt auch für jeden einsamen Menschen heute.

Fühlen Sie sich verlassen? – Dieses Kalenderblatt ist ein Zeichen, dass Gott an Sie denkt.

Wie soll es weitergehen? – Fangen Sie an, in der Bibel zu lesen, in Gottes Wort. Dann werden Sie erfahren, dass Er nach Ihrer Seele fragt und wie viel Ihm an Ihnen liegt. Sprechen Sie mit Ihm im Gebet! Und wenn es Hindernisse zwischen Ihnen und Gott gibt: Er will sie beseitigen, indem Er Ihnen vergibt, wenn auch Sie wollen.

Sprechen Sie mit Ihm auch über Ihre Einsamkeit, Ihre Sehnsucht nach Zuwendung und Ihren Mangel an Gemeinschaft mit lieben Menschen. Er wird Ihnen antworten!

---

2. Chronika 32,1-15
Offenbarung 18,11-24

 SA 08.25   SU 16.17

 MA 09.04   MU 18.27

Euch ist heute in der Stadt Davids ein Erretter geboren, welcher ist Christus, der Herr. Und dies sei euch das Zeichen: Ihr werdet ein Kind finden, in Windeln gewickelt und in einer Krippe liegend.

Lukas 2,11.12

Das Zeichen

Der Zeitpunkt war gekommen, dass Gott sich in der Person seines Sohnes der Welt offenbaren wollte. Aber Er tat es nicht in einer Demonstration von Macht und Herrlichkeit. Nein, Er gab ihr ein denkbar bescheidenes Zeichen seiner Gegenwart: Das Kind in der Krippe war der Messias, der verheißene Erretter! Dieses schlichte Zeichen blieb von der Mehrheit des Volkes unbeachtet, aber allen, die den verheißenen Messias erwarteten, war es das Zeichen dafür, dass Gottes Zusage nun in Erfüllung ging.

Wie froh nahm zum Beispiel der alte Simeon das Kind auf seine Arme! Er rief aus: „Nun, Herr, entlässt du deinen Knecht … in Frieden, denn meine Augen haben dein Heil gesehen."

Niemand hätte sich ausdenken können, dass Gott Mensch werden und dass der König der Könige in einer Krippe liegen würde. Gott kehrt unsere Gedanken von Größe um. Der König, der soeben in Bethlehem geboren wurde, würde später nicht auf einem Prunkwagen in Jerusalem einziehen, sondern auf einem Esel reitend. Er kam nicht, um reich zu werden, sondern um uns reich zu machen. Er kam nicht, um zu herrschen, sondern um zu dienen. Er kam nicht, um zu unterwerfen, sondern um sein Leben für uns zu geben.

Der Sohn Gottes erniedrigte sich und begegnete den Armen, den Kranken, den Sündern, um ihnen die unendliche Liebe Gottes zu offenbaren, diese „die Erkenntnis übersteigende Liebe" (Epheser 3,19). Der größte Beweis seiner Liebe zu jedem Einzelnen ist sein Sühnungstod am Kreuz.

---

2. Chronika 32,16-33
Offenbarung 19,1-10

 SA 08.26   SU 16.17

 MA 09.47   MU 19.42

Sie wird aber einen Sohn gebären, und du sollst seinen Namen Jesus nennen; denn er wird sein Volk erretten von ihren Sünden.

Matthäus 1,21

Zu Beginn des Matthäus-Evangeliums lesen wir, dass Jesus als wahrer Mensch in die Welt geboren wurde. Und doch ist in seiner Person nicht nur ein Mensch zu uns gekommen, sondern Gott selbst. Jesus ist Gott und Mensch zugleich.

Durch einen Engel empfing Joseph die erstaunliche Mitteilung, dass das von Maria erwartete Kind nicht von einem Menschen, sondern vom Heiligen Geist gezeugt war. Es sollte den Namen Jesus erhalten. Der Name bedeutet: „Der HERR ist Rettung". Das weist darauf hin, dass Jesus seinem Volk die Rettung von den Sünden bringen würde.

Nur Gott ist in der Lage, einen treffenden Namen im Voraus zu bestimmen. Und der große Name *Jesus* ist wunderbar bestätigt worden. Wie viele Menschen sind seitdem schon von ihren Sünden und dem gerechten Gericht dafür errettet worden.

Jahrhunderte vorher hatte der Prophet Jesaja das Kommen des Erlösers als Sohn einer Jungfrau vorhergesagt. Und Jesaja bezeugt, dass Ihm der Name „Immanuel" zukommt. Dieser Name bedeutet „Gott mit uns" (Jesaja 7,14; Matthäus 1,23). In der Person Jesu würde sich Gott selbst in der Mitte seines Volkes aufhalten.

Die beiden Namen *Jesus* und *Immanuel* sind eng miteinander verbunden. Gott kann nicht bei Menschen wohnen, die nicht von ihren Sünden errettet sind. Seine Gegenwart würde für sie nur das Gericht bedeuten. – Deshalb ist der Sohn Gottes Mensch geworden, um uns durch seinen Kreuzestod die Rettung von den Sünden zu bringen und uns zu Gott und in die Gemeinschaft mit Ihm zu führen (1. Petrus 3,18).

---

2. Chronika 33,1-11
Offenbarung 19,11-21

SA 08.26   SU 16.18   MA 10.24   MU 21.00

Rette dich um deines Lebens willen.
Wendet euch zu mir und werdet gerettet!

1. Mose 19,17; Jesaja 45,22

Rechtzeitig gewarnt

26. Dezember 2004. Die 10-jährige Engländerin Tilly Smith hält sich am Strand der thailändischen Insel Phuket auf. Plötzlich alarmiert sie ihre Eltern und alle, die um sie herum sind: Man müsse sofort vom Strand fliehen und sich in Sicherheit bringen! Ihre Eltern und dann auch die Leitung des Hotels nehmen die Warnung ernst und evakuieren sofort den Strand. Einige Minuten später bricht eine riesige Flutwelle herein, die gewaltige Verwüstungen anrichtet, aber an diesem Küstenabschnitt kein Menschenleben fordert.

Wenige Wochen vorher hatte das Mädchen im Erdkunde-Unterricht einiges über Tsunamis und ihre Vorzeichen gelernt. Tilly hatte sich gemerkt, was es bedeutet, wenn sich das Meer plötzlich weit zurückzieht. Genau das beobachtete sie nun, und auch die verdächtigen Schaumkronen waren nicht zu übersehen. Da wurde ihr die akute Gefahr bewusst, und sie schlug Alarm.

Solche Vorzeichen eines drohenden Unheils und solche rechtzeitigen Warnungen gibt es auch im übertragenen Sinn. Gott wird einmal die Erde von allem Bösen reinigen. Das ist unumgänglich, weil Er Gerechtigkeit und Frieden einführen will. Und weil Er uns liebt, warnt Er uns rechtzeitig, damit wir nicht von der „Gerichtsflut" erreicht werden. Denn das Verkehrte in unserem Leben, alles, was wir ohne Ihn und gegen seine Maßstäbe tun, fordert sein Gericht heraus. Eines der Zeichen dafür, dass die Erde gerichtsreif ist und wir in der Endzeit leben, ist der brutale Egoismus, der immer mehr um sich greift. Lesen Sie dazu Gottes Warnung im 2. Timotheusbrief, Kapitel 3. Gott warnt uns rechtzeitig; Er mahnt uns eindringlich, dass wir uns retten lassen!

---

2. Chronika 33,12-25
Offenbarung 20,1-6

SA 08.26   SU 16.19   MA 10.56   MU 22.18

Wenn nun der Sohn euch frei macht, werdet ihr wirklich frei sein.

Johannes 8,36

Dem christlichen Glauben wird manchmal der Vorwurf gemacht, er vertröste nur auf das Jenseits. Dabei übersieht man aber, dass es gerade Sinn und Zweck des Glaubens ist, eine Antwort auf die Frage nach der Ewigkeit zu geben, nach der Zukunft des Menschen, wenn dieses Leben vorüber ist. Ein Glaube für das Diesseits wäre bestenfalls eine Moral, die im zwischenmenschlichen Bereich zwar nützlich sein kann, aber in Bezug auf Gott niemand weiterhilft.

Nein, Gott vertröstet nicht, sondern *Er tröstet.* Und dieser Trost kann nur aus dem Jenseits kommen, eben von Gott. Der Reformator Martin Luther drückt das so aus:

> *Da jammert' Gott in Ewigkeit*
> *mein Elend übermaßen;*
> *Er dacht' an sein' Barmherzigkeit,*
> *Er wollt' mir helfen lassen.*
> *Er wandt' zu mir sein Vaterherz,*
> *es war bei Ihm fürwahr kein Scherz,*
> *sein Bestes ließ Er's kosten.*

Es ist wahr, Gott hat sich unsere Rettung „etwas kosten lassen": das Leben seines eingeborenen Sohnes Jesus Christus. Der Tod Christi ist die Grundlage echter Freiheit. In der Begegnung mit Ihm wird ein altes Sehnen des Menschen gestillt: das Sehnen nach Frieden und Freiheit. Im tiefsten Innern sucht jeder Mensch danach. Aber wer zum richtigen Ziel kommen will, muss auch den richtigen Weg gehen. Und dieser Weg ist Christus. Er hat gesagt: „Ich bin der Weg und die Wahrheit und das Leben" (Johannes 14,6). Er ist ein Herr, der nicht knechtet, sondern der uns befreit von der Sklaverei des eigenen Ich. Und Er ist das Leben – Leben in Ewigkeit.

Denn nicht der ist ein Jude, der es äußerlich ist, noch ist die äußerliche Beschneidung im Fleisch Beschneidung, sondern der ist ein Jude, der es innerlich ist, und Beschneidung ist die des Herzens, im Geist, nicht im Buchstaben; dessen Lob nicht von Menschen, sondern von Gott ist.

Römer 2,28.29

Gedanken zum Römerbrief

Auch in der Zeit des Alten Testaments hatte Gott sich nicht mit einer nur äußerlichen Beschneidung zufriedengegeben (5. Mose 10,16; Jeremia 4,4). Denn nur durch „die Beschneidung des Herzens" kann jemand Gott mit ganzem Herzen dienen. Und diese „Beschneidung" war auch damals nicht ein Werk des Menschen in eigener Kraft, sondern ein *Werk Gottes* (5. Mose 30,6).

Den Gegensatz „im Geist" – „im Buchstaben" erwähnt der Apostel auch in 2. Korinther 3: „Der Buchstabe tötet, der Geist aber macht lebendig." Und dann zeigt er, dass *der Herr* „der Geist" ist: Die Formen und Bilder des Gesetzes weisen hin auf Christus, den kommenden Erlöser (V. 6.17). Getrennt von Ihm erhöhen äußere Formen höchstens die Verantwortlichkeit des Menschen und dienen zu seiner Verurteilung: Sie „töten".

Der Name „Jude" bedeutet „Lob" (1. Mose 29,35; 49,8). Doch nur äußerlich Jude (oder Christ) zu sein findet nicht die Anerkennung Gottes. Mit äußeren Vorzügen des Judentums konnte man Menschen beeindrucken. Worauf es aber ankommt, ist „die Ehre bei Gott" oder „das Lob von Gott" (Johannes 5,44; 12,43). In Philipper 3 erzählt Paulus von sich, wie er alle menschlichen Vorzüge für Christus aufgegeben hat. Und dann ergänzt er, was nach 2000 Jahren immer noch ein treffendes Motto für Christen ist:

> *„Vergessend, was dahinten, und mich ausstreckend nach dem, was vorn ist, jage ich, das Ziel anschauend, hin zu dem Kampfpreis der Berufung Gottes nach oben in Christus Jesus."*

Denn die Gnade Gottes ist erschienen, heilbringend für alle Menschen.

Titus 2,11

Geöffnete Schleusen

*Die Schleusen der Gnade
sind weit uns geöffnet,
seit Christus am Kreuze
das Sühnwerk getan.
Die göttliche Liebe
strömt aus zu den Menschen,
und Gott nimmt den Sünder,
der umkehrt, jetzt an!*

*Sein Angebot haben
schon viele ergriffen
und kamen heraus
aus dem sündigen Trott,
sie fanden, wonach sie
im Grunde verlangten:
Vergebung der Schuld
und den Frieden mit Gott.*

*Doch einmal wird Gott
seine Gnadentür schließen,
die heute für jedermann
offen noch steht.
Oh, lass von der göttlichen
Botschaft dich laden;
bald ist es für den,
der nicht wollte, zu spät.*

P. W.

---

2. Chronika 35,16-27
Offenbarung 21,15-27

  SA 08.27   SU 16.21

 MA 12.21   MU 00.50

Ich will mich aufmachen und zu meinem Vater gehen und will zu ihm sagen: Vater, ich habe gesündigt gegen den Himmel und vor dir, ich bin nicht mehr würdig, dein Sohn zu heißen.

Lukas 15,18.19

Das Testament des Vaters

Die Bewohner einer prächtigen Villa in New York sind in Urlaub. Da steigt eines Nachts ein Einbrecher dort ein. Er kennt sich aus. Gerade ist er damit beschäftigt, den Schreibtisch des Hausherrn aufzubrechen. – Eine schändliche Tat, denn der Einbrecher ist niemand anders als ein Sohn des Hauses!

Der junge Mann hatte sich von seinen ungläubigen Freunden gegen seine Eltern und gegen den Glauben einnehmen lassen. Schließlich hatte er das Elternhaus wütend verlassen, um ungestört sein eigenes Leben führen zu können.

Jetzt geht der Sohn davon aus, dass der Vater ihn enterbt hat. Er durchsucht seine Unterlagen und findet tatsächlich das Testament. Das Datum zeigt: Es wurde eine Woche nach seinem Auszug aufgesetzt. Zu seinem großen Erstaunen findet er darin, dass er mit seinen Geschwistern zu gleichen Teilen erben soll. Sein Vater, den er so sehr beleidigt hat, hat ihn liebevoll in seinem Testament erwähnt und voll berücksichtigt.

„Mein Vater liebt mich also doch noch," sagt er sich. Diese Erkenntnis bringt ihn dahin, dem Vater sein ganzes Fehlverhalten zu bekennen und sich mit ihm zu versöhnen. Und sie wird für ihn der Beginn eines neuen Lebens, eines Lebens mit Gott.

Diese Begebenheit erinnert uns an die Liebe Gottes, die uns nicht aufgegeben hat, obwohl wir von Ihm fortgelaufen sind. Gott hasst die Sünde, aber Er liebt den Sünder. Er hat das unter Beweis gestellt, als Er seinen eingeborenen Sohn gab, um uns zu retten. Er erwartet von uns aufrichtige Buße, um uns das ewige Erbe zu geben, das Er für uns bereithält.

Ewige Freude wird über ihrem Haupt sein; sie werden Wonne und Freude erlangen, und Kummer und Seufzen werden entfliehen.

Jesaja 35,10

Wir kommen gut an!

Es ist Abend. Die Oma hat die achtjährige Marie und ihren sechsjährigen Bruder zu Bett gebracht. Weil der Vater der Kinder beruflich unterwegs ist und die Mutter zum Elternabend ging, bleibt Oma solange bei ihnen. Nach der Gutenachtgeschichte aus der Bibel beten sie miteinander. Dabei denkt Oma auch an den Schulweg bei Schnee und Eis – die Kinder werden von den Eltern zum Nachbarort gebracht.

„Bitte, Herr Jesus, gib auch, dass sie gut dort ankommen", sagt sie. Nach dem „Amen" hat der kleine Tim eine dringende Frage: „Oma, warum betest du denn jedes Mal, dass die Kinder gut ankommen? Wir *kommen* gut an. Papa oder Mama bringen uns doch hin!"

So felsenfest ist sein Vertrauen, dass er sich keine Sorgen um die winterlichen Straßen macht. Die Oma wundert sich einmal mehr darüber und erinnert sich an den Ausspruch: „Gott hat uns keine ruhige Überfahrt verheißen, aber eine sichere Ankunft."

Tims Zuversicht, dass seine Eltern sie sicher ans Ziel bringen werden, ist eine wunderbare Predigt für Oma. Wie oft macht sie sich Sorgen um den täglichen Kleinkram und vergisst, dass der Vater im Himmel alles lenkt! Dabei weiß sie doch aus der Bibel, wie Gott allen geholfen hat, die auf Ihn vertrauten. Und sie selbst hat ja Jahr für Jahr erfahren, wie Er sie bewahrte und ihr auch dann nahe war und sie stützte, wenn ihr eine Schwierigkeit nicht erspart blieb.

Auch im neuen Jahr wird Gott alle, die Ihm vertrauen, bewahren und leiten. Und Er gibt ihnen die Gewissheit, dass sie einst sicher dort ankommen werden, wo ewige Freude wohnt.

Das Neue Testament und die Psalmen

Die Bibel ist das Wort Gottes. Sie besteht aus dem Alten Testament und dem Neuen Testament.

Beide Teile bilden ein Buch mit einer einmaligen Botschaft: Gott hat seinen Sohn Jesus Christus auf diese Erde gesandt. Und dieser Jesus opferte am Kreuz sein Leben für die Schuld, die wir vor Gott haben: unsere Sünden. Wer seine Sünden bekennt und daran glaubt, dass Jesus Christus für die Sündenschuld bezahlt hat, bekommt von Gott ewiges Leben geschenkt.

Wenn Sie das Wort Gottes noch nicht persönlich besitzen, schicken wir Ihnen gern *kostenlos* ein Neues Testament zu. Schreiben Sie uns eine E-Mail an:

diegutesaat@csv-verlag.de
mit dem Vermerk:
Neues Testament

Bitte vergessen Sie nicht, uns dabei Ihre
vollständige Adresse mitzuteilen.

Kleines, sehr handliches Format.
Kartoniert, mit Überschriften.
Größe 8,5 x 13 x 1,4 cm.

ISBN: 978-3-89287-049-4
Best.-Nr. C 257.049

Die gute Saat jetzt auch als App!

CSV Kalender

Laden Sie sich zu einem günstigen Preis die
App **CSV Kalender** für Ihr IPhone, IPad oder
Android-Gerät aus den entsprechenden App-Stores
(iTunes, Google Play) herunter.

Notizen

Notizen

Notizen

Notizen

Notizen

Notizen

Notizen

Notizen

Notizen

Notizen

Notizen

Notizen